湛庐CHEERS

与最聪明的人共同进化

HERE COMES EVERYBODY

人人都该懂的地球科学

Planet Earth A Beginner's Guide

[英]
约翰·格里宾 著
John Gribbin

尔欣中 译

 浙江教育出版社·杭州

测一测　　你真的了解我们生活的地球吗？

1. 太阳系诞生于大约（　　）年前，这时宇宙已经有（　　）年的历史。

A. 45 亿，90 多亿　　B. 45 亿，85 多亿

C. 44 亿，90 多亿　　D. 44 亿，85 多亿

2. 我们的星球表面有（　　）是陆地，（　　）被海洋覆盖。

A. 28%，72%　　B. 29%，71%

C. 30%，70%　　D. 31%，69%

3. 火山爆发可以分为（　　）类。

A. 4　　B. 5

C. 6　　D. 7

4. 从地表到地球中心的距离大约是（　　）千米。

A. 6371　　B. 6391

C. 6421　　D. 6481

5. 我们正在经历第（　　）次物种大灭绝。

A. 4　　B. 5

C. 6　　D. 7

测一测你对地球了解多少
扫码下载“湛庐阅读”App，
搜索“人人都该懂的地球科学”，获取问题答案。

地球，我们的行星家园

我们生活在一颗叫“地球”的行星之上。我们的行星家园是一个形状比较规则的岩石球体，直径大约为 12 700 千米，其上覆盖着一层薄薄的海水和大气。地球会绕着被我们称为太阳的恒星每年公转一圈。在公转的同时，它还会绕着地轴每 24 小时自转一圈，这让我们感觉到了昼夜更替的现象。自从太阳和它周围的行星形成以来，这种情况已经持续了大约 45 亿年。这本书记录了地球各时段的历史，在这个过程中，地球演变出了它现有的各种特征，包括适合生物生存的家园特征。

我们无法讲述地球走过的全部的历程，但会告诉你那些曾经改变它外貌的力量如今仍然活跃着：它们引发了地震和火山爆发，撕裂地壳使海盆扩大，推动板块运动使大陆间发生碰撞，从而形成巨大的山脉。地质活动和人类的生活会共同对我们所呼吸的空气的成分产生影响，而且生命本身不仅会对地球气候的变化做出反应，同时也会影响气候的变化，比如引起全球气候变暖现象。

今天，在我们的行星家园上发生的故事不仅引起了地球科学家的兴趣，而且对于地球上的每一个生命体都无比重要。现在，就让我们开启这段旅程吧。

PLANET EARTH

目 录

PLANET EARTH

1
地质简史

地球究竟有多古老？
地球的形态是如何演变成今天这个样子的？
水从何而来？

在开始讲述我们“家园”的故事之前，允许我为你讲述另一段地质时期的故事。那是关于早期地质学家如何追寻到地球的真实历史，以及由此认识到大自然的力量是如何不断重塑着我们生活的世界的故事。这段历史可以追溯到差不多200年前，当时欧洲的科学家最先开始对古人的一些观点提出质疑。那些观点来源于对《圣经》故事的字面理解，认为地球只有大约6 000年的历史。

地质学的诞生，一段追索地球年龄的历程

从苏格兰人詹姆斯·赫顿（James Hutton）的工作伊始，人们才对地球有了新的认知。赫顿是一位执业内科医生，因为家境殷实，从不为生计担忧，所以可以全身心地投入科学研究当中。他在1785年的时候向爱丁堡皇家学会（Royal Society of Edinburgh）提交过自己的观点，并在1795年把这些想法写成了一本书——《地球的理论》（*Theory of the Earth*）。仅仅12年之后的1807年，

伦敦地质学会（Geological Society of London）便成立了，这是首个致力于研究现今被称为“地球科学”的学科的组织。那时，赫顿的前沿思想收录在他朋友约翰·普莱费尔（John Playfair）的《关于赫顿地球理论的说明》（*Illustrations of the Huttonian Theory of the Earth*）一书中，赫顿的思想因此得以广泛流行。

18 世纪末，大众普遍认为地球形成于公元前 4004 年，但是像赫顿一样的科学家已经深刻地意识到，我们星球的形成时间肯定比这个时间更古老。可问题是，地球究竟有多古老？它的形态又是如何演变成今天这个样子的？

早在 1665 年，这个谜题已经在罗伯特·胡克（Robert Hooke）的《显微图谱》（*Micrographia*）一书中有所暗示。胡克是近代科学的创始人之一，由于他和艾萨克·牛顿生活在同一个时代，总是得不到应有的赞誉。因为和牛顿比起来，即使再聪明的人也会逊色很多。胡克是最早认识到化石成因的人之一，他认为化石并不是恰好与某些生物很像的奇形怪状的石头，而就是由生物的遗体形成的。在胡克的书中，他是这样描述菊石的：“它们是某种贝类生物的壳，可能是经历了暴雨、洪水、地震或某种类似的方式，被带到了那些地方，然后被某种泥巴、黏土、硬化水抑或其他物质填满，经过很长时间的融合后硬化而成的。”在伦敦格雷欣学院的课堂上，他也曾说“现今地球上是陆地的部分曾经是海洋”，还有“山脉塌陷变成平原，平原耸起形成山脉，诸如此类”。胡克全说对了，但是在那个时代，没有人在乎这些新的观点，因为这种戏剧性的变化显然是“不可能在仅仅几千年的时间跨度内完成的”。

几乎在同一时间，也就是17世纪60年代中期，丹麦人尼尔斯·斯丁森（Niels Steensen）也意识到那些现今在内陆深处甚至高山地区发现的化石，是那些曾经生活在海洋中的生物的遗迹。他用自己的拉丁文化名斯坦诺（Steno）发表了这一观点：“由于洪水淹没了陆地，不同的岩石层（strata）在不同的时期必然处在水下。”所以化石是生物遗骸的观点和洪水灭世的故事联系到了一起，就像一些人已经经历过的洪灾。这与胡克所提出的观点非常不一样。胡克认为陆地本身可以升高或下陷，而海平面是保持不变的。但这也遗留了一些问题：所有这些变化需要多长时间？所有的水是从哪里来的？

18世纪40年代，动植物分类系统的发明者卡尔·林奈（Carl Linnaeus）提出了自己关于洪水问题的观点。他意识到，即使大洪水确实发生过，但洪水灭世故事中所描述的历史也没有足够长的时间使这些变化产生。相反地，他认为地球可能在一开始是完全被水覆盖的，然后水逐渐退去，水平面下的陆地才显现出来，并附带留下了海洋生物的化石。林奈的主要观点是，这个过程所需要的时间远远多于6 000年的地球历史。但是为了不招致来自教会的麻烦，林奈在公开的出版物中十分谨慎地表述了自己的观点。林奈将自己最大胆的言论写在了他1753年出版的书《博物志》（*Museum*

Tessinianum）中，他写道："无数奇怪和未知动物的化石被埋在高山下的岩石层中。虽然我们这个时代没有人见过这些动物，但它们却是古代地球上生物存在的仅有的证据，那是非常远古的时代，没有任何历史记录可循。"

相比之下，另一位科学家就显得没有那么克制了。当林奈在瑞典思考这些化石所揭示的地球历史时间表时，布封（Comte de Buffon）已经在法国进行了一项测量地球年龄的真实的实验。布封是一位工作努力并且非常成功的科学家。尽管他继承了一大笔遗产，可以过上无忧无虑的奢侈生活，但布封仍然满怀激情地专注于工作，为此他还雇了一个保姆每天早上 5 点钟叫自己起床，并确保自己已经清醒，可以去工作。布封的主要成就是进行了大量的科学调研，总结成一部《自然史》（*Histoire Naturelle*），足足有 30 多卷。而他那些最富创造性的工作都被记录在其中。

布封认为，一颗飞过的彗星从太阳中扯出了一小块熔化的物质，而这一物质形成了地球。这个观点在 18 世纪并不疯狂。所以，他尝试计算一块像地球那么大且熔化了的铁球需要多长时间可以冷却到常温。他给不同体积的铁球加热，直到它们达到熔点的温度，然后计时，看多久之后它们可以冷却到不会灼伤皮肤的温度。当时的实验是这样进行的：实验中的助手都是些有着纤细双手的名媛，戴着上好的丝绸手套作为保护，而她们被布封当作实际使用的"温度计"——因为在那个时代，还没有精确的温度计。

通过从实验结果推衍到地球大小的铁球的情形，布封计算出地球至少有 75 000 年的历史，而且他在《自然史》一书中敢于说出这个结论。尽管这个时间段远远短于现代科学所认为的几十亿年的结果，但这仍是一个里程碑事件。布封公布的这个地球年龄是《圣经》学者们所认为的 10 倍多。下一个进行类似估算的人得出了地球年龄更长的结论，但是不同于布封，他缺乏公布发现的勇气。

约瑟夫·傅立叶（Joseph Fourier）是一位数学家，但是他所提出的使他成名的数学工具是为了解决一个实际问题，即描述热量如何从一个热的物体传导到一个冷的物体上。例如，当一根铁棍的一端在炉子里烧得红彤彤而另一端处于普通的室温时，热量是如何传导的。傅立叶的方程可以描述这根铁棍上热量流动的速率。傅立叶使用这些方程来估计地球从熔融状态到冷却凝固状态的速率。此外，他比布封还多注意到一点：一旦地球表面形成一层固体岩石的壳，它就会像一层隔热毯一样减慢地球向外部空间散发热量的速率。傅立叶把这些都考虑进来，推导出一个公式，得到的地球历史大概是一亿年。傅立叶对此非常吃惊，也没有发表这个数值。而在 1820 年，他却把那个公式发表了。任何一个水平尚可的数学家都可以用这个公式计算出那个数值来。但是傅立叶却不愿意因为暗示地球的年龄比《圣经》研究者认为的大 10 万多倍而给自己找麻烦。尽管如此，到了 1820 年，对于跟随赫顿步伐的地质学家而言，这个时间尺度比起他们想要的还是太小了。

一切都与均变论有关

赫顿最值得欣赏的地方是，他认为没有必要用全球性灾难来解释地球是如何演变成今天的形态的。赫顿研究了地层后认为，它们起初一定是一层叠在另一层上面，然后变弯、扭曲，成为今天的样子，并且认为与其用全球性灾难来解释这一切，还不如考虑另一个可能：地球的形成起源于我们今天还能见到的一些地质现象，但是这个过程经历了漫长的时间。这个过程中包括火山爆发和大地震，对于那些住在其附近的人来说，这是很可怕的灾难。但是赫顿认识到，这些短暂的现象在地质学时间表里是非常常见的，常见到就像打喷嚏一样。这种在一个漫长时期内逐渐变化的观点可以解释地球所有特征的起源，从山脉一直到海盆。这个观点后来被称为均变论（uniformitarianism）。我们今天也能看到同样的现象，并且可以用来解释所有现象，例如山脉如何从海底隆起到被侵蚀风化，沉积到海底，最终成为新山脉的原始物质。这种变化的图像巧妙地解释了为什么地球上只有三类岩石：火成岩，从火山中喷发出来的一种由熔融态的岩浆变硬的岩石；沉积岩，由古老岩石被侵蚀磨损成细小碎片沉积在水底形成；变质岩，如花岗岩，它们是由以上两种岩石中的任意一种变为半熔化状态后再形成的。

赫顿无法计算出地球的年龄，但他知道所有这些过程都需要非常长的时间来实现。事实上，他认为可能根本没有那个"诞生"一说，地球一直都存在，并且将会永远存在，所有这些现象也将永远持续下去。在 1788 年发表的一篇论文中，赫顿写道："因此本次调研的结果是，我们没有找到地球诞生的痕迹——也没有结束的迹象。"

另一位苏格兰人查尔斯·莱伊尔（Charles Lyell）在赫顿的基础上进行研究，并使人们真正开始注意均变论的观点。他在 1830—1833 年间出版了一部巨著《地质学原理》（*Principles of Geology*），共三卷。他以当时典型的风格起了一个副标题，解释了书的内容——"以当今的地质现象来解释过去的地表变化"。通过书中收集的证据，莱伊尔描述了埃特纳火山（Mount Etna）由熔岩流形成的火成岩层是如何被沉积岩层分开的。书中一处写道，一个包含牡蛎化石的岩层"至少 6 米厚，并可以清楚地看出其位于一处玄武岩流层之上，在牡蛎层之上又叠加了一层熔岩物质"，所以两次熔岩流之间的时间间隔长到足够沉积 6 米厚的物质。而熔岩层本身并不是突然沉积下来的。莱伊尔通过计算发现，需要"发生 90 次熔岩流，每次在末端都达到 1 600 米宽，才能使今天火山脚下达到熔岩流的平均高度"。

莱伊尔的书对一些人产生了深刻的影响，其中之一就是年轻的查尔斯·达尔文。1831 年，他踏上了"贝格尔号"（Beagle），开始了著名的航行，而他随身携带的正是《地质学原理》的第一卷。在旅途中，他又陆续拿到了剩下的两卷。在随后的几年里，达尔文创建了物种起源的理论，他认为这是自然选择进化的结果。当然，他也同样指出：这是一个均变的过程，需要漫长的时间来演化。多亏了莱伊尔（还有他之前的赫顿），达尔文知道自然界其实有充足的时间来进行自然选择的工作。达尔文说莱伊尔给了他“时间的礼物”，并在很久之后又说，“我一直觉得我的书有一半是从莱伊尔的脑子里弄出来的……《地质学原理》一书的巨大功劳是，它改变了人类思想的整体基调”。

达尔文的《物种起源》一书于1859年出版。当时，并不是每个人都立刻改变了自己的想法，但我们可以说在19世纪最后的25年里，许多地质学家和生物学家都已经相信地球至少有几亿年的历史了。然而，最大的困难是，物理学家和天文学家告诉他们，根据当时已知的物理法则，达尔文的理论是不现实的。双方虽各执一词，但都没错。直到后来，人们又发现了更多的物理知识，这个问题才被解决，而地球年龄的故事也得以继续更新。

最新的年龄结果

到了19世纪中叶，物理学家已经认识到永恒并不存在，所有事物最终都会耗尽。这一关键原则现已载入物理法则，就是著名的热力学第二定律。当然，这也意味着在某个远古的过去，必须存在一个“诞生的痕迹”。在将来，即使是非常遥远的一天，地球上今日存在的东西也会终结。所以在1852年，英国物理学家威廉·汤姆森（William Thomson），也就是著名的开尔文勋爵曾写道：

在过去的某段时间内，地球肯定不像今天这样适宜人类生存；而在将来的某段时间内，地球也肯定会再次变得不适宜人类生存——除非某种作用已经开始或将要开始。这些作用在今天已知的物理定律下是不可能的，而这些定律则是今天的物质世界里正在发生之事件的主要成因。

我们知道，如果没有太阳，地球不可能适宜生存，所以汤姆森试图计算出，若太阳一直辐射出如此巨量的光和热来维持地球适宜生存，那么究竟可以维持多久。汤姆森用维多利亚时期人们能够接受的一个例子指出，即使整个太阳是由煤构成的，并在一个纯氧气的大气环境下燃烧，那也只能维持几千年，然后就变成煤渣了。但是，他发现还有一种能量来源可供太阳这样的恒星利用。

汤姆森发现了一个现象，他的德国同行赫尔曼·冯·亥姆霍兹（Hermann von Helmholtz）也独立发现了这个现象。他们的发现就是：一个太阳尺度的气体球，直径是地球的108倍，如果在自己的重量下缓慢收缩，它可以保持内部高温。这种收缩会释放引力能，然后转化成热量。为了保持太阳的温度，可以很容易地算出它必须收缩的速率，这大约仅仅是每年50米。不幸的是，尽管这已经很慢了，但它还是意味着太阳会在2 000万年内燃烧殆尽，这个数值就是所谓的开尔文－亥姆霍兹时标（Kelvin-Helmholtz timescale）。对生物学家和地质学家而言，这个时间段还是太短了，他们需要好几亿年来促成他们在生物和非生物世界中看到的变化。今天我们知道，这种收缩加热的过程是新恒星诞生时进行内部加热的方法。

结果就是，汤姆森的两个论断都是正确的。“在过去的某段时间内”地球的确不适宜生物生存，但是这个“某段时间”远远长于开尔文－亥姆霍兹时标。此外，在19世纪的确有当时尚未被科学家们知晓的物理定律——放射现象。

1895年，德国物理学家威廉·伦琴（Wilhelm Röntgen）发现了X射线，进而发现了其他形式的辐射，并对释放这种辐射的物质，也就是放射性物质进行了研究。新西兰人欧内斯特·卢瑟福（Ernest Rutherford）把这些新想法应用到两个方面：指出了太阳的一种“新”能源，并提出了一个新的时标。他曾在剑桥大学、曼彻斯特大学和蒙特利尔的麦吉尔大学工作过。但是我们没有必要详述他是如何发现了精确时标的每个步骤，可以直接跳到故事的结尾。

这种辐射提供的第一样东西就是能量，是由19世纪50年代的汤姆森所不知道的机制产生的。当重元素的原子核重新排列成一种低能量状态时，就会释放出这种辐射。自然界总是倾向于低能态。原子核如此自我调整，多出来的能量就被我们测到的辐射携带出来，而且原子还可能转化成另一种物质的原子。例如，铀的一种形式可以如此“衰变”成铅。

这些过程所释放的能量最终是由极少量的物质转化而成的，与爱因斯坦著名的公式 $E=mc^2$ 的描述完全一致。但是，爱因斯坦 1905 年才提出这个公式，天文学家用了几十年才发现，原来使太阳和恒星保持高温的不是放射性衰变，而是将一组很轻的原子核融合到一起的过程（特别是氢转化成氦）。重要的是，在 20 世纪初，卢瑟福等人已经清楚汤姆森时代有很多未知的物理定律，原子核内部的反应确实可以长时间为太阳提供能量。但是有多长？在这里，卢瑟福对地球年龄这一争论性课题的最重要贡献便慢慢涌现出来。

卢瑟福发现，如果一开始你有一定数量的某种放射性元素，它们中的一半会在特定时间里衰变成其他物质，这叫作半衰期。在下一个半衰期，剩下一半的一半（最开始的 1/4）又会产生衰变，以此类推。不同的放射性物质的半衰期是不同的，但都可以在实验室中被测量。这意味着，如果你有一个岩石样本，其中包含放射性元素的混合物和所谓的“子”产物（例如放射性铀和它的子产物铅），那么你可以测量各种物质存在的比例，以此来算出岩石的年龄——放射性衰变进行的时长。1905 年，卢瑟福和他的同事伯特伦·博尔特伍德（Bertram Boltwood）用这种方法测量了一个岩石的样本，得到的结果为 5 亿年，是开尔文－亥姆霍兹时标的 20 倍。即便如此，这还是一块相对“年轻”的岩石。从 1905 年开始，利用这种绝对可靠且精确的技术，科学家们将地球上能找到的最古老的岩石进行了推算，他们发现地球年龄已经超过 40 亿岁，恰好匹配了对太阳年龄的现代估计。时标的谜题终于被解开了。

在后面章节里，我们不会讲述地球历史的细枝末节，例如地质学家如何发现有关我们行星家园的知识。相反，我们会聚焦于地质学家的最新发现。让我们把地球放回行星的位置，看看地球作为太阳系的一部分是如何形成的。这样开始我们的旅程是很合理的，因为这解释了那些仍在地球上衰变的放射性元素的来源。放射性元素对于理解地球时（terrestrial time）很重要。

PLANET EARTH

2

我们在星际空间中的位置

太阳从何而来？

地球如何产生？

月球因何诞生？

我们的地球是从星际尘埃中诞生的。在恒星之间的宇宙空间中，布满了巨大的气体云和尘埃云，而它们就是制造新恒星和行星的原材料。根据目前的科研进展所知，宇宙诞生于一次大爆炸，大多数气体很原始，是大爆炸时期所遗留的氢元素和氦元素。但是尘埃却不同，它们是经过最初几代恒星内部加工之后又被抛回宇宙空间而被循环利用的。

地球的故事开始于这些气体云和尘埃云，它们中的一个由于自身的引力开始向内塌缩，进而产生了太阳和它的行星家族——很可能还有其他几个恒星和它的伙伴行星。为了搞清楚人类在宇宙中的位置，特别是那些非常有用的放射性元素是从哪里来的，我们需要知道那些气体云和尘埃云是从何而来的——这是一个真正从大爆炸时开始讲述的故事。

宏观上的宇宙

没有人真正知道是什么引发了宇宙诞生，我们只是叫它“大爆炸”。但是，正如此前我们的另一本书《从当前到无限》（*From Here to Infinity*）所介绍的，有充分的证据表明，在137亿年以前，某种东西在那个充满热量、密度无穷大的“种子”中触发了宇宙的大爆炸。大爆炸中喷涌而出的并不仅仅是我们日常所见的物质，如我们在现今宇宙空间中所能见到的原子。我们能看到原子物质是因为它们能变热，然后就能辐射光；这就是恒星能发光的原因。但是在宇宙里还有另一种物质，它们不发光，被平淡地称为暗物质（天文学家有时候有点儿缺乏想象力）。暗物质很重要，尽管不发光，但它们会发生引力作用，而且事实上暗物质存在的量很多，比原子物质多得多。

大爆炸之后，宇宙开始膨胀，暗物质的引力把万物拉到一起，形成团块，否则它们都会飞散开来，甚至由于密度太低无法形成恒星。在暗物质和原子物质的混合聚集区，由氢气和氦气组成的巨大的气体云发生塌缩，形成了一个个恒星的小岛。每个恒星的小岛叫作一个星系，由引力吸着在一起。而由诸多星系组成的整个星系团也是由引力维系在一起的，每个星系团中的星系互相绕转运动，像蜜蜂在蜂群周围嗡嗡地飞。但即使在今天，星系团之间还在随着宇宙空间的暴胀而互相远离。

包括太阳和地球在内，所有重要的东西（除了大爆炸本身）的诞生都发生在其中的一个星系内，我们称这个星系为银河系。银河系有一个比较扁平的、由恒星组成的盘。星系盘非常大，即使光从一端传播到另一端也要花 10 万年，因此我们说它的直径大约是 10 万光年。从更长远的尺度来看：光速是每秒 30 万千米，从太阳到地球有 1.5 亿千米，所以光的传递时长是 8 分钟多一点。在银河系的中央有一个核球，它很像一个巨大煎蛋的蛋黄，大约有 23 000 光年宽，3 000 光年厚。而在核球区之外，星系盘只有 1 000 光年厚，所以它的直径比厚度要大 100 倍。整个系统都在围绕着星系盘的中心旋转。

除了我们看不到的暗物质，星系空间中还包含着上千亿颗恒星，它们有些比太阳大，有些比太阳小，但或多或少都很像太阳。太阳确实是一颗普通的恒星。银河系的跨度非常大，以至于离太阳最近的恒星也有好几个光年远。这就是为什么夜空中的星星看起来都是一个个小点，而不是太阳那样的大光球。

银河系中心的核球区里只有古老的恒星，几乎没有气体和尘埃。在那里，所有用来制造恒星的材料都被用光了。但是星系盘上包含了各种不同年龄的恒星和大量的气体云与尘埃云，在这个恒星的苗圃中，新的恒星一直在诞生。太阳处于从银河系中心到盘边缘 2/3 的地方，绕银河系中心一圈大概需要 2.25 亿年。但太阳是怎么来的呢？

恒星诞生

银河系中最古老的恒星已经有大约120亿年的历史了，这意味着那些构成恒星的原材料在聚到一起时，距大爆炸已经不到20亿年了。但是放射测年法和其他技术告诉我们，太阳和太阳系只有45亿年多一点的年龄。从120亿年前到45亿年前，许多恒星诞生、发光，然后消亡，渐渐成就了我们今日的家园。

宇宙学家测量了所谓的宇宙微波背景辐射——大爆炸时期留下的一个微弱的射电信号，又结合了对基本物理规律的研究，推断出从大爆炸涌现出来的原子物质包含大约75%的氢元素和25%的氦元素，此外还有更多的非原子的暗物质。氢元素和氦元素是两种最简单的化学元素，是构成其他元素的基本元素。这个元素合成的过程开始于第一批恒星，最初是氢元素和氦元素组成的气体球由于自身的重量开始塌缩。

当这样一个包含了比太阳多许多倍的物质的气体球以这种方式塌缩时，它的内部就开始变热。正如开尔文和亥姆霍兹所发现的，引力能正在释放。在气体球塌缩的同时，其内部的压力开始增大。当压力和温度都足够高的时候，在气体球内部深处，氢原子核与其他原子核激烈碰撞，它们中的一些融合在一起，形成了氦元素。这个核聚变的过程会释放能量，提供一个向外的支撑力来阻止气体球进一步塌缩。此时，它已经变成了一颗恒星。

放射性衰变是与核聚变相反的过程。这两种核变都是自然发生的，都是向中等质量的原子核进行变化；如果我们把质量转化成能量来看，中等质量的原子核能量是最低的。非常轻的元素，例如氢元素和氦元素，能聚变成中等质量元素并释放能量；同样地，非常重的元素，例如铀元素和镭元素，可以裂开，变成更轻的元素，并且也释放能量。在极端情况下，一个重核分裂成中等大小的两块，这种情况的放射性衰变被称为核裂变。

在第一代恒星内部，氢元素被合成为氦元素，氦元素被合成为碳元素、氧元素等其他元素。但是当内部的核燃料用光后，恒星会突然向内部塌缩，巨大的引力能被瞬间释放而产生爆炸，接着它们内部制造的其他元素就会散落到宇宙空间中去。这就是天文学家在星际云中看到的尘埃的源头。所以后代的恒星诞生的时候不仅仅只有氢元素和氦元素，还有一些更重的元素的痕迹。大质量恒星需要燃烧很多原料来维持自身的稳定性，所以它们的生命周期很短，只有几百万年左右。由此我们可以看出，在太阳从银河系中的气体尘埃云诞生之前，已经有充足的时间来形成好几代恒星了。在星际云中，重元素的出现会促使像太阳一样的小质量恒星诞生，因为这些元素的化合物能更有效地把热量辐射到宇宙空间。这意味着气体在形成恒星前，可以收缩得更小，并裂成更小的团块。

但是从大爆炸到太阳诞生前，仍然会有许多大质量恒星形成，即使在今天也是如此。两个原因使这个过程变得非常重要：

- 通过核聚变反应产生的重元素到铁元素和镍元素就停止了，从能量角度来讲，它们的原子核是最稳定的。

- 所有更重的元素，例如金元素和铅元素以及放射性元素，是在大质量恒星死亡时巨大的爆炸中产生的。

在这些被称为超新星爆发的爆炸中，原子核被巨大的压力挤到一起，发生融合，而且在这个过程中还有能量注入其中。所有的放射性元素，包括太阳和太阳系诞生之前的，以及今天仍在用以测定年代的，都是以这种方式产生的：在太阳诞生之前的一次或多次超新星爆发的内部产生。

这突出了超新星的第二个重要特征：在恒星星际间的气体和尘埃云只有在其他东西给予它们一点扰动时才会开始塌缩。尽管也有其他方式可以触发塌缩，但最好的办法就是一个超新星爆发的冲击波给周围的气体云带去一点荡漾。这便催生了我们的太阳系。

行星诞生

太阳和它的行星家族——太阳系诞生于大约 45 亿年前，这时宇宙已经有 90 多亿年的历史了。地球作为太阳系的一分子，几乎恰好是宇宙年龄的 1/3。大体而言，在我们的星系中每年有 10 ～ 20 颗新恒星诞生，还有同样数量的恒星死亡。在 90 多亿年里，大约有 100 亿倍太阳质量那么多的物质在恒星内部燃烧，然后又被抛向宇宙中再循环，因此星际间的气体云中含有更多的重元素，而新诞生的恒星中的重元素也便更多了。但是在每个恒星或每代恒星内部只有很小一部分氢元素和氦元素被加工过。尽管在太阳诞生前的 90 多亿年里，有好几代恒星形成，并经历了生命周期，又将加工过的物质抛回宇宙空间来丰富星际云中的元素，但当太阳形成之时它也只包含一点点比氦元素重的元素。

太阳系的质量揭示了这些宇宙起源的奥秘。根据一系列天文证据，整个太阳系，包括太阳和各个行星在内的天体，它们全部质量的 70.1% 是氢元素，27.9% 是氦元素，0.9% 是氧元素，只留下 1.1% 的份额给余下的重元素。由于其他元素的比例太少，用原子数量比用质量更容易给它们排序。拿前十名（除了氢元素和氦元素）来说，每 70 个氧原子就有 40 个碳原子、9 个氮原子、5 个硅原子、4 个镁原子和氖原子、3 个铁原子，还有 2 个硫原子。其他元素就更少了，在太阳系中每出现 1 000 万个硫原子才会有 3 个金原子。在地球上，黄金也是稀有的，所以价格昂贵。但除了氢元素，所有我们认为很平常的元素其实都是很稀有的，这些元素仅仅对于人类来说是平常的，因为我们居住在一个岩石材质的球体上，而太阳系中的这些元素刚好都集中到了这里。当形成太阳系的气体云和尘埃云塌缩的时候，大部分氢元素和氦元素聚集到中心，形成了太阳，而一些较重的元素则留在外面，在一个形似圆盘的轨道内绕着年轻的太阳旋转，就是在这个“圆盘”里，一些尘埃粒子黏在一起，形成了地球。

演化成太阳系的云团不可能只形成一颗没有行星相伴的单星（Single Star），因为它在旋转。当一个自转的物体收缩时，它会转得更快。你大概见过这种现象，花样滑冰运动员把手收回来时会转得更快，你自己在滑冰时尝试自转，手也会自然地向外甩。对一个塌缩的星际气体云来说，这个效应实际抵消了向内的引力，当与原恒星的距离超过某一个临界点后，那些继续塌缩的物质会被压成一个盘，绕着年轻的恒星旋转。太阳也在自转，周期为 27 天。而且正如你所料，所有行星和太阳系形成时留下的碎片也在沿着同样的方向绕着太阳旋转。

在绕着年轻太阳的盘状物质里，演化出了几种不同的物体。尽管我们对其中的地球特别感兴趣，但是把它当作太阳系组成的一分子来正常看待是值得的。有 4 颗岩石行星离太阳很近，它们从内到外依次是水星、金星、地球和火星。然后是一片聚集了宇宙瓦砾的区域，都是行星形成时留下的碎片，被称为小行星，它们所在的区域就被称为小行星带。小行星带的外面是 4 颗大型的气体行星——木星、土星、天王星和海王星。其中最大的木星，质量是地球的 317 倍，但其内部大部分都是氢元素和氦元素。显然，“气体巨人们”的形成方式和地球不一样，但这里我们并不需要做太多关心。在气体行星外面是另一个碎片带，含有一些大型的冰块，这里被称为柯伊伯带（Kuiper Belt，曾经的第九大行星冥王星）。在更远的宇宙深处，在到最近恒星一半的距离上，整个太阳系被球状云团包围，里面是一些冰状物体，直径一般为几十千米，我们称之为彗星。有时，一个或几个大冰团会受到干扰，比如临近恒星的引力使它们飞向太阳，变成一团光球从太阳系内部掠过，然后又呼啸着飞回太空。但是相比于现在，我们更关心在45亿年前，太阳这颗年轻的恒星在向它周围的盘状物质辐射能量时发生了什么。

地球诞生

一开始，星系盘上的成分和太阳系形成的云团一样——98%是氢元素和氦元素，2%是余下所有物质。因为氦元素不会起化学反应，所有的氦都是以气体形式存在的。氢元素能和其他元素合成，反应成水、甲烷和氨等，但没有很多重元素，所以大部分氢元素也是以气体形式存在。其他原子，如氧原子、碳原子、氮原子等，会与另外一个原子还有氢原子结合组成分子。许多分子粘在细小的石墨颗粒（碳原子的一种形式）表面，像香烟烟雾的小颗粒一样。随着太阳开始升温，它的辐射把所有剩余的气体都带到了太空中。太阳周围只有固体粒子还留在盘上，以同样的方向运动，但是在不同的轨道有不同的速度，彼此的路径交叉，所以经常碰到一起。因为它们运动方向一样，这些碰撞比较温和，所以粒子开始黏到一起。此外，电场力可能也有助于促进积累蓬松的尘埃球。如果你不常做家务，那么在你的床底下也能找到类似的东西。这些尘埃球通过引力吸到一起，会变得越来越大。只花了10万年，这些团块就长到1 000米左右的大小，人们称之为星子，这是构成岩石行星的零件。一些小行星带中的天体可能是太阳系形成时留下的原始星子；另一些岩石碎片是那些更大的天体碰撞时散落的碎片，因为从星子向行星演化是一个暴力的过程，一些越来越大的岩石会相互碰撞。

计算机模拟显示，云团塌缩形成太阳和行星的100万年之后，在太阳和今天的火星轨道之间存在20～30个天体，小到月球尺寸（大约为地球直径的27%），大到火星尺寸（大约为地球直径的53%）。它们周围还有大量的小星子，在一系列碰撞中，这些小星子会被大天体席卷，而大的天体之间也会碰撞合并，直到最后只留下四五个较大的天体——水星、金星、地球、火星，外加至少一个火星大小的天体。这些天体被年轻太阳的热气所烘烤，复杂的分子都被破坏，气体也被吹走，这4颗（加一颗）原行星的主要成分只剩下铁、硅以及碳的稳定化合物。

从大小上看，地球和金星很像双胞胎，并且占据了太阳的临近轨道。它们一定是以非常接近的方式演化形成的。在行星演化过程的后期，除了行星变大这一事实外，这个阶段的关键变化是由撞击吸积进来的物体自带动能，并产生了大量的热量。这些热量熔化了年轻行星的表面，然后熔化物缓慢地渗透到内部。但在5 000万年后，行星已经液化殆尽，铁元素和其他重元素都沉到地核去了，较轻的硅化合物则浮在表面，降温形成了地壳。随着铁元素一起沉到地核的还有其他重元素，包括由超新星爆发产生的放射性元素铀元素（其中的一次超新星爆发引发了太阳系的诞生）。铀元素衰变产生的热量可以持续几十亿年，这在某种程度上解释了为什么地核今天还是熔融态，以及为什么开尔文估计的地球年龄是错误的。但这只是其中一个因素，开尔文还忘了在他的计算中加入地核中流体对流的影响，这也改变了他对地球年龄的估算结果（我们将在后面谈到对流，特别是在第 5 章深入了解地球内部时）。此外，一旦固体地壳形成，它就像熔融地核的绝热层，会减缓热量向地外空间的散发。

令人感到奇怪的是，尽管这个过程完美地解释了今天金星的特征，它却不能完全说明今天地球的结构。地球现在的地壳很薄，在占地表面积2/3的海洋下，地壳的厚度平均只有5 000米多一点，而在大陆下面，地壳有 30 千米厚。我们将会解释，这对于板块构造的过程非常重要，而板块活动在地质时代改变了我们星球的地貌。薄的地壳像鸡蛋壳一样容易开裂，通过火山活动释放内部的热量，使表面的板块互相挤压产生地震。但是空间探测器的数据表明，金星的地壳至少有 50 千米厚，甚至可能有 100 千米厚，所以它形成了一个固定的层，而没有板块构造活动。由于放射性物质的作用，金星内核热量积累、压力增加，在经过很长一段时间间隔后（最近的一次是 6 亿年前），整个外壳全部破碎，巨量的熔岩涌出，覆盖了整个金星表面，随着热量的释放，其表面又固化出一层新壳。这个星球又回到沉寂状态，然后又过了几亿年。

金星存在厚厚的富含硅酸盐的地壳，这与天文学家的预测非常吻合。金星会有这么厚的壳层是毫无疑问的，但问题是地球的壳层为什么会这么薄？地球上应该有的硅酸盐都去哪里了？而答案似乎和地球的另一个独有的特征密切相关，那就是它的大月亮。

月球诞生

尽管月球的直径只有地球的 1/4，但它依然是迄今为止太阳系中各个行星系统里最大的卫星。对许多天文学家来说，月球根本不应该算作卫星。从某种意义上讲，木星和其他巨行星的卫星才能被称作卫星；他们更倾向于把地球和月亮的关系描述为“双行星系统”。事实上，其他三个内行星都没有真正的卫星。水星（直径大约是地球的 38%）和金星独立地绕着太阳转，而火星只有两个非常小的“伙伴”：火卫一和火卫二，它们的直径都只有几千米大小。它们显然是由火星重力场从附近小行星带中捕捉来的流浪岩石块。这一对比使得地月系统更加不寻常。那么，它到底是怎么形成的？

最有可能的一个解释是，地球一开始确实是像金星的双胞胎，有着一层很厚的地壳，而另一个火星一般大小的行星在附近形成了。这个天体最可能位于两个拉格朗日点中的一个之上，在地球之前或之后 60 度，但依然在绕太阳旋转的同一轨道上。在这些拉格朗日点上，太阳的引力和地球的引力共同作用产生一种引力坑，可以让一些小物体在那里聚集并停留。今天，我们用这些同样的拉格朗日点作为人造卫星的稳定轨道，例如，轨道上的红外线望远镜需要离地球很远，以保证不受我们星球的干扰。一个小天体如果不是精确地位于拉格朗日点之上，它就会在那里像钟摆一样进行小幅度的摆动。但如果一个大天体从位于地球轨道的拉格朗日点附近的宇宙碎片生长出来，这个摆动幅度就会越来越大，以至于很快这个天体就会撞向地球。这类事件可能在地球原始地壳形成的1000万年间发生过一次。

不要以为这仅仅是两个岩石块的碰撞，碰巧掉了些碎片。这个模型的一个名字是“大飞溅”（Big Splash），它能让人联想起地球年轻时的情景。在一个火星大小的天体和地球发生了一次惊天动地的碰撞后，巨大的动能被释放出来，这个外来的天体被彻底毁灭，而地球的整个表面也会重新熔化。这个外来天体致密的金属内核渗透过已经熔化的地球表面，被年轻地球的内核吸入，而核心以外较轻的物质和地球原来的表面则飞溅到了太空中。大约有今天月球10倍重的物质，被以这种方式抛了出去，大部分完全逃离了地球，进入太阳的独立轨道，但有一些则被捕获，在地球周围形成一个环。当地球的表面再次冷却，并形成一层新的、薄薄的地壳时，周围环上的物质会结合形成月球，接着在微型程度上重新上演一出太阳周围行星形成的过程。

有大量的证据支持这个地月系统形成的模型。最有说服力的是，从月球带回的样本显示它和地球地壳的成分完全一致，而且月震测量显示月球没有大型金属内核。月球岩石的年龄告诉我们，这一戏剧性事件发生在 44 亿年前，几乎是太阳刚刚形成之后。这样一次侧面的撞击也解释了为什么地球自转会是 24 小时一圈这么快的速度，而没有月球的金星的自转时长是 243 天。在地球刚刚被击中、月球形成之时，地球自转的速度比现在更快，从那以后一直在减慢。这个偏离中心的碰撞还使地球发生了倾斜，给我们带来了四季的变化。有这么大一个卫星绕着地球旋转，它起到了引力稳定的作用，在漫长的地质时期里制止了地球倾角的变化。而地核里多余的铁成分和快速自转的现象，恰巧能够解释为什么我们的星球有一个很强的磁场。

此外，还有一个来自太阳系更远处的间接证据可以证明这次碰撞的确发生过。水星引力的强度表明，尽管其体积很小，但有相对较大的质量，这意味着它密度很大。月球有着类似地球的地壳，却没有内核，而水星有着类似的内核，却没有地壳。一种自然的解释是，一个更大的天体最初在水星轨道上形成，但是在太阳系生命早期它被一颗原行星撞了，不是像地球经历的那种侧撞，而是迎面相撞。在这次正面撞击中，所有较轻的物质都被炸到太空中，只留下较重的内核。

关于地球如何演变成今天的样子，水星和月球其实还能告诉我们更多信息。所有这些都发生在45亿多年前，那是一系列爆炸似的活动。以天文学的观点来看，这些活动快得几乎不可思议。接下来，地球完成了它的演化，使自己成为一个适宜生命安家的星球。而记录下这一切的，则是两张饱受摧残的“面孔”。

海洋和大气层的诞生

在月球形成的那次碰撞后，地球重新开始冷却。它干燥、没有生气，而且在地壳固化后依然非常炽热。一些气体通过火山活动从地球内部逃了出来，这是地表之下岩浆中持续的化学反应的结果——这里面混合了熔化的岩石、挥发性物质以及地表下的固体岩石块。但是大部分地球大气层，还有几乎所有海洋中的水，是在地月系统形成之后从太空进入地球的。

我们知道这一切发生的时间，是因为宇航员从月球中带回了岩石样本，而研究人员测定了这些岩石的年代。所有的证据显示，大约在太阳系形成1亿年后，也就是在月球刚刚从绕着地球的碎片中形成后，它被厚达200千米深的岩浆海洋所覆盖。这给了月球一层光滑的表面，但很快被从太空飞来的陨石密集地轰炸，造成了我们今天看到的坑坑洼洼的表面。这轮轰炸持续了大约5亿年，于40亿年前结束，后期的陨石撞到了之前的坑上，炸出的陨石坑重叠在一起。在过去40亿年左右的时间里，因为行星间宇宙碎片持续存在，所以陨石坑的形成概率很低。

如果月球是太阳系内有着这种饱受摧残的表面的唯一天体，那么我们会猜测，这是由地月系统演化过程中那些碎片扫过、撞击造成的。然而，缺乏大气的水星表面却展示出了完全相同类型的伤痕——虽然火星的大气层淡化了那些陨石坑的边界，但是有明显的证据证明，这颗红色的行星也曾遭受过这种撞击。显然，水星和火星间的所有东西、所有的太阳系中的内行星都受到了撞击的影响。除此之外，地质学家们声称，事实上金星的表面在 6 亿年前被重塑过。那里没有被陨石大范围撞击过的痕迹，只有相对较少的一些陨石坑，它们应该是过去的 6 亿年里被一些“流浪”的碎片撞击而形成的。

地球的表面在地质时代被改变过，经历了腐蚀与风化。但是地球肯定也在 45 亿～ 40 亿年前被宇宙碎片密集地撞击过。是什么样的碎片呢？其中有一些是大块的岩石，就像今天的小行星；同样可以肯定的是，其中还有彗星，它们是大块的含冰物质，有水结成的冰，也有甲烷和氨结成的冰。它们在太阳系遥远的外圈、寒冷的深空处凝结而成，由于木星等巨行星的引力作用被甩到了内圈。就碰撞释放的能量而言，其成分是否是岩石、冰块或两者的混合物并不重要，起决定作用的是它的质量和速度。一个直径 10 千米大小、由岩石和冰块混合而成的天体以每秒 50 千米的速度到达地球（估计有一个大小和速度与之类似的陨石曾在距今 6 500 万年前引起了恐龙的灭绝），则这个陨石释放的能量相当于 1 亿兆吨 TNT 炸药爆炸产生的能量，在地表炸开了一个陨石坑，而它携带的冰块也全都以气体形式喷发出去，包括水蒸气，这让地球产生了大量的降水。但是因为月球的质量要小得多，引力也因此比地球弱得多，所以不可能形成大气层。那些气体全都飘散到太空中，只留下干燥的、没有生机的月球——保持着它初始的模样。

月球上的陨石坑表明，在过去的 45 亿～40 亿年间，总共有 1 000 亿亿吨的物质从太空中撞击了地球。如果这些物质中有一半是彗星，而彗星中占 20% 质量的物质是冰，那么这带来的水已经相当于今天地球上所有水的 80% 了，余下的一些可能是由火山释放的气体产生的。地球的原始大气就是一件意外的礼物。几乎与此同时的 38 亿年前，地球上出现了生命。生命迅速在我们的星球上立足，几乎可以肯定的是，这是由降落到地球表面的彗星所包含的特殊混合物质所造成的。

但是生命的故事我先不给你讲述。让我们现在把目光集中到另一方面：是什么塑造了这样一颗行星——它的内部高温致密，拥有一层薄薄的地壳，而表面大部分被水所覆盖，比它的邻居有趣、热闹多了。

PLANET
EARTH

3

漂浮的大陆和延伸的海洋

大陆为什么会分裂与漂移？
海洋真的在扩张吗？

地球上的生命被限制在一个狭窄的地带，像被一张紧实的皮肤包裹着。总的来说，这个范围向下延伸到海洋最深处，即海平面之下 11 千米，向上延伸到陆地最高点，即海拔 9 千米的高峰。这使得地球的生命活动范围只有 20 千米厚，但这包含了我们日常世界的所有方面。如果将地球比作一个苹果的话，生命的活动范围就像苹果皮一样薄，而且这层皮非常紧实。

这个生命范围受到地壳活动中的强大力量的支配，而地壳就是我们脚下看似坚固的岩石。正如我们将要看到的，这股力量是地球深层内部活动的结果。但是在挖掘地下深处之前，我们应该看看这个看似固体的表面，实际上是如何被不断地组合成新陆地格局的，包括大陆分裂，使它们互相挤压，由此打开、封闭海洋盆地，并在此过程中形成高耸的新的山脉。

变化的世界

对于那些留心观察的人而言，有各种证据可以证明：地球的表面曾经经历过戏剧性的巨变。其中最明显的例子就是，海洋生物的遗体化石出现在远高于海平面的岩石中。早在公元前5世纪，亚里士多德便已经在苦苦思索这个问题。15世纪时，达·芬奇曾经说道："在群鸟飞过的意大利平原上，鱼群曾在那大浅滩中游弋。"在达·芬奇时代，大多数人的理解是，那些遗骸是《圣经》中大洪水的证据，但并不是每一个人都接受这样的说法。1665年，自然哲学家胡克对自己的猜测闪烁其词，不敢冒犯教会的权威，他在《显微图谱》中写道，"暴雨、洪水、地震或某种类似的方式"使曾经的海底升高到了海平面。而那时，地理学家们还有另外一个难题需要考虑。

17世纪初，欧洲的航海家们已经绘制出了较为详细的大陆地图。被誉为"经验主义之父"的弗朗西斯·培根在1620年发表了关于南美洲东海岸线和非洲西海岸线的评论：这种镜像一样的边界使它们看起来应该像七巧板一样拼到一起。在其著作《新工具论》（*Novum Organum*）中，培根说，这"不是偶然发生的"，尽管他无法解释这为什么发生或是如何发生的。再一次有许多人开始自然而然地认为，大西洋在现实中曾是一条大河谷，是《圣经》中的大洪水把这块陆地切割开来的。

这种想法致使人们始终无法科学地解释山脉耸起和海洋盆地形

成的原理。一个主流的观点是，地球在演化的过程中冷却，然后收缩，就像一个干透了的苹果，而光滑的紧致的表皮也起皱了。这"解释"了山脉的成因。海洋盆地被"解释"为是一片片收缩的地壳塌陷到地表下的洞穴里所导致的——最初这些洞穴里都是水，后来喷发出来引发了《圣经》中的大洪水。与之相反的观点认为，整个地球最初完全被水覆盖，后来水逐渐退到了地表下的洞穴里。

但是，关于我们变化的世界，早期最好的一个假设是由博学的本杰明·富兰克林于 1782 年提出的。他认为，地球的固体表面是一层相对较薄的地壳，就像一层鸡蛋壳，漂浮在流动着的内芯上，"所以，全球地表下漂浮的液体产生的剧烈运动，使得地表因此破裂、被打乱"。简而言之，这就是现代的板块构造理论，而且现在我们有充足的证据支持富兰克林的理论。

大陆在漂移吗

第一位提出大陆在地表漂移的杰出科学家是安东尼奥·斯奈德－佩莱格里尼（Antonio Snider-Pellegrini），他是意大利裔美国人。19 世纪 50 年代时，佩莱格里尼住在巴黎。他把自己的观点写在了 1858 年出版的一本书《创世记和它的神秘亮相》（*La Création et ses mystères dévoilés*）中。这本书夹杂了《圣经》的解释和科学假设，其中包括一个想法：地球上所有的大陆最初是一整块超级大陆，但是在一次与大洪水相关的灾难后，南美洲从现在的非洲分离出来，然后快速在地球上移动，最终到达今天的位置。尽管当时均变论的思想已经完整地建立起来，莱伊尔的伟大著作也已经出版了25年，但一小部分人还是接受了佩莱格里尼的理论，认为南美洲和非洲是从一整块大陆分裂出来的；然而他们漠然地忽略了佩莱格里尼的另一个猜测，即这一切都是在一个突如其来的大灾难下并在短时间内发生的。

南美洲和非洲曾经连接在一起的证据现在看来已经无可辩驳，而事实上早在19世纪时人们就已经接受了这一观点。南美洲延伸到大西洋的山脉与非洲延伸到大西洋的山脉吻合得很好，而且那些岩石中的地层也吻合得非常好；低洼的地区与接合处吻合，化石层也是如此；在大西洋两岸的动植物也相互匹配（尽管由于演化的作用，这一点已经不那么明显了）。总体而言，这就像你把一张报纸按照非洲和南美洲的形状剪开，分别放在两边。根据报纸上的单词和句子，你又可以很容易地把它们再拼回去。19世纪末的时候，真正需要解答的问题已经不是大陆是否在地表大范围移动，而是它们到底是如何移动的。

很长时间后，这个问题才有了科学的答案，但是一个重要线索早在1908年就被发现了。那一年，美国地质学家弗兰克·泰勒（Frank Taylor）在一次美国地质学会上提出了他的想法。他认为巨大的山脉实际上是地壳相互挤压变形的结果，这一发现与在美国地质调查局和斯坦福大学任职的贝利·威利斯（Bailey Willis）的研究结果一致。（具有讽刺意味的是，威利斯本人认为“海洋盆地是地球表面的永久性特征”。）泰勒认为，这些侧向力与整个地球上大陆的“强大的缓慢运动”有关。他极有先见之明地洞察到，有一条巨大的海底山脉，被称为大西洋洋中脊（Mid-Atlantic Ridge），它在南美洲和非洲中间的海底伸展开来，一直延伸到北大西洋。泰勒说这个位置最初是大陆之间的裂痕，这表明这条山脊“一直保持不动，而山脊两侧的大陆则向相反的方向缓缓移动”。没有人关注泰勒的论文，而他自己也懒得去推广它。但是几年后，德国气象学家阿尔弗雷德·魏格纳（Alfred Wegener）又捡起了“大陆漂移”的想法并发展出了一套自己的理论，他在一系列书籍里对之进行了大力宣传，终于引起了人们的注意。

虽然魏格纳不是地质学家，但在 1911 年，他无意中发现了一篇论文，论文讲述了这样一个观点：大西洋两岸之所以存在类似的地质层、化石和生物，是因为在很久以前，曾经有一片大陆连接它们，现在这片大陆已经沉到海底。魏格纳认为这个观点很可笑，尤其是因为在 20 世纪早期，人们已经知道海床的岩石比大陆地壳的岩石密度要大。大陆就像海上冰山一样漂浮在地壳下的致密物质之上。如果有某种神秘的力量使连接大陆的“桥梁”沉到下面的物质中，那么这些“桥梁”应该还会浮上来——就像一块冰被按到水下，它还会浮起来一样。魏格纳知道一两件关于浮冰的事，因为他在丹麦远征队去格陵兰考察时曾担任官方气象学家。浮冰不能沉到海浪之下——但是漂浮的大冰原会开裂，然后逐渐分开，而之间的裂缝会变得越来越宽。到 1912 年 1 月，魏格纳已经把这些概念发展成大陆漂移理论的第一个版本，并在法兰克福召开的德国地质协会的会议上进行了公布。

魏格纳没能说服几个人，同时他的工作进展也变得缓慢起来，因为他作为气象学家与大学老师还有本职工作要做。后来，关于大陆漂移理论的工作进展得更慢了，因为在第一次世界大战中，魏格纳要在德国军队服兵役。魏格纳的理论面临的一大障碍是该理论需要大陆在看似固体的海床岩石上漂移，就像冰山在海洋上漂移一样。运动的机制仍旧未知，这足以使大多数地质学家对这个理论的研究打消了念头。但是多年来，魏格纳汇集了越来越重要的证据来反对“大陆桥假说”（land bridge hypothesis）。对岩层的详细研究再加上其他的证据表明，“新闻纸上的句子”精确地排列在海洋的缺口，没有“漏字”消失在视线之外。（顺便说一句，魏格纳最先提出了新闻纸的比喻。）他还利用自己掌握的气象学知识，从不同年龄的地层发现的不同种类的岩石和化石研究入手，重建了过去的气候。这项分析表明，现今位于冰天雪地的北极圈的斯匹次卑尔根岛（the island of Spitsbergen）曾经一度被热带植物所覆盖。

在福尔摩斯的故事中，阿瑟·柯南·道尔让他的大侦探指出，一旦你排除了不可能，那么剩下的无论是什么以及无论多么不可思议，也一定是真相本身。魏格纳证明了大陆桥不可能存在；因此，大陆肯定是漂移的，虽然看上去不可能。他对“新闻纸上的句子”进行重构，结果表明所有的大陆曾一度组合在一起，形成了一个超级大陆，他称之为盘古大陆（Pangaea），意为“整个地球”。根据魏格纳的计算，在大约3亿年前，盘古大陆已经开始分裂。魏格纳最重要的见解之一是，山脉的形成与地球的收缩并无关系。他认为，山脉是在一块漂移大陆的前沿形成的，岩石由于阻挡了大陆的移动而被揉碎、抬高。这可以解释一些现存山脉的成因，例如北美西部的落基山脉。陆地之间的碰撞也可以使岩石粉碎、山脉耸起：印度大陆北移，猛烈地撞击亚洲大陆，形成了著名的喜马拉雅山脉。

尽管如此，魏格纳还只是说服了极少数地质学家相信大陆漂移的理论是正确的。1930年11月，魏格纳50岁生日后不久，他在最后一次去格陵兰探险的路上由于心脏病发作而去世。但是，他的讣告中几乎没有提及大陆漂移理论。

公平地讲，对他的同代人而言，大陆漂移理论缺乏一个根本机制，即使是在20世纪30年代，这看起来也像是一道不可逾越的鸿沟。大陆沉入海床下的图像就像冰山沉入大海一样，卡在了地质学家的喉咙里，他们知道海床的岩石是不可能像冰山下的海水一样分开一条路给大陆板块的。但是在魏格纳首次洞察大陆漂移的问题时，他已经发现解决问题的答案就摆在那里，只是其他人没有意识到而已。因为，正确的图像并不是冰山在水里移动，而是冰山在水上漂移。浮冰碎裂然后漂浮开，不是因为它们在水里运动，而是因为它们被洋流载着走。事实证明，大陆板块也是被洋流所驱动——但是，需要一项新技术来证明这一点。

向下深入

这项新技术便是声呐。声呐由于在第二次世界大战和其后的冷战期间被应用而得以发展。尽管在20世纪30年代，人们已经尝试绘制出大陆周围的海床，但声呐的出现还是显著地提高了深海探测的能力。这项技术最开始是用来探测敌方潜水艇、测量水深、寻找入侵登陆海滩附近的水下障碍物的。即使是最简单的声呐设备，也极大地优化了地质学家已有的海底地图。当回声探测仪向下发送一个脉冲时，脉冲到达海底后会发生反弹，并沿着一条精心绘制的轨道运行。通过测量脉冲返回船上的时间，科学家可以把海底的轮廓绘制出来，精度误差仅1米左右。海洋中或者海床上爆发的地震，其震动可以被记录下来，而这些勘测能提供更多的信息。声呐和地震勘测技术后来都得到了极大的发展。20世纪50年代，美国海军提供科研基金，使这两项技术在全球范围内应用，他们需要海底的详细地图来帮助寻找可能存在的敌方核潜艇，以及为自己的舰艇找到较好的藏身之处。

在声呐技术应用之前，地质学家曾预测海底是相对平坦、光滑的，其上覆盖着一层厚厚的沉积物，也许有5 000米厚，是从大陆上冲刷下来的，并积累了上万年。大陆本身其实并没有在水边结束，而是从海岸线向外又延伸了几百千米，形成大陆架，那里的海水较浅，不超过200米深。海洋盆地从大陆架的边缘开始倾斜到深海海底，平均而言，在海平面下接近4 000米深。今天，我们的星球表面29%是陆地，71%被海洋覆盖。如果海平面下降180米，海岸线将与大陆架的边缘重合。那么陆地与海洋的比例将变成 35% 和 65%。这是大陆地壳和海底地壳之间平衡的一个真实反映。

新的调查显示，海底非常崎岖不平，那里的丘陵和峡谷覆盖着相对较薄的一层泥沙。还有明显的大西洋洋中脊——一条水下山脉在大西洋中路延伸开来，并与类似的山脉连接，形成了一个遍布全球的网络。在海底，地壳本身只有 7 000 米厚，相比之下，大陆地壳的厚度在 3.5 万～ 7 万米之间。即使是在世界上最大的海洋太平洋的海底，沉积层竟然也只有几百米厚，相当于沉积物被水冲刷了 2 亿年的总量。放射性年龄测定技术表明，海洋岩石的年龄不会超过大约 1.5 亿岁。这意味着太平洋只有 1.5 亿～ 2 亿年的历史。

最近，更多的调查加深了我们对海底的认识。越来越多的回声探测图像表明，在大西洋洋中脊的中部有一个很深的峡谷，像地球的裂缝一样。它正好位于大西洋海底地震发生最频繁的一带，证实了山脊上正发生的事情。类似的地震发生在全球洋中脊的网络带，占全世界地震总能量的大约 1/20。有一些洋中脊甚至是从地震监测中发现的，而且是在使用回声探测或其他技术之前——这是一种多么惊人的相关性。

深入海底的探测器显示，在大西洋裂缝中，热量流出的速率是海底其他地方的 8 倍。科学家对此解释道，地壳在洋中脊中心的确有一个裂缝，裂缝的存在使来自地球内部的热量涌到表面，并向上推高了组成洋中脊的山脉。从新近形成的熔岩海床中，人们费力地挖掘出来的岩石样本已经证实了这一点。此外，大西洋洋中脊的形状恰好遵循南美东海岸和非洲西海岸的轮廓。有了这个证据，现在人们已经清楚这个洋中脊所在的位置，就在南美洲从非洲分离开的裂缝，而且这两个大洲从那时起便开始对称地相互分离。

但是这两个大洲到底是如何在裂缝的两侧分离的呢？一种观点认为，地球可能还在膨胀，但很快这种可能性就被进一步的证据和新的见解排除了。

这项证据其实相当古老，是在 20 世纪 50 年代由普林斯顿大学的一位地质学家哈里·赫斯（Harry Hess）发现的。当时还处于第二次世界大战期间，赫斯是一艘运输舰的指挥官。该船配备了当时最先进的回声探测仪，而他一直开着这些仪器，这样就得到了他们所到达地区的海底轮廓。他困惑地发现，海底散布着一些水下平顶山，他称之为“盖奥特”，以纪念 19 世纪的地质学家阿诺德·盖奥特（Arnold Guyot）。这些山脉类似平顶岛——一种冲出海浪的死火山，山顶因被风化和海浪冲刷而变平。它们常常形成珊瑚岛，那里有一圈珊瑚生长在腐蚀的山峦周边，包围着一个浅浅的潟湖。

赫斯注意到的这个神秘的谜团，正是 19 世纪 30 年代时在著名的“贝格尔号”上的达尔文苦苦思索的问题。让人感到不解的是，一般珊瑚只生长在浅水区，因为那里有充足的阳光，还有坚实的地基。人们很容易理解礁石是如何在一个小岛附近的浅水区里长大的。但是人们还发现，很多珊瑚礁离这些小岛的海岸很远，那里的死珊瑚都根植于海底，活珊瑚就生活在死珊瑚之上；一些珊瑚礁事实上存在于没有岛屿的封闭潟湖内。达尔文认为，这些有珊瑚礁生长的岛屿曾经沉没在海浪之下，随着珊瑚礁被淹没，新的珊瑚继续生长在死去的老珊瑚礁上。珊瑚并不像有些人认为的那样，生长在古老火山口的边缘，因为当海岛沉没到水下之后，这些特征都被茫茫的大海侵蚀殆尽。达尔文对此发表的观点值得一读，因为他的观点总是表达得很清楚，以至于再也没有更好的解释了。达尔文是这样写的：

> 让我们来看一个被岸礁环绕的小岛，它没有什么复杂的结构；然后，让这个小岛和它的珊瑚礁慢慢地沉没。现在这个岛沉了下去，一次一两米或者完全不知不觉。我们可以从已知的适宜珊瑚生长的条件来可靠地推断，在珊瑚礁边缘的大量活珊瑚沉没在海浪下，但很快会回到表面。然而，海水会一点点地侵蚀岸边，海岛会变得越来越矮、越来越小，然后珊瑚礁与海滩的距离变远了……这样我们立刻就明白了环岛的珊瑚礁为什么离它们对面的海岸线那么远了。

这个过程继续持续下去，最终你会发现它变成了一个被珊瑚礁环抱的潟湖，不再有什么海岛。这就是所谓的“环礁”，一个关于珊瑚礁的科学术语，这是达尔文在他 1842 年出版的书中普及的概念。在更长的时间之后，当珊瑚礁不能再支撑自己的重量时，一切都将消失在茫茫大海之上。

当然，达尔文不知道为什么海岛会下沉，更不知道赫斯发现的海底山峦。但是，他深刻地洞察到平顶海山是怎样被侵蚀的（尽管它们躺在深深的海底），还有当它们再次出现时，为什么其中的一些周围会围绕着死珊瑚。

后来的发现表明，平顶海山离洋中脊越远，它们距离水面就越深。当曾经的发现过去十多年之后，赫斯灵光一现，认识到了事情的原委：平顶海山在洋中脊附近形成，像普通的山一样涌出海面然后被腐蚀，后来又随着海床的移动被运走，到达更深的海底，就像在传送带上一样。这是最初的海底扩张的概念。赫斯意识到，大陆不是穿过海底的岩石运动，而是被岩石的“传送带”载着行进的。在洋中脊两侧，扩张的速度只要达到每年 1 厘米（大概等同于你指甲生长的速度），就足以解释 2 亿年（大约地球年龄的 1/20）内世界所有的海洋盆地的生成。

赫斯在 1960 年提出这些想法，同时他还指出，因为新的海床持续不断地从洋中脊形成，再加上没有发现超过 2 亿年的海床，所以为了维持这一平衡，古老的海床一定是在某些地方被摧毁了。他的原话是这样说的：

> 海洋盆地具有非永久性的特性，而大陆则是永久性的，尽管它们可能会断裂或拼接到一起，而它们的边缘也会由此而变形。大陆是被地幔的对流被动地载着移动，而不是迎着海洋的地壳破浪而行。

这一组假说引起了人们的注意，但是在1960年的时候还不能说服大多数地质学家相信大陆真的经历过漂移。仅仅过了几年，进一步的证据出现了。

不断翻转的地球磁场

突破的关键来自磁学。许多岩石含有富含铁的矿物质，当含有磁性材料的火成岩形成的时候，这些铁元素的化合物会沿着地球的磁场排列，使这些岩石形成一个虽然弱但是永久存在的磁场。这就像一个化石磁场，记录了岩石完全形成时所在时间、地点的地球磁场方向。这种排列不仅在水平方向上对应着南北走向，在不同纬度的磁场下，方向倾角也不同——纬度越高倾角越大，纬度越低倾角越小。这种叫作倾角的角度对应岩石形成时的纬度。20世纪50年代，当足够灵敏的磁力仪被开发出来后，人们可以测量岩石中磁场的倾角，由此可以证明英国岩石中实际的磁倾角比英国所在位置应该有的磁倾角要小得多。这似乎表明，在过去的2亿年里，英国一直在向北移动。类似的研究显示，南半球的大陆（南极洲除外）也在向北漂移。然而，对这方面的证据，科学家最初谨慎以对，因为这些技术还很新，而且难以实施。针对海床的磁学研究改变了很多人的观点。

这完全是偶然发生的。1955 年，美国海军出资对北美西海岸的部分海底进行了一项非常精确的调研，对一艘科学考察船投放了一系列在平行轨迹上的探测器，同时还在做回声探测。参与这项调研的科学家们被告知，在进行这项烦琐而重要的任务时，他们可以做其他任何实验，只要不影响这项调研本身。他们能想到的唯一符合该条件的实验就是磁力测量。科学家们使用了一种鱼雷里面的磁力仪，拖在船的后面。这个仪器实际上测量的是地球的磁场，非常精确；在一些地方，岩石的磁场和地球磁场是一致的，测量的结果就是磁场强度会大一点；在另一些地方，岩石的磁场和地球磁场相反，测量的结果就是磁场强度会小一点。科学家们并没有特意去寻找什么东西，只是其中的磁场异常表明，海底可能存在一些有趣的东西。

科学家们发现了一系列或多或少彼此平行的磁场带。沿着一条磁场带，岩石的磁场都排列成一个方向；下一个磁场带，岩石的磁场方向都是相反的；再下一个磁场带，又与第一条磁场带排列一样，以此类推。这些磁场带在洋中脊附近还都是平行排列的。这个研究结果于 1958 年公布，引发了更多关于海床磁场的研究，但是还没有人知道其中的缘由。

答案来自对陆地上岩石的研究。除了前面提到的磁倾角的微妙变化，还有其他一些现象表明英国所在的大陆在过去几亿年存在向北漂移的运动。地球上还有一些地方岩石中磁场的方向，与今天地球磁场下形成的岩石的磁场方向完全相反。最自然的解释就是，当地球磁场发生了反转时，两极交换了位置，从而形成了具有反磁性的地层。这种说法是合理的，因为地球磁场是由地核内旋转的液态铁产生的，所以液态铁流动方向的改变可以改变磁场的方向，而不需要地球在空间中真的上下反转。20 世纪 60 年代，研究者把放射性测定年龄的技术应用到了全世界不同磁场的岩石上，于是这个想法被证实了。结果显示，整个地球的磁场的确每隔几百万年就会反转一次。具有决定意义的是，这是一个真正的全球现象，它适用于同一时间内全世界的任何一个地方。

剑桥大学的两位研究人员弗雷德·瓦因（Fred Vine）和德拉蒙德·马修斯（Drummond Matthews），结合哈里·赫斯的假说和新的关于磁场的证据，进一步提出了海底扩张的证据。他们认为，熔岩从位于海底洋中脊的裂缝里喷涌而出，从两侧均匀地扩散开来。当它们落下时，岩石获得了与地球磁场一致的微量磁性。一段时间之后，地球磁场反转，形成的新岩石磁场也跟着地球磁场一起反转，但这不会影响那些已经定型的岩石。如果这些想法是正确的，那么在洋中脊两侧的磁场带应该形成一致的模式，因为两侧相对应的磁场带和地球磁场的反转相匹配。20 世纪 60 年代中期，美国科学考察船“天龙号”（Eltanin）进行了一项调研，完成了对太平洋洋中脊两侧直到复活节岛以南海底的磁场反转的测量。这次测量共包含 4 000 千米的范围——洋中脊两侧各 2 000 千米，结果呈现出了一个完全匹配的镜像。将“天龙号”调查的磁场带绘制在一张图表上后，我们可以把这张纸沿着洋中脊的位置折叠，之后会看到两边的图案恰好吻合。这已经没有什么怀疑的余地了，海底扩张是真实存在的，它也的确解释了大陆的漂移。

除此之外，还有一个额外收获。由于在陆地上磁场反转的图案被精确地测定了日期，所以海底的磁场带就像一个条形码一样，我们可以通过它知道每一个磁场带的岩石是在什么时候形成的，从最新的洋中脊上的岩石到大洋盆地边缘的海床上的岩石都可测量。这些图案比以往的估计都更加精确地证实，最古老的海床的历史也没有超过 2 亿年。

1964 年，在剑桥大学工作的爱德华·“泰迪”·布拉德（Edward ‘Teddy’ Bullard）让这一理论锦上添花。布拉德使用计算机得出了如果将大西洋拿走，大西洋两岸的大陆的最佳契合度。这个像拼图游戏一样的拟合并没有使用今天的海岸线，因为那将取决于海平面的高度。布拉德使用了大陆架的边缘，这是大陆真实的轮廓。事实上，如果你按照大陆的形状做一些剪纸，然后在桌面上把它们拼起来，效果也并不比电脑拟合差多少。但是计算机在 20 世纪 60 年代中期对人们来说还是非常新鲜的事物（对科学家来说也是如此），这项模拟明显的客观性给人们留下了深刻的印象。此外，随着支持海底扩张的证据不断积累，布拉德的地图成了一个标志性的图像，证明了大陆漂移的真实性。

接下来，只需解释这个过程是如何发生的就可以了。而这些解释，正在以惊人的速度发展。

PLANET EARTH

4

隆起来的，迟早还得沉下去

大陆下的海洋地壳是如何被吞噬的？
为什么大多数环太平洋的地震活动围绕着海洋边缘？
火山的形成居然是因为水？
为什么所有的大陆没有连接到一起而形成一个超级大陆？

海底扩张的发现只是了解我们这颗动态星球活跃行为的开始。由于地球不处于扩张状态——这已经被现在的观测，包括全球定位系统数据证实，所以在新的地壳持续在洋中脊中产生出来时，为了保持平衡，在其他某个地方的地壳一定在时刻不停地被摧毁。这个“其他某个地方”就是在一些壕沟里，那里的海洋地壳（也就是海底）在大陆地壳的下面滑动，回到了地球的内部。简单来说，隆起来的还得沉下去。一旦大洋地壳下陷的地方被确认，很快就会确定一个描述地球变化的完整理论，这被称为“板块构造”理论。

受压迫的和隆起来的

有意思的是，最早的关于海洋地壳以这种方式被压入地下的证据，来自一些大洲的边缘正在向上隆起的观测。正如我们现在所知，地壳爬到了正在下沉的海床的背上。查尔斯·达尔文是第一批以科学的方法研究这种隆起的人之一。在将自己的研究方向转移到进化论的问题之前，达尔文已经是个有名的地质学家了。在他和罗伯特·菲茨罗伊（Robert FitzRoy）的“贝格尔号”之旅中，达尔文把自己的时间更多地花在陆地而不是海洋上。当“贝格尔号”进行冗长的大陆海岸线调查时，达尔文探索了南美洲的内陆。在这些考察中，他搜集了大量的证据，这些证据表明大陆曾经隆起。在远远高于今天的海平面的地方，贝壳、鹅卵石以及海洋生物的化石显示出远古海滩甚至更古老的海床存在的痕迹。在秘鲁一个海拔几百米高的地方，甚至发现了鲸鱼的遗骸。达尔文拒绝接受这一切可能都是由洪水影响的观点，他渐渐开始怀疑，即便是巨大的安第斯山脉也可能是从以前大洋的海床中被抬升起来的。

达尔文的想法成型于1835年年初。当时他正在瓦尔迪维亚（Valdivia）附近的海岸上，而“贝格尔号”正沿着南美洲的西海岸线做调查。达尔文遭遇了一场可能比较严重的大地震，但很快就发现那只是余震。达尔文回到“贝格尔号”后不久，船就抵达了康塞普西翁（Concepción）。当时，这座城市已经被地震和海啸破坏。海岸上呈现出新的贻贝层，恰好高出最高水位的标记一米左右，而贻贝全都死了。达尔文意识到这块陆地明显被抬升了超过一米，因为就在不到两分钟之前，他亲身经历了一场地震。他相信，在地质时间的跨度上，这种反复发生的地震确实能把安第斯山脉抬升到现在的高度。

“达尔文在南美洲发现”的现代版，来自北美洲的西海岸。1964

年 3 月，阿拉斯加州安克雷奇市附近发生了一场里氏 8.6 级的地震（我们会在后面讨论里氏等级）。这次地震很严重，与达尔文在 1835 年所经历的那次地震不相上下。在威廉王子湾和科尔多瓦渔港，大陆在地震期间被明显抬升起来，导致海港干涸，捕捞鲑鱼的舰队船只因此全都搁浅了。负责为美国地质协会调查此事的乔治·普拉夫克（George Plafker）发现了一个贻贝层，和达尔文所发现的情形非常类似。藤壶只生活在高低潮带之间的区域，不能在高于高潮标记的地方存活。但是普拉夫克发现了一个死藤壶带，几乎在高潮线上 2 米高，说明这块陆地被抬升了 2 米。

然而，1964 年的一次地震中，偏北的一些地方却发生了相反的现象。在科尔多瓦西北大约 100 千米处的一个水湾，大陆下沉了，洪水淹没了港口的镇子，最后变成了一片海洋。但是在其间的几十年里，该地区被淤泥堵塞，留下了一些一半被埋在泥里的木头房子，看上去像鬼屋一样。当把这个地区所有受影响的地方都画到一张地图上时，从它们的等高线上可以看出，沿着大陆架和海岸线本身的边缘，地壳被抬升了，而向内陆一点的地方沿着海湾入口处下陷了，因为这块大陆地壳被来自海洋方向的压力挤歪了。地质学家由此认识到，太平洋的海底在阿拉斯加地壳的下面，并且在向上发力。这个过程可不是平缓地发生的，而是像在一块不怎么平整的木头上推钝刨子般磕磕绊绊。两块地壳由于压力而挤在一起，然后，当达到一个临界点时，彼此会猛推一下然后又挤在一起。地震和大陆抬升就是在这次猛推中发生的，但同时海洋地壳会在大陆地壳的下面向前、向下猛推。同样的过程也解释了达尔文在南美洲目睹的一切。

地球简史 PLANET EARTH

这种情况多久会发生一次？普拉夫克研究了威廉王子港内的米德尔顿岛。该岛拥有不寻常的形状，类似于梯田。这个岛在1964年的地震中被抬升，形成一个新的台阶，比海平面高了几米。普拉夫克意识到，那些更高的台阶是通过同样的方式形成的，这种反复的抬升可以和更早期的地震联系起来。根据每个台阶上残存的古老浮木碎片，可以测量残留的放射性碳元素，由此推测其存在的时间。最后，普拉夫克估算出像1964年那样的地震事件大约每800年发生一次。如果每次地震能使大陆抬升2米，而这种程度的地震平均间隔800年发生一次，那么在100万年（地质时间上这就是一眨眼的工夫）里，大陆将会升高2 500米——这几乎就是安第斯山脉一半的高度！

但是到了20世纪60年代后半期，人们不必再等几百年才能看到大地震发生时陆地的抬升了。那时，仪器已经足够灵敏，可以测量微小地震引起的地壳的细微变化。这完善了大陆下的海洋地壳是如何被吞噬的的全球图景。

震动的地球

在人们研究大陆抬升并找到山脉形成与大陆漂移的联系之前，海洋学家就已经发现在太平洋大部分的边界处有一系列的深海沟。这些海沟就像海底的深谷。海洋的平均深度只有 3.7 千米，而一条典型的海沟会深入到海面下六七千米；最深的一条海沟在马里亚纳群岛附近的新几内亚北部，深达 11 千米。海沟通常位于离海岸线大约 100 千米的地方，而且往往平行于火山链，沿着所谓火山弧的曲线分布。

进入 20 世纪 50 年代后，地震学家开始研究太平洋周围小型地震的模式，他们发现了另外一些关于海沟的趣事。确切地说，大多数环太平洋的地震活动都发生在海洋边缘。不仅如此，它们集中于几十千米厚的一层岩石，从大洋之下的海沟斜着向下深入到地球内部。这些区域被命名为“贝尼奥夫带”（Benioff Zone），以纪念研究它的地震学家雨果 · 贝尼奥夫（Hugo Benioff）。发生地震的岩石是岩石圈的一部分，那里是地球坚硬的外层，是由地壳本身和地壳下面所附着的一部分地幔组成的。贝尼奥夫认为，他发现的地震带所在的位置一定是在海洋岩石圈滑到大陆内部的地方，在滑动过程中形成了一条很深的海沟。

最初，这似乎是一个很离谱的想法。很难相信有证据表明，海底地壳实际上是在太平洋边缘被摧毁的。但是在 1964 年，阿拉斯加地震所揭示的活动模式改变了地质学家的想法。原来，只要有一个贝尼奥夫带，就会有大地震出现过的痕迹，还会有类似阿拉斯加那年发生的陆地抬升事件的痕迹，而且在那个地区，类似情形每800年左右就会发生一次。

终于，地质学家们有了答案，他们知道了熔岩从洋中脊处地幔涌出时，所形成的所有新海床到底会去向何方。在横跨海底的运输带到达大陆的边缘后，它被向下推，并在自身的重力作用下沉到地球内部深处，熔化后再次成为地幔的一部分。在岩石圈变形、向更深处弯曲的地方会发生地震，而在更深的地带又变成了地幔，这个地带就是贝尼奥夫带。这整个过程叫作俯冲，发生这些海床沉没的地方叫作俯冲带（subduction zone）。

虽然俯冲带最早是在大陆边缘被发现的，但其他地方也发现了一块海床滑到另一块海床下面的情况。在俯冲带沿着大陆边缘排列的地方，火山弧与俯冲带也有联系，所形成的山脉也是沿着大陆边缘的走向——安第斯山脉的火山就是这样一个典型的例子。但是，当一块海床滑到另一块海床下面时，会有一系列岛屿出现在一条弧线的方向上，火山就在这些岛上——新西兰就是这种岛链的一部分，这大概是今天人们能看到的大陆开始诞生的例子。其他岛链包括阿留申群岛、千岛群岛、日本列岛和菲律宾群岛。

火山加工厂

但是火山到底是怎么形成的呢？原来关键的元素之一竟然是水！被挤到俯冲带深处的海床，已经不再是洋中脊固化时的简单状态。岩石本身由于和水相互作用已经产生变化，然后水通过岩石的裂缝渗入其中，并使温度上升到足以沸腾的程度，促使其发生化学反应，从而改变了岩石的结构。在大陆边缘处，从陆地上冲刷下来的有机生物的遗骸形成了一层沉积物，覆盖在岩石上。随着这种混合物不断下沉，它变得越来越热，而且受到极端压力挤压——在 50 千米的深度下，压力是地表大气压的 15 000 倍，温度也达到了几百摄氏度。所有这些因素加在一起，又将岩石中的水挤了出来，并流入了地幔层。在那里，水的效果如同在冰上撒盐一样——促使地幔熔化。从岩石圈掉下来的岩块周围，一开始是星星点点的熔融岩浆，后来逐渐扩散。由于熔融的岩浆比固体岩石轻，所以这些熔化的物质渐渐上浮，慢慢地渗透地壳，并在之前下沉的海床之上形成了一连串火山。

当这一切在有条不紊地进行着时，岩浆中产生的气泡也找到了通向地表的路，它们在火山口被释

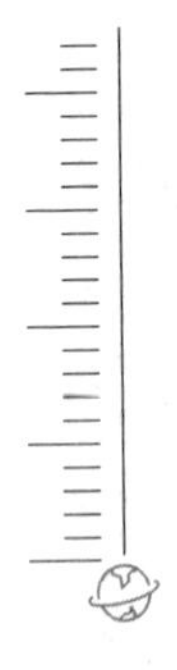

放出来。这些气体中最重要的是水蒸气、二氧化碳和氮气。岩石圈的岩块携带了一些沉积物，其中混合了有机物的残骸，大部分氮气都来自这里。所有这些气体对地表的生物而言非常重要，所以地球上的生命体其实是与这颗星球上无生命的岩石循环密切相关的。

这个“火山加工厂”的其他一些方面对于人类生活也十分重要。熔融的岩石不断穿过地壳上升并逐渐冷却，而一些熔岩在上升的半路就已经凝固。地质学家研究地质过程的标准方法就是测量不同岩石中硅石的含量。（硅石的化学术语是二氧化硅，在我们星球上的几乎所有岩石中都能找到它，有些硅石也叫石英石。）火成岩中的玄武岩通过火山活动喷发出来，是迄今为止海洋地壳最重要的组成部分，硅石占了它的大约一半（从重量来讲）。但是大陆地壳的成分却不一样，它的 60% 是硅石。这样一来，大陆地壳就比海洋地壳轻，这也是为什么海床会沉到大陆之下的原因。

当然，有些岩石比其他岩石包含更多的硅石，例如，变质岩中的花岗岩含有 75% 的硅石成分。大陆地壳比玄武岩包含更多的硅石成分，这是因为在从俯冲带到地表的过程中，玄武岩混合物中的其他成分已经被分离出去了。所谓的其他成分包括一些矿物质，例如石英，这些物质从熔融的岩浆中结晶出来，所以余下的岩浆中硅石的成分相对更高，然后在继续上升的过程中，富含金属的矿物质继续分离固化，例如铁、铜、银、金。这种“浸出”是南美洲和其他地方贵金属矿的来源，已经吸引了几代探险家的关注，并且为强大的帝国提供了资金。

板块构造

所有这些过程都可以在板块构造的框架下来理解，这可以解释海床扩张、俯冲、山脉的形成等现象。“构造”这个词意思是“建立”，所以“板块构造”的意思就是“建立起板块”。板块是一块块的地壳，它们挤在一起，组成了地球这个不断变化的星球的表面，载着大陆和它们一起移动。

板块构造理论主要是在1967年和1968年建立起来的，其主要奠基人是加拿大地质学家图佐·威尔逊（Tuzo Wilson）和英国地球物理学家丹·麦克肯泽（Dan McKenzie）。“板块构造”这个词是在1967年由麦克肯泽和他的同事鲍勃·帕克（Bob Parker）在一篇科学论文里提出的。尽管今天这个理论已经被不断完善，其细节也从那时起变得更加丰满，但总体理论还是和以前一样的。最关键的是，大陆不是浮在海床的岩石上，而是被全球的巨大板块载着——被像拼图一样的地壳载着。在这个过程中，海洋地壳被制造出来后又被摧毁，但是大陆地壳一旦形成就不会再有大的变化。对此，哈里·赫斯曾经指出：

海洋盆地具有非永久性的特性，而大陆则是永久性的，尽管它们可能会断裂或拼接到一起，而它们的边缘也会由此而变形。大陆是被地幔的对流被动地载着移动，而不是迎着海洋的地壳破浪而行。

这是一个果壳上的板块构造。

地球坚硬的外壳岩石圈被打破了，并分裂成了7个大板块和几个小板块。有些板块完全由海洋地壳构成，而其他的则由海洋地壳和大陆地壳组合而成。没有板块可以单独运动，因为它一动就会影响到周围的板块，而这些板块又会影响到周围的其他板块，以此类推。我们已经碰到过两种板块在接壤处的相互作用方式。洋中脊的扩张是增生边缘的一个例子，在那里，新的地壳被制造出来。与深海海沟相联系的是一个破坏性边缘的例子，在那里，地壳被摧毁。为了维持平衡，在整个星球上，地壳在以相同的速率被制造和被摧毁。

板块也可以相互摩擦，而不制造或摧毁地壳。今天这种情况发生的地方之一是加利福尼亚，在那里，太平洋板块的东部边缘和北美大陆板块发生摩擦，相对大陆向北移动。这正是圣安德烈斯断层所有地震发生的原因。事实上，断层以西的狭长地带，包括形状像手指一样的加州半岛，已经叠到了太平洋板块上面，并正在向北移动。从地质学角度讲，这其实不属于北美板块。如果这个过程持续下去，加州半岛将会变成阿拉斯加的一部分。这种类型的板块边界可以叫作保守性板块边界，因为地壳的数量是守衡的。

还有最后一种类型的板块边界，它其实是一种特殊的保守性板块边界。这是一种碰撞边缘，两块大陆在这里相遇，因为两者之间的海床被俯冲带吞噬了。结果就是一次大的挤压和一次缓慢的碰撞，然后大陆被挤到一起，然后越挤越高，形成很高的山脉，例如喜马拉雅山脉。与俯冲带的活动不同，这种山脉的形成不会产生火山。所以除了前文中提到的各个方面，板块运动还解释了为什么安第斯山脉有火山而喜马拉雅山脉没有。

当一块大陆陷入毁灭性的边界时，也会发生有趣的事情，此时是势不可当的力量碰到了坚不可摧的物体——当一块大陆爬到另一个大洋板块的背上，它的海洋地壳则正在被俯冲带吞噬，潜入另一块海洋地壳的下面。从大陆的角度看，随着海洋地壳被毁灭，危险地带越来越近；而从俯冲带的角度看，大陆也是越来越近。无论从哪边看，随着海床越来越小，大陆碰到俯冲带的时刻还是到了。但是一方面，俯冲带不可能吞没大陆地壳，另一方面，全球板块的平衡又不允许摧毁地壳的过程停滞。所以一大块岩石圈脱离了下面的岩石地壳，边界另一侧的海洋地壳被迫潜到了大陆的下面，然后地壳则从另外一个方向被摧毁。

这种地质事件能够给整个板块系统带来震动，并且可以影响大洋的另一端，甚至是地球的另一端。这种远距离联系的例子可以在太平洋中看到：夏威夷群岛是一个大的岛链的一部分，整个岛链延伸到阿拉斯加的阿留申群岛，坐落着 130 多个火山岛和平顶海山，蔓延了 5 800 千米的距离，其中间处有一个明显的弧度。在这个弧的南边就是夏威夷群岛，弧的北边被称为天皇海山链，但实际上它们同属一个地质特征。这个岛链大概是通过今天夏威夷大岛附近的火山作用而形成的，那里是地壳的一个喷发点，一股股物质被不停地对流从地球内部带到上面来。这个喷发点已经存在了上千万年，随着太平洋板块以每年约 10 厘米的速率运动，这个喷发点已经在地壳上打穿了一系列的洞。在地球的其他地方，还有一些类似的火山岛链，而科学家认为它们是以同样的方式形成的。

夏威夷－天皇岛链中最年轻的岛屿就是在离喷发点最近的位置发现的，靠近夏威夷；而最古老的那些岛屿则是位于很远的一侧，出现在天皇岛链上。仅仅使用这个简单的模型就可以解释两个岛链的形成：太平洋板块稳定地漂移，而喷发点基本是稳定不动的。（一些证据表明，喷发点自己可能有微小的移动，但不足以解释整个岛链的形成原因。）但为什么在岛链的中间还有一个弯呢？

地球简史
PLANET EARTH

最佳的解释是在几千万年前，太平洋板块被某种东西撞击，由此它的运动方向发生偏移，稍稍向西方移动。人们仔细地测量了弯曲处附近的火山岩石的年龄，获得了一点线索。这些岩石年龄介于 4 200 万～5 000 万岁之间，更古老的岩石则是位于离弯曲处更远的地方。换句话说，不管导致方向转变的过程是什么，都是在5 000万年前开始的，而板块调整与适应新的运动方向则需要花费大概8 000万年。

就在那个时候，5 000万年前，远在太平洋板块的西侧边缘的火山活动激增。这次火山活动频发，蔓延至2 200千米远，表明太平洋板块的西侧边缘有俯冲带正在形成。这可以使太平洋板块向西调整它的运动方向，正好解释了夏威夷–天皇岛链的弯曲处的成因。这可能标志着太平洋板块开始走向衰落，因为如果沿着西侧边缘的俯冲带持续下去的话，整个太平洋最终将会消失，而北美板块将会和亚洲大陆发生碰撞。这种碰撞将会引发什么，现今最好的例子可以参考之前我们提到过的喜马拉雅山脉。这是印度大陆和北方大陆碰撞的结果，甚至可能是印度和亚欧大陆碰撞的结果：大约5 000万年前，两块大陆在一次坚实的拥抱中被锁到了一起——其自身也是全球震动的一部分，触发了太平洋西侧的俯冲带。

沧海桑田

大约2亿年前，地球上所有的大陆都是连在一起的，这块大陆叫作盘古大陆。（正如第3章中所提到的，气象学家阿尔弗雷德·魏格纳选择了这个名字，因为它的意思就是“整个地球”。）在 1.5 亿～1 亿年前之间，盘古大陆开始分裂，后来变成北美大陆和亚欧大陆的板块最先分裂出来，剩下的大陆还紧密地结合在一起，名为“冈瓦纳古陆”（Gondwana）。后来，这块大陆变成了南美洲、非洲、南极洲、澳大利亚和印度所在的大陆。在西边，冈瓦纳古陆和北美大陆始终没有多大差距；而在东边，亚欧大陆和冈瓦纳古陆中间已经出现了一片大洋，叫作“古地中海”（Tethys Ocean）。后来，随着冈瓦纳古陆进一步分裂，非洲和南美洲也从大陆上分离出去，而印度洋开始了它独立的旅程，在非洲南部的东面形成了一块大陆。最后分裂出去的是澳大利亚所在的大陆，留下南极洲成为冈瓦纳古陆的最后遗迹。

随着非洲大陆向北漂移，它离亚欧大陆越来越近，不久之后，古地中海西侧就被包围了。但是在这几千万年里，在印度洋的东侧，印度大陆和亚欧大陆之间一直保持着一条狭长的海道。尽管印度大陆和非洲南部最初处于同一纬度，但印度大陆北移的速度比非洲大陆快很多。大约在 8 500 万年前，印度大陆距离亚欧大陆的南岸还很远，而它们中间的古地中海大洋在不停地收缩。但是从 8 500 万～5 000 万年前，印度大陆北移的速率达到了几乎每年 10 厘米，这是一个非常快的大陆漂移速率。印度大陆移动了大约 3 500 千米，几乎与澳大利亚所在的大陆的宽度一样。

当印度大陆撞上亚欧大陆时，古地中海几乎完全消失，只在西部留下了一小部分，介于非洲的北部和欧洲的南部，也就是今天的地中海。像这种势不可当的力量碰到坚不可摧的固定大陆相撞的经典例子中，某种坚不可摧的东西必须放弃，在这个例子中那就是亚欧大陆本身。随着碰撞的影响扩散至整个行星，并且为西太平洋俯冲带的形成贡献了一部分力量（还引发了夏威夷－天皇岛链的弯曲），印度大陆的北移因此减慢到了每年5厘米，但还是没有完全停下来（这个慢下来的速率依然是今天大西洋变宽速率的2倍）。曾经淤积在古地中海海底的沉积物被印度大陆挤压升高，形成了巍峨的喜马拉雅山脉，直到今天还在不停地升高。珠穆朗玛峰每天都会比前一天高一点，因此每一个到达珠穆朗玛峰顶点的登山者站在那曾经的古地中海海床上时，都有权利声明，在下一个登山者登顶之前，他是唯一一个攀登至地球最高点的人。印度大陆持续不断地施压，不仅仅影响了喜马拉雅山脉，还因此造就了青藏高原。

这个过程只能用我们发现的岩石的一个奇怪特性来解释。尽管岩石看起来非常坚硬，但如果受到非常猛烈的挤压，它们也可以像液体一样流动。尽管这听上去非常奇怪，但在我们的日常生活中，一些东西也有类似的特性。有些房屋装修使用的涂料会在容器内形成像果冻一样的固体，但当你把刷子伸进去蘸上涂料并刷墙的时候，它又像液体一样流动了。甚至普通的蛋挞原料，就是放在海绵蛋糕上的那种，也有类似的性质。大多数时候它像液体一样流动，但是如果有一大盆蛋挞原料放在一边，它可能会因下沉而凝固。只要你一直在搅拌，它就可能一直运动而不下沉（我们看到过这种情形，尽管我们没有亲自动手去做）。

液体的一个特性就是它会流动，而只要条件合适，大陆地壳也会流动。这个合适的条件就是强大而稳定的压力——这正是印度大陆 5 000 万年来一直施加给亚洲大陆的力量。随着印度大陆向亚洲推进，喜马拉雅山脉背后的地区也增长到了亚洲地壳在不发生流动的情况下能够承受的最大高度。地壳流过前进的山体，形成了巍峨的青藏高原。但这个过程并不是悄无声息完成的。

人们说喜马拉雅山脉没有火山，这是真的。但在青藏高原，近期有火山活动的迹象，此外，那里有非常陡峭的峡谷沿着南北走向伸展开来（即雅鲁藏布江大拐弯），它标示了地壳近期的裂缝。这怎么会在一个液体流动的地方出现，而不是平缓地抹去那些崎岖之地？答案深藏在地表之下，就在山体本身的“根”中。

当一块地壳受到板块力量的挤压时，它就会出现褶皱。山脉的根基延伸到地表之下很深的地方，就像冰山实际上有很大一部分都在水面下。山脉的根基起源于岩石圈的岩石，即地幔冰冷的顶层部分。当青藏高原形成时，它也有类似的根基深入到软流层，即地幔的下一层。软流层比岩石圈要热得多，所以青藏高原冰冷的根基受热后完全熔化，流到了岩石圈的下面。青藏高原失去了根部的重量，又上浮了几千米，来自软流层的熔融物质填充了山体根基留下的空隙。这些熔融物质最终会通过火山来到地表。但是高原上浮太多，地壳支撑不住这些液体，所以就又沉了下来，伸展开来，裂开，形成了我们今天在西藏地区看到的峡谷。

因此，青藏高原上的温泉可以直接与远在太平洋中间的夏威夷－天皇岛链的弯曲处相关联。关于世界是如何演变成今天这个样子的，相信没有比板块构造更好的解释理论了。板块构造理论还可以解释今天世界上最重要的一个特征，就像以人类为首的陆地生物所关心的——世界上根本就没有陆地存在。

大陆的形成与破碎

海洋地壳比大陆地壳更薄，但却更结实。海床是由洋中脊产生的火山岩石块组成的，而大陆地壳是由各种各样的颗粒碎片组合到一起形成的。这就是为什么大陆地壳可以变形、流动，形成像青藏高原那样的结构。地球物理学家有时把这种结构比作一袋面粉。面粉由大量固体颗粒组成，它当然不是液体，但是因为颗粒很小，也能像液体一样从袋子里倒出来。同样地，大陆地壳相对容易发生形变，因为它也是由许多碎片组成的，每块碎片之间可以相互滑动——尽管这不像面粉颗粒间的滑动那么容易。这种碎片式的结构在最早的大陆地壳形成时就已经出现了。

在地球刚刚冷却的时候，地面上还没有大陆地壳。正如我们之前提到过的，地球最早的固体表面就像一个高温版的海上浮冰块，大块的“岩浆”固体块浮在熔化的岩浆海洋上，气泡从早期板块的裂缝间不断冒出。类似的情形可以在今天的火山口的坑里看到，但规模要小很多。地球物理学家们认为最经典的例子是埃塞俄比亚的尔塔阿雷火山。当地球进一步冷却，大气中的水汽开始凝结并形成降雨时，整个世界被海洋均匀地覆盖着。一些相互碰撞的板块开始在世界的海洋里崭露头角。它们被下面的岩浆流的对流驱动，开始在一些临近的板块下活动，产生了最早的俯冲带和弧形火山岛链，它们由类似安山岩的火成火山岩组成。

但一开始，这并不是大陆地壳积累的唯一途径。当一个板块推挤另外一个时，即使两个板块都是由海洋地壳组成的，还是会有岩石被挤碎脱落，就像一个木匠的刨子从一块木头上搓下木头碎片一样。这些岩石碎片也会聚到一起，逐渐生长形成大陆，而正常的大陆板块也开始生长，从陆地上冲刷下来的沉积物混合了各类物质，堆积在大陆板块的边缘。最终，板块活动带把这种方式形成的小片地壳组合到一起，连接成更大块的大陆，正如我们今天看到的印度和亚洲大陆。

我们不可能知道大陆生长到今天的大小到底花了多长时间，因为我们不知道地球早期板块活动的速率。但一个合理的猜测是，现存的一半或一半以上的大陆地壳是在25亿年前左右开始形成的。在过去的5 000万年间，安第斯山脉的活动速度不断加快，这给达尔文留下了深刻的印象。从地质学的角度，人们可以从这条山脉得到进一步的证据，表明大陆地壳至今还在不停地生长，生长速度大约是每年1立方千米。这个数字看上去很小，但是自从恐龙灭绝以来，地壳已经生长了6 500万立方千米。

总的来说，这一理论完美地解释了大陆地壳的起源。然而，它也引出了一个问题。如果这些过程已经持续了几十亿年，为什么所有的大陆没有连接到一起进而形成一个超级大陆呢？换句话说，既然在不久之前各板块已经连接到一起形成了盘古大陆，那么为什么这个超级大陆又分裂开了呢？答案似乎又一次回到夏威夷－天皇岛链和夏威夷地下的喷发点。

我们现在知道，形成夏威夷岛链的那种喷发点仅仅是地下深层内部活动的冰山一角，我们称之为地幔热柱。夏威夷岛周围地区的海底大概比太平洋其他地区的海底要浅 1 500 米。因为这个地区的海床被其下涌出的热柱顶成一个穹形，跨度大约为 1 000 千米。喷发点本身就像这个穹顶中心的一个疙瘩，其表面释放着少量的火山物质。夏威夷附近的海床足够结实，在热柱之上形成了一个盖子。但是在以下两个地壳比较薄的地方，许多地幔热柱会穿过地壳到达表面：

- 第一个地方是洋中脊。事实上，冰岛就是一片海床，一条洋中脊贯穿其中，它是被海洋下的一个热柱向上推高的。冰岛属于大洋海底部分，但它比其他大西洋洋中脊高 2 500 米。一个热柱恰好位于一个延伸的洋中脊之下，这看起来似乎是个巧合，但更合理的解释是，那里是地壳薄弱的地区，地幔热柱从此处钻到了表面，持续活动的结果是地壳上的裂缝继续扩大，产生了洋中脊和扩张的系统，并由此扩张成大西洋。一个有趣但未经证实的说法是，冰岛所在的位置是一颗大陨石撞击地球的着陆点，这颗陨石在地壳上撞击出了一个洞，使得岩浆涌出并引发了整个过程。

- 第二个地方是大陆地壳的下面。那里的地壳比海床地壳要薄弱，所以上涌的地幔热柱会比较容易冲到地表，并分裂大陆，逐渐使大陆漂移并远离彼此。热柱完全冲破地表后会释放大量的熔岩，散布在周围，然后固化成数量巨大的溢流玄武岩。仅仅一层这样的玄武岩就超过1000米厚，覆盖了西印度的大片地区，我们称之为德干暗色岩（Deccan Traps）。在它最厚的地区，岩层的厚度可达3 000米，覆盖面积达到550 000平方千米。德干暗色岩的形成只用了不到100万年的时间，大约是在6 500万年前。不幸的是，印度大陆在向北漂移的时候，经过一处地幔热柱，大陆由此被切成两半，留下了一大半的原始大陆，这片大陆成为由玄武岩组成的水下河岸，位于今天的印度的西南方向，塞舌尔和科摩罗群岛之间。

在南美洲（阿根廷、巴拉圭和巴西）东部和非洲（安哥拉附近）西部都发现了类似的玄武岩。经年代测定后发现，大西洋两侧的岩石年龄都在1.2亿岁左右；它们都证明了地幔热柱的强大力量能把地壳撕成两半。西伯利亚地区也发现了大量更加古老的同类玄武岩，那里的暗色岩年龄达2.5亿岁，覆盖了北极地区30万平方千米的面积。这表明在所有大陆连接到一起并形成盘古大陆之前，漫长的地球生命里还有更远古的大陆分裂事件。而且，所有这些好戏直到今天仍在上演。

分裂不是什么困难的事情

今天，我们可以从几个地区看到地幔热柱活跃的后遗症，比如红海、非洲之角和非洲大裂谷。大约4 000万年前，一个地幔热柱几乎冲到地表，顶起了一个大鼓包，之后岩石开裂，火山熔岩涌出，淹没了周围的地壳。随着压力释放，热柱熄灭并退回到地球内部，而鼓包中心处的地壳出现塌陷，地球表面出现了一系列裂缝。鼓包一侧的裂缝变成了东非大裂谷；附近的另一个裂缝塌陷到海平面以下，随着海水灌入形成了红海。与此同时，熔融物质从长达1 800千米的裂缝中持续涌出，并进一步把裂缝撑大。红海其实是一个微型海洋，由一个洋中脊产生；在过去的1 000万年间一直在变宽，并以每年80毫米的速度将非洲推离亚洲。

在红海南岸，裂缝和东非大裂谷的北端接壤，一条海底山脊的西侧一路延伸到亚丁湾，与非洲之角的北部和印度洋海底山脊延伸出来的部分连接。这三条裂缝形成了一个“Y”字形，这是当地幔热柱冲破鼓包后形成裂缝的典型图案。但是，在这种情况下，并不是三条裂缝都立刻会变成扩张的洋中脊。

东非大裂谷是世界上最长的陆地断层系统之一，而且可能会把非洲一分为二——埃塞俄比亚境内的阿法尔洼地已经大大低于海平面，在2006年发生的一系列地震中，洼地又增宽了3米，并进一步下沉了100米。如果这种活动继续下去，用不了多久，也许在1亿年之内，海水就会倒灌进来，填满整个东非大裂谷。这将会是一次历史性的损失，不仅仅因为这个系统的巨大规模及其在地质学上的重要性，还因为东非大裂谷在我们人类和地球关系的故事中拥有特殊的地位。

裂缝从红海向南延伸了5 000千米，直到莫桑比克和林波波河河口。尽管峡谷的平均宽度只有50千米，但有些地方的宽度达到了几百千米；陡峭的山坡一般只有1 000米高，但有的地方会飙升到2 500米以上。裂缝的边缘环绕着一些火山，包括埃塞俄比亚的尔塔阿雷火山、肯尼亚山，还有乞力马扎罗山；峡谷的底部有许多很深的湖泊，例如尼亚萨湖和图尔卡纳湖。这种不同寻常的地理条件使峡谷内生命得以蓬勃发展，而火山爆发产生的火山灰又有助于将生命遗体的化石在峡谷内保存上百万年。我们从峡谷内保存的化石得知，特殊的生存条件使肯尼亚和埃塞俄比亚附近的裂缝区域成为人类起源的摇篮。许多类猿种生物在那里繁衍生息，其中的一个分支进化成了我们的直系祖先（参见第10章）。所以那股劈开大陆的力量直接与智人（Homo sapiens）的出现相关，也可以说，我们人类的出现和地球内部的活动有着直接的联系。

PLANET EARTH

5

从地球内核到空间边际，一探地球的奥秘

我们脚下深处的地方正在发生着什么？
地核是由什么组成的？
宇宙“空”间并不真的都空？

有人说，相比于地球的内部，我们可能对天上的恒星了解得更多。这种说法不无道理，毕竟我们确实可以看见这些恒星，并分析它们的光谱——光谱技术是用来测量星光在不同频率上的能量。但是，我们却看不到深埋在我们脚下的东西。因此，科学家们所了解的几乎所有关于地球内部的信息，包括其内部的结构，以及那里发生着什么，都是通过研究地震所引起的地球振动的模式来获得的。

许多科普人士非常直接地比喻道：通过地球的振动模式来揭示地球内部结构，就像使用 X 射线或 CAT（computer aided tomography）扫描来了解你身体内部的结构一样。但是剑桥大学著名地球物理学家爱德华·布拉德，就是那个第一个做出大西洋两岸大陆的计算机拟合的科学家，曾在一起喝咖啡时告诉我们，用地震产生的振动模式来研究地球内部结构，大概相当于将一架大型钢琴从楼梯上推下去，然后通过听这个声音来研究钢琴内部的结构。说实话，这真的比分析 X 射线要困难得多。

地震波，精确扫描地球内部

CAT 是“计算机轴向断层扫描技术”的缩写，断层扫描技术（tomography）这个词源自希腊文“tomos”，意为“截面”，即“横截面”。地质学家借用了这个专业词语，并且雄心勃勃地给研究地球内部的工作起名为“地震层析成像”（seismic tomography），尽管他们得到的图像永远也不会像 CAT 扫描那般效果好。

地震波从地球内部以不同的速度传播出来，速度取决于它们传播时所经过的岩石的类型。除此之外，地震波的传播速度还依赖于岩石的温度以及岩石的软硬度。因为地震波在传播过程中会经过不同类型的岩石，或者即使是同一种岩石也会有不同的温度，所以传播的方向会发生改变。这就像一束光从一种媒介（比如空气）进入另外一种媒介（比如玻璃或水）时，光线的传播方向也会发生改变一样。这就是所谓的折射。此外，当一组地震波传播到两种岩石的交界时，它还可能发生反射，就像光会被镜子反射一样。

这似乎已经为研究者提供了足够多有价值的信息来研究地球的内部结构，但除此之外，地震波还有一点儿额外的福利：有两种不同类型的地震波供我们研究。其中一种叫作压力波（也可简称为 P 型波）。它们和声波类似，以一种挤压拉伸的方式传播，就像小孩的玩具彩虹圈（其实就是一个很长的弹簧）里的波。另外一种波被称为横波（也可简称为 S 型波），因为它们总是在横向上进行上下运动，像蛇一样，或者说像你在抖动绳子时甩出去的波纹一样。因为P型波比S型波传播的速度快，所以它们总是先一步到达地动仪或地震仪这样的探测器。因为这个原因，P型波有时也代表初级波的意思（此时字母P为英文单词primary的缩写）。而横波是第二个到达的，因此S型波也表示次级波（此时字母S为英文单词secondary的缩写）。在地球的内部，P型波传播的速度是每秒7千米～14千米，而S型波的传播速度是每秒4千米～8千米。一般来说，在某种具体的岩石中，S型波的速度是P型波速度的60%。

P型波在液体和固体中都可以传播，但S型波不能在液体中传播。这两种波在地球内部传播时，一些区域只有P型波可以通过，S型波则不能，这也由此揭示了地核的外层是一种熔融状态。

此外还有一种表面波，如其名字所示，它是在地球表面传播的波。这种波可能蕴含着巨大的能量并且极具破坏性，但它却不能带给我们任何关于地球深层内部的信息。S型波和P型波则可以探测深层内部的信息，因此它们也被称为体波。

当然，如果你只有一台用来研究地震振动的地震仪，它基本上不会给你提供地球深层内部机构的任何信息。因为你得不到什么有意义的结果，这正如一架钢琴从楼梯上掉落时产生的噪声一样，没有什么意义。但是我们有几百个非常灵敏的地震仪，它们会连成一个网络，并广泛地分布在地球表面很大一片区域里。世界各地每天都会发生许多很轻微的地震，所产生的振动信号可以被这些仪器探测到并用于分析。再一次地，地球物理学家对地球的研究要感谢冷战带来的帮助：20 世纪 60 年代早期，在地面上进行核弹试验是被禁止的，军方和政府部门希望监视敌方在地下进行的试验。这最终反而促成了美国政府建立起了“世界标准地震网”（WSSN）。工作人员收集了世界各地的地震观测站的数据，并在美国的中心实验室对其进行分析。直到今天，世界标准地震网仍然是用于地震研究最重要的工作网。

全球化的网络监视可以很好地提供一个地球结构的完整图像，同时把地球划分成不同的层结构。但是，也有一些网络把许多地震仪安置在比较集中的区域，这样就可以得到地球上某一个区域比较详细的图像。科学家们可以“看”到在几千米尺度上的细节。将这些技术综合起来，地球物理学家们就可以描绘出我们脚下深处的地方正在发生着什么。

层中层

地壳其实有一点儿像鸡蛋壳，在地壳的下面，地球的内部也像鸡蛋的内部一样：有一个核心（对应蛋黄），核心的四周包围着厚厚的一层东西（对应蛋清）。但是与蛋清和蛋黄不同的是，地球内部的主要地层结构还要再分为内层区和外层区，这主要是由地震学研究得出的结论。

我们从地球的表面向内一层层来介绍。地壳的平均厚度，在海洋下面大约是 7 千米，大陆下面大约是 35 千米。这只占地球总体积的 0.6%，总质量的 0.4%。地壳的根基在其边界面，即莫氏不连续面（Mohorovičić discontinuity）上，莫氏不连续面简称“莫霍面”，这是为了纪念克罗地亚地震学家莫霍洛维奇的发现。地壳下面主要的地层叫作地幔。地幔分为上地幔和下地幔两部分。但是地壳和地幔之间并没有非常清楚的分界线。地幔的顶层是固体的、岩石状的区域，这部分和地壳一起被称为岩石圈；在大陆之下，岩石圈一直向下延伸至 250 千米的深度，但是在海洋的下面就会薄很多，而在大洋中脊处它则比地壳要稍微厚一点。紧接着在岩石圈的下面，有一层半液体状态的区域，厚达 100 多千米，它在化学成分上仍属于地幔的一部分——这便是岩流圈。地幔的这部分是板块结构学的关键。因为岩流圈是半液体的状态，岩流圈上层的固体部分，包括地壳，可以在岩流圈上滑动，这就使板块的运动、海床的扩张、大陆的漂移成为可能。板块结构的特点是不仅仅包含地壳，它们是大块的岩石，包括了地壳和地幔的顶层部分。地幔的顶层包含岩石圈和岩流圈，从表面一直向下延伸到 670 千米左右的地方，而地幔的下层更是一直深入至 2 900 千米处。地幔构成了地球 82% 的体积和 60% 的质量。P 型波在地幔顶层以每秒 8 千米的速度传播，而在底部则达到了将近每秒 14 千米的速度。

在这一深度，有一个更为显著的、过渡到液体的区域，S 型波是不能通过的，这里被称为外地核。在外地核的底部，大约在地球表面之下 5 100 千米，我们便来到了内地核的顶部。这是一个固态的团块物质，直径达 2 400 千米，大约是月球直径的 2/3。固态内核的一个奇怪特点是，它的旋转速度比地球其他部分稍快，并且在过去的 30 年里，速度还增加了 1/10，这个速度大概是每年一度多一点——也就是一圈的 1/360。整个地核区的大小几乎与火星的大小一样。但是地震学的研究揭示出，地核的两部分比它们上面的地幔密度更大。总的来说，从地表到地球中心的距离大约是 6 371 千米。

所有已知的这些距离都是平均值。在不同地方，各个边界的深度是不一样的，而且可能随着时间而产生变化。具体来说，我们一般认为固态内核在缓慢生长，因为液态外核的部分在内核的表面上结晶。这是使我们的星球内部保持高温的能源之一（此外还有放射性材料衰变释放的能量），因为当液体凝固的时候，它们会释放一种叫作潜热的能量。迄今为止，大约 4% 的地核已经结晶了，余下的部分大概还需要 40 亿年才会完全凝固。地核占地球体积的 17.4%，但质量是整个地球质量的 32.6%，这意味着它的密度比地球其他部分要大很多——约每立方厘米 12 克，大概是水的密度的 12 倍，比铅的密度稍微高一点，当然，这里的铅是指你能在地球表面找到的一般形态。

混合的地幔

板块构造是由地幔的对流驱动的。这听起来很疯狂：我们不是刚说过地幔是固态的岩石，而且 S 型波可以通过它传播吗？想一想青藏高原的岩石，它们似乎的确是固态的岩石，但可以缓慢地移动。这是关于此种状态的另一个例子。如果地幔由于地震突然晃动，那么振动可以穿过它，就像声波穿过钟鸣一样；但如果长时间持续地给它压力，它就会像黏稠的液体一样流动。

我们在生活中常见的一种东西也有类似的特点，它就是玻璃。如果你用锤子砸一块玻璃，它会碎成固体碎片。但是如果你仔细观察那些古老大教堂窗户上的彩色玻璃，就会发现它的底部要比上面厚。这是因为玻璃安装上去的几个世纪以来，它会在引力的作用下缓慢地向下流动，就像一种非常黏稠的糖浆。地幔也像玻璃一样，但是比玻璃更加黏稠。

地震勘测显示地幔分成上下两个部分，两部分之间的边界很薄，所以没有人知道这种对流是怎么工作的。

- 一种可能是这两部分有各自的对流系统，就像双锅炉，一个位于另一个的顶部。

- 另一种完全不同的情况是，整个地幔是一个单一体，上下层地幔之间的边界或多或少可以被忽略。

最好的解释似乎兼顾了这两种观点。地震扫描显示，成块的海床被俯冲带的力量下压，直到抵达地下大约 650 千米的地幔边界。在那里，海床似乎是在同一层中延伸开来，而在此之前，这里也许用了上亿年时间才堆积了这么多物质，突破边界到达了地幔的下部分，就像雪崩一样，一路落到了外核的顶部。地震学方面的一些研究证据表明，在地幔底部堆积的固体板块，可能要花上 10 亿年才能从地核吸收足够的热量，并使这些物质上升到表面。重新加热的物质变成了上升的地幔热柱的一部分，冲破边界到达上层地幔，形成了充满热量的喷发点——这就像夏威夷下面的那个喷发点，以及把非洲大陆划开一个大裂口的那个喷发点。这些热量驱使地幔热柱上升（这也是海床扩张的原因），它们从地幔底部一路升上来，形成了一个几乎 3 000 千米深的柱形结构。

仅仅因为地球的内部比表面热，这一切便成为了可能。但是高温岩石的化学成分和一种令人相当惊讶的润滑剂，也需要板块运动的理论来解释。

热岩石和化学饼干？

如果你钻到地壳中，或者挖一个很深的矿井，你会发现当你挖得越深时，地球就会变得越热。南非的地下金矿达到地面下 5 000 米，已经深入地壳，打穿的岩石从地表每深入 1 000 米，温度便会增加 10 ～ 15 摄氏度。这个叫作温度梯度。如果这个梯度一直持续到地球的中心，那么地心的温度将会达到 8 万摄氏度。但是这个估算仅仅当地幔没有发生对流时才会成立。对流改变了热量从内部到表面的传递方式，并减缓了温度随深度升高的速度。

对流是一种循环系统，当液体从底部被加热时，热液体以柱体形状上升，周围的冷液体则下降到底部。这是因为底部热液体膨胀，密度变低而上升。另一方面，顶部的液体把热量辐射或传导出去，收缩后密度变大，因此又沉入底部。对流是将热量从底部传递到表面的一种非常有效的方式，这个过程减少了流体底部和顶部的温度差异。地幔中的对流被地质学家比喻为一锅热沥青的对流，通过比较矿井下测量推断的结果可以得出，对流确实会减少地表和地核的温度差。但是为了知道温度梯度到底减少了多少，我们需要知道地核是由什么组成的。

我们对海洋地壳和大陆地壳的成分已经了解了很多，因为我们可以很容易地拿到这样一块岩石来进行分析。大陆地壳中含有丰富的矿物质，如石英、长石，而海洋地壳在其薄薄的泥沙层下，主要由火成岩组成，那是当它们从地壳的裂缝中以液体形态流出后逐渐冷却形成的。有点儿不可思议的是，我们甚至还能知道很多关于地幔的组成成分。例如，钻石作为碳的一种形态只有在极大的压力下才能产生，而今天我们却从很久以前火山爆发的物质里发现了钻石。钻石的发现表明，这些喷发出来的岩石源自地表下几百千米的深处，换句话说就是源自地幔。这些岩石通常含有多种矿物质，如橄榄石、石榴石和辉石，它们共同形成一个颗粒状的火成岩，叫作橄榄岩，而地幔就是由橄榄岩组成的。这就是我们能直接探究到的地球内部成分的尽头了。如果想要了解更多，我们需要一些化学知识，外加天文学与计算。

研究地幔顶部和底层时都需要化学知识的帮助。在前面的章节中，我们提到过水作为俯冲带的润滑剂的重要性，以及它在推动火山爆发方面的作用。同时，水也可能是使岩流圈滑动的关键成分，这最终使得地球板块可以移动。就像倒在冰上的防冻剂一样，水软化了岩石并使它们熔化。此外，水还会渗入两个互相滑动的板块之间的裂缝，像油一样起到润滑的作用。但这还不是它全部的作用。在板块缝隙间的水还会和构成岩石本身的物质发生化学反应，产生新物质并在板块的边缘结晶。这些矿物质不像板块其他部分那么牢固，这又一次促进了板块之间的相互滑动。没有水，地球上可能根本不会存在地质构造的活动。金星在很多方面都与地球相似，但缺水很可能是它没有板块构造活动的一个原因。

在地核处，水就没有什么作用了，事实上最好没有它的存在。这是因为，没有水才是我们解开地核组成的关键。

天文学家已经鉴定了陨石——那些大块的、从太空中撞到地球上的石头，那些曾经围绕太阳旋转、在行星形成时没有被用上的边脚料。这些岩石的内部有四种元素特别丰富：铁、氧、镁和硅，此外还有铁和镍的合金。如果地球是由同样的混合物质组成的，并有相同的元素成分比，那么这些陨石的密度将会和我们的星球完全一样，即每立方米 5 520 千克。假设有一块陨石，其大小和地球完全一样，如果你从这块陨石混合物中拿走铁和镍元素成分，剩下的体积与地幔大小一样，化学成分几乎与地幔里发现的橄榄石和辉石一样，那么从陨石混合物中拿走的铁元素的比例就恰好与构成地核的成分一样了。这个简单的估计告诉我们，地核是由大部分铁元素和一些镍元素构成的。

知道了地核的构成元素，你就可以算出它的温度，因为有证据表明：内地核是固体，外地核是液体。在这种情况下，内地核和外地核交界处的温度一定是铁镍混合物的熔点，当然在地表下面 5 100 千米的压力状态下，此处铁的密度已经被挤压成水的密度的 12 倍。实验室内的研究显示，这个温度大约是 5 000 摄氏度，非常巧合的是，这几乎和太阳表面的温度一样。因为铁和镍的固体团块是一个极佳的热导体，我们可以确定整个内核大体都是这个温度。所以，我们可以说地球中心的温度大约是 5 000 摄氏度。

从地球生命的角度来看，铁镍地核的这种结构——一个固态内核包围着液态外核，催生了行星的一个重要特点——磁场。没有人确切地知道磁场是如何产生的，但是它一定是矿物质流动的结果——矿物质绕着导电的外地核旋转，并由此产生了磁场，就像一台发电机一样。计算和试验的结果都显示，如果地核完全是液体，它将循环得更均匀，但产生不了磁场。对地球磁场最好的解释就是它由旋转圆筒材料的外核包围着内核，就像网球被一圈很粗的记号笔所包围。由对流和地球自转引起的扭转力（科里奥利效应）在“记号笔”里产生了一个磁场，然后叠加到一起，产生了整个地球磁场。但是再过 40 亿年的时间，当整个地核完全固化，地球将失去其强大的磁场。

从地球对邻近宇宙空间的影响来说，磁场实际上标记了地球的外边界。所以，地球的中心是直接与它的最外层相关的。在地球的固态表面和磁场影响能达到的最外层之间，有一个人类生存所必需的空间——大气层。

大气层，地球的毯子

为了方便起见，科学家们把地球的大气层抽象地分成了几层。大气层随高度而产生温度变化，因此可以很容易地描述这些分层。但是这些层之间的界限并不像大气科学家们标记得那么清楚。事实上，这些边界总是非常模糊，气体会跨过边界上下混合。

紧邻地表的空气比较温暖，因为地表（陆地和海洋）会被阳光加热。阳光中的大部分能量穿过大气而不被吸收，所以这不会直接给大气层加热。阳光的能量会加热地表，进而加热地表上方的空气——一种方式是通过直接的传导，更重要的是通过辐射把热量散发回宇宙空间。对流还会把热空气从地表带到上层，好似在遵循格言“热气上升”，等冷却后再次下落。大气对流的这种循环就是天气产生的原因。但是地表的空气那么温暖，主要原因是地表的辐射比阳光的波更长，在所谓的红外线光谱范围内。（一个简单的事实造成了这个结果：地表温度远远低于太阳表面温度。）红外辐射会被大气中的气体，特别是二氧化碳和水蒸气吸收。

这种使地表空气变暖的过程叫作“温室效应”，尽管事实上这与把空气封闭在温室中来使它保温完全不同。真正的温室是使玻璃像一个盖子一样阻止对流（热空气上升），由此保住了热量，所以所有的热空气会待在温室中。但是在大气层接近地面的地方，没有什么“盖子”可以用来解释地表这么温暖的原因。

通过比较地表温度和月球表面温度，人们可以研究这个天然的温室效应。月球没有大气层，而且到太阳的距离和地球到太阳的距离基本一样。在月球上，整个月球表面的平均温度（包括白天和夜间）大约是零下 18 摄氏度；在地球上，地表的平均温度是 15 摄氏度。相比于没有大气时，这个天然的大气温室效应使地表温度升高了大约 33 摄氏度。

因为大气变暖来自地表，所以离地表越远，空气的温度就越低。一直到大约 11 千米的高度，空气温度会达到零下 60 摄氏度。这里的“大约”是一个非常模糊的概念，因为在极地上空 8 千米时，温度就停止降低了，但在赤道上空，这个高度是 16 千米。低于这个边界的空气层被称为对流层，这一层的边界被称为对流层顶。这个边界标志着空气温度保持稳定的区域开始，在这个边界上方，“热气上升”又有效了。随着海拔升高，大气层开始变薄，因为地球的引力吸住了接近地表的大部分大气层。由于这个原因，大气层超过 80% 的质量都在对流层中。

因为空气稀薄而寒冷，对流层的顶部给出了地球可居住区域的上限。喜马拉雅之巅达到了将近 9 千米的高度，那里的空气是勉强可供呼吸的。如果生命活动区域的下限是海平面下 11 千米，这意味着在地球上生命的活动区域只有 20 千米厚的一层，相对应地球的半径却是 6 371 千米。大家可以这样类比：如果地球是一个苹果，那么生命活动的区域比苹果皮还要薄。

因为对流层上面的空气温度比下面的要高，对流层顶就像对流层的盖子，防止对流升入大气层。但是正如我们前面所说，这个盖子离地表太远了，而且那里的空气很冷，所以它不可能形成一个温室效应来解释地表附近温暖的空气。对流层也是我们星球的天气层，在那里，由对流产生天气变化的机制正在正常地运转着。

地球的太阳盾

对流层顶上变暖的大气层被称为平流层（也称同温层），尽管没有生命存在，但平流层却对地表生命的存在至关重要。那里的空气温度随着海拔升高而增加，直到地表上空 50 千米左右，尽管空气已经非常稀薄，但温度却和海平面的空气一样温暖。“暖化带”（这样定义平流层也许更恰当）从 15 千米一直上升到 50 千米的高度，有一个边界被称为平流层顶。在它的上面，大气层的温度将再次开始降低。

与对流层不同，平流层可以从太阳的辐射中吸收能量，所以比较温暖。这也是为什么它的顶部比底部热（顶层达到了大约 10 摄氏度）的原因。平流层吸收的辐射是光谱中的紫外部分，其波长要比可见光短。很少一部分紫外线还是到达了地面，引发晒伤甚至是一些皮肤癌的发生。人工紫外线的辐射的杀伤力非常大，一般可以用来给手术仪器之类的东西消毒。假如没有平流层，地面上的生存条件就不会那么舒适了。

由于阳光与氧气分子之间的一系列复杂的化学反应，在平流层太阳盾的保护下，我们得以有舒适的生存条件。我们所呼吸的氧气是由化学键连在一起的两个氧气原子组成的分子。但是氧元素还可以形成一种三个氧原子的分子形式，就是我们常说的臭氧——它对人体是有害的。平流层的很大一部分都是臭氧，这也是为什么有时候说起平流层就是指臭氧层的原因。

在平流层中存在臭氧，是因为阳光中的紫外线辐射可以分解两个原子的氧气分子，这种情况下每次会释放两个自由的氧原子，自由的氧原子又可以和双原子的分子结合成为三原子的臭氧分子。如果故事就这样结束了，那么平流层中所有的氧气都会转化为臭氧，然后阳光中的紫外线就会进入大气的下一层。但其实紫外线辐射还能被臭氧吸收，进而剥离出一个氧原子，而这个氧原子又会被另外一个双原子氧分子吸收变成臭氧分子，或者和另外一个自由氧原子结合成一个氧分子。整体来看就是臭氧会一直在同样的速率下不停地被分解，然后重新形成。在这个过程中，紫外线辐射一直在被不停地吸收。所以平流层的臭氧浓度保持不变，这非常像浴缸里装满了水，一面开着水龙头，另一面排水口也敞开着。（所有这些都假设平流层的化学平衡没有被打破；可以打破这种平衡的东西将在第 10 章里讨论。）从人类的角度来看，最重要的是这个反应吸收了危险的紫外线，否则这些紫外线辐射就会到达地球表面。

令人吃惊的是，这层紫外线保护盾只需要非常少的臭氧。从厚度来看，臭氧层似乎非常厚——因为它从 15 千米上升到 50 千米，有 35 千米厚，比对流层的 2 倍还要厚。但是如果从密度——在那一层里跳来跳去的分子数来看，它很薄。如果整个臭氧层被压缩到具有与地面上我们所呼吸空气一样的内部压强，并且也是在 15 摄氏度的温度条件下，将会变成一个只有 3 毫米厚的臭氧层。这差不多就是一英镑硬币的厚度，或者两个美元一角硬币叠在一起的厚度。

空间的边缘

在平流层之上，还有其他更稀薄的大气层，它们最终会逐渐消失，与宇宙空间没有明显的界线。大约在海拔 50 千米之上，有一个名为中间层的冷却层，它终止于大约 80 千米高的中间层顶。尽管中间层的密度低，但那里还是有足够多的原子和分子来与从空间掉落的小碎片摩擦并燃烧，这些碎片通常都是沙砾或石子的大小，燃烧后成为流星。随着高度增加，中间层的温度进一步下降，到中间层顶达到零下 120 摄氏度。再上面是热气层，在这一层，温度升高到几千摄氏度，这是根据温度的定义——分子的平均运动速度而得到的。但热气层中的原子和分子非常少，这个温度概念也没有什么意义了。

来自太阳的 X 射线和一些紫外线加热了热气层中的分子，使它们产生了快速移动，所以热气层也是地球的一层保护盾。这些类型的辐射能量非常高。被热气层原子或分子吸收的能量可以把原子中的电子都打出来，留下一个带正电的离子。因为这个原因，热气层又被称为电离层。它也会“呼吸”，由于太阳的旋转，从太阳辐射过来的能量会发生变化，有一个长达 27 天长的周期规律。因为这一层是带电的，所以电离层可以反射某些频率的无线电波，其结果就是这些无线电波被封在了大气层里面。在通信卫星出现之前，这是全球通信的重要手段。即便在今天，无线电爱好者仍在用它来和大洋或大陆彼岸的人通话。

即使在国际空间站的轨道绕行的 300 千米高的轨道之上，每立方米的空间内还是有几十亿个空气分子。比起海平面上空气密度（每立方米 50 亿亿亿个分子），这只是非常非常微小的一部分。但这也足以产生阻力来使空间站的轨道每天降低大约 30 米。幸运的是，空间站的设计者已经有所预见，每次飞行器与空间站对接的时候，空间站都会升高一些。这能把它提升 1 000 米的高度。

大气的最外层，在 500 千米～ 750 千米的高度，也称为外大气层，因为在这个高度上，分子可以逃到宇宙空间了。但是大气层没有明确的边界。定义地球的“影响圈”的最佳方法不是从大气层边界，而是从我们周围的磁场来看——从我们星球核心，地核里面产生的磁场来看。

大气层之外

“空”间并不真的都是空的，至少在地球附近不是。在地球轨道上，有从太阳吹来扫过我们的粒子流，就是所谓的太阳风。太阳风粒子一般以每秒 700 千米的速度扫过地球，在所谓太阳风暴的爆发性活动出现时，其速度可以达到每秒 1 500 千米。太阳风扫过所有行星的轨道，一直吹到宇宙深空，尽管很稀薄，但每个粒子的能量很高。除了前面提到过的 X 射线、紫外线和太阳风粒子，地球还被从遥远宇宙空间飞来的高速粒子撞击着，这些粒子一般称为宇宙射线。宇宙射线和太阳风粒子能够极大地破坏大气层和地面上的生物，当然前提是它们能穿透磁场的保护。因为这些粒子都是带电的，它们被地球的磁场折射，像在漏斗里一样流向两极，它们在极地附近产生五颜六色的天光，这就是我们所熟知的极光。

环绕地球的磁场被称为磁层，它实际上不是球形的，因为它被太阳风吹得变了形。在面向太阳的一侧，磁层被挤压向地球；在远离的太阳一侧，它延伸出一条长长的尾巴。延续大气分层的方式，地球磁场和太阳风之间的边界被称为磁层顶。磁层顶到地面的距离取决于太阳风的强度。一般来说，在太阳一侧大约是从地表到地球半径的 10 倍的距离（64 000 千米），另外一侧延伸至地球半径 60 倍的距离，几乎有到月球那么远。

磁层顶标志着我们的家园行星在宇宙空间中的真正边界。

PLANET EARTH

6

动荡的地球

为什么说旧金山地震很有研究价值？
海啸为何有如此大的破坏力？

到目前为止，我们已经客观描述了塑造地球的过程，这或许像一个外星科学家来调查地球的运作方式。但地球毕竟是我们的家园星球，在地质尺度上，即使很小的事件也能对人类生活产生深远的影响。我们在这一章里就举几个这方面的例子，并说明之前谈到过的许多现象。

1755 年，里斯本大地震

在所有关于地震的记录里，1755 年摧毁了里斯本的那次地震最不容忽视。它发生在那一年的 11 月 1 日，当地时间星期日早上大约 9 点 40 分，是有史以来震感最强烈的地震之一。虽然它被称为里斯本大地震——在这次灾难中，这座城市被彻底毁坏，但是伊比利亚半岛的大部分地区也都受到了影响。直接受到地震影响的区域达到 400 万平方千米。在里斯本，地震造成了大约 9 万人死亡，而整个城市的人口只有 23 万。此外，在地中海对岸的摩洛哥还有上万人丧生。而引起这一切的事件中心却在遥远的海洋中，这个区域现在被称为亚速尔群岛－直布罗陀断裂带（Azores-Gibraltar Fault Zone），属于非洲板块和亚欧板块交界的一部分。在这次灾难发生仅仅5年之后，英国地质学家约翰·米歇尔（John Michell）就指出，这次地震是由地表深层的大量岩石错位引起的。事后看来，这种想法似乎就成了板块构造理论的萌芽。

我们无法确切地说出里斯本大地震的后果有多严重，但是它一定比1906年的旧金山大地震更严重。地震学家使用一种现代的标准来测量地震的强度，那就是里氏地震震级。这种方法提出于20世纪30年代，由加州理工学院的查尔斯·里克特（Charles Richter）和他的同事贝诺·古登堡（Beno Gutenberg）最先创立。这种震级基于地震学的方法测量地震时所释放的能量，并使用对数计量方法。也就是说，一次里氏5级地震比一次里氏4级地震要猛烈30多倍，而一次里氏6级地震是一次4级地震所释放能量的整整1 000倍，以此类推。作为一个世纪标杆，1906年的旧金山大地震的级数被鉴定为大约8.3级，而2011年日本东北太平洋海震则被登记为9级。对于里斯本大地震最可靠的估计认为大于8.8级，所以它释放的能量至少是旧金山大地震的6～7倍，可能和日本东北海岸的那次地震引发的海啸差不多。但是在1755年，还没有地震仪能够测量里斯本经历了多大的灾难。我们只能依赖当时目击者所描述的景象。

一位名叫托马斯·蔡斯（Thomas Chase）的英国幸存者给母亲写了一封长长的家书来描述他的经历。多年之后的1813年2月，这封信发表在《绅士杂志》(*Gentleman's Magazine*)上，至今还能找纸质版存档。当地面开始摇晃时，蔡斯非常想知道发生了什么，所以他爬上屋顶，想看个究竟。当房子倒塌的时候，他幸运地逃脱了死亡，只是摔倒在地上昏了过去，然后被埋在了废墟下。他醒来后从废墟中爬了出来。一个葡萄牙人似乎看到一具僵尸走了出来，他“吓得往后一跳，然后不停地画着十字，大声哭喊，显然是极度惊恐时的表现：‘上帝，圣母马利亚啊！你是谁？你是从哪里来的？’”蔡斯对自己状态的描述同样也不能让他的母亲感到安心：

> 我的右手垂在前面，一动也不能动，就像是一具沉重的尸体。肩膀露了出来，骨头已经断了。我的袜子已经破成碎片，腿上全是伤，右脚踝肿得可怕，鲜血不停地涌出来。膝盖上也全是淤青，我的左半身感觉好像受过重击，这让我的呼吸变得困难。我的左脸全都肿了，皮开肉绽，不停地流血，眼睛上面一个大口，下面一个小口，背部和头上还有几处擦伤。

所以，遇到地震时绝对不要跑到楼上去。

当时，蔡斯还没有脱离危险。朋友把他救出来之后，把他放在一张床上，当大火在城市的残垣断壁中肆虐时，蔡斯只能痛苦而无助地躺在那里。他能够活下来，仅仅是因为他的朋友把他抬到了大广场的中央，好在燃烧的宫殿照亮了那片地方。

尽管蔡斯的信充满了戏剧性，但关于里斯本大地震的可怕程度的了解，其实来自对欧洲远处池塘中波浪的描述。这些波浪是由地震中心发出的地震波所引起的。这被称为假潮，可以发生在海上（靠近岸边的浅滩）或者内陆湖里。在英国朴次茅斯的上午 10 点，配备了 40 门炮的战舰“戈斯波特号”（Gosport）在停泊时被晃得左右摇摆。几分钟以后，在萨里的科伯姆教区，一个人正在水源仅为几处泉水的一个池塘旁边饮马，没有水流或任何原因，水面晃动了一下，他的马也吃了一惊。远在布拉格，在上午 11 点到正午这段时间，温泉开始变浑，因为沉积物被搅动起来，这种现象人们闻所未闻。

这些假潮是由于地表自身的微小涟漪直接晃动水体造成的。但其实在里斯本大地震之后也发生了海啸，海浪从地震处缓慢地传播开来。这些海浪一直冲到了远在英格兰西海岸的康沃尔角，当然是在几个小时之后了。幸运的是，海浪的大部分能量已经在广阔的海面上被消耗掉了，等它们到达陆地的时候并没有引起灾难性的洪水。尽管如此，这些海浪还是有三米多高，并对海岸造成了一定的损害。

1906 年，旧金山大地震

海啸和火灾是由大地震引发的两个最大的危害。在 1906 年的旧金山大地震中，大部分损失是由火灾造成的。

许多历史书提到旧金山大地震时，都指出只有 375 人因此丧生。但是这个数字其实是由官方编造的，因为他们认为一旦把真实的死亡人数披露出来（大概会超过 3 000 人），将会给民众带来极大的恐慌，从而造成人们逃离该地区。这样会不利于城市的重建，影响人们继续正常生活和从事商业活动。

从地质学角度来看，旧金山大地震是很有研究价值的，因为它是这类地震发生的典型代表：当两个板块发生水平相对移动时，产生所谓的走向滑动断层（也称平移断层或平推断层）。在一段时间内，板块的边缘连接到了一起，它们之间的滑动张力随着时间的积累越来越大，直到某一天超过了它们之间的摩擦力，猛地一挫，能量就被释放出来，这种过程一直在重复上演。而正是在对 1906 年旧金山大地震的研究中，地质学家们发现了这种现象，并称之为弹性回跳（elastic rebound）。

具体到那一次的情况，477 千米长的圣安德烈亚斯断层（San Andreas Fault）从门多西诺角北到圣胡安包蒂斯塔发生断裂。沿着这部分，断层的西侧相对美洲其他部分平均向北移动了约 4 米。旧金山本来不是地震的中心，却成为人口最稠密的受影响地区。在 1906 年 4 月 18 日上午 5 点 12 分，人们感受到了第一波震动，20 秒后，剧烈的晃动开始，并持续了至少一分钟之久。

除了人口伤亡之外，整个城市 40 多万人口中超过 30 万失去了家园。其中高达90%的破坏是由火灾造成的，地震之后，火势失去控制，蔓延了4天之久。由于煤气管道破裂，火势进一步增强。其中有一些是由于消防队员错误地估计了形势，试图使用炸药炸毁房屋来阻止火势蔓延。甚至还有人把自己的房子点燃，认为这样他们就可以向保险公司索赔，因为地震不包含在保险范围之内。其实，即使那些已经投保了地震灾害的人也没有因此躲过损失，因为保险公司无法应对如此巨大的灾难；最后他们申请破产也没有全部付清保险赔偿。覆盖将近500个街区的大约2.5万栋房屋被毁，其中包括耗资600万美元建造的市政厅，以及30所学校和80座教堂。

地震两年后，许多人依然无家可归，仍住在“难民营”帐篷里。这次地震对经济的打击是巨大的，甚至直到今天还有残留的影响。在地震之前，旧金山实际上是美国西部的“首都”，一个主要的经济中心和物流交易港口；它还是美国海军的太平洋基地。随着旧金山的缓慢重建，对于另一场大地震的担心开始转向了洛杉矶，此时，洛杉矶已经发展成美国西海岸最重要的城市。这也很有讽刺意味。像1906年那种大地震势必沿着圣安德烈斯断层复发，而现在的问题是：何时何地会复发？虽然什么时候发生很难预测，但是断层的南侧，靠近洛杉矶的地方，在上一次地震的时候没有爆发，所以一个合理的猜测是：下一次的加州大地震可能会袭击洛杉矶。

1923 年，日本关东地震

1906 年的旧金山大地震是两个板块相互平移引发地震的典型例子。1923 年发生在日本的地震，尽管其震级和旧金山大地震一样是 8.2 级，但却像 2011 年的灾难一样，是另一个因素引发地震的典型例子：一个板块被另外一个板块压到地下并被摧毁。日本本身就是一个地震岛链的一部分。我们这里主要看一下 1923 年的那次事件，因为 2011 年的地震我们现在还不是完全清楚其来龙去脉。

对于日本关东大地震，我们已知的精确的发生时间是 1923 年 9 月 1 日上午 11 点 58 分 44 秒。整个地震持续了数分钟，位于东京西南方向相模湾的伊豆大岛地下深处；这次地震破坏了关东的大部分地区，并摧毁了东京和横滨湾。有一个例子说明了这次地震的巨大影响——在镰仓，一尊 93 吨重的佛像在地震中被移动了将近 0.6 米。在西横滨地区，地面升高了 2 米多，而其他地区的地面则下沉了 1.5 米。

与 17 年前的旧金山一样，造成最大破坏和人员伤亡的还是火灾。地震刚好发生在午饭时间，许多人正在烧火煮饭，家里或餐馆中都在烧着木炭或燃气灶。这些打翻了的明火引燃了周围的东西，而日本的许多建筑物都是以木材和纸张为主要材料的。结果就是引起了一场大火，附近的台风还进一步加剧了火势。火势如此大，许多试图逃离火场的人都被困在正在融化的停机坪上，不知所措。已知的死亡人数达到 10 万，另外还有 4 万人失踪，可以认为他们中的许多人完全被大火吞没了。

在内陆山区，更多的破坏则是由山体滑坡造成的。在整个根府川村，它的火车站以及一列载有 100 多人的火车被冲击到山下的大海里去了。关于水下地震，不可避免的就是其后的海啸，高达 10 米的海浪进一步造成了巨大的破坏和伤亡。据统计，将近 200 万人无家可归，近 60 万栋住房成为废墟。整体毁坏面积覆盖了东京地区的60%，横滨地区的80%；在横滨，每20人中就有1人死亡，换句话说就是，死亡人数是其总人口的 5%。

这些冰冷的数字并不能让人感受到灾难的可怕，但是正如遭遇 1755 年里斯本大地震的蔡斯一样，一个目睹了灾难的外国访问者对这次日本大地震进行了更加个人化的描述。当地震发生时，苏联作家佩特罗夫·司基塔雷茨（Petroff Skitaretz）正在搬家，他记录了当时的感受：

突然间，在布拉夫附近，我以为自己听到了一列火车呼啸而过的声音。我非常惊讶，因为我知道那附近没有火车……我还听到某些地方有野兽在咆哮，突然间狂风吹过，树枝弯得像弓一样。那声音仿佛一列地下火车就在我们脚下驶过，听上去似乎像一股被压抑的、可怕的力量正在寻找出口。那怒吼声开始增大，我们脚下开始猛烈摇晃。大地开始移动、咆哮，然后像疯子一样拉着我们，使劲地快速前后摆动。我们觉得好像要被撕成碎片了，大地似乎要把所有的东西都甩掉。我们就像筛子里的麦粒，根本站不稳，但是我们抓住了路边的篱笆，挣扎着不被晃倒。

我环顾四周。所有的东西都被撕裂了，我们刚刚经过的房子和石墙也是……所有这一切发生在仅仅五六分钟内，就在这几分钟里，横滨和东京全毁了。

2004 年，节礼日海啸

苏门答腊－安达曼大地震又称“节礼日海啸”，是 2004 年 12 月 26 日爆发于印度尼西亚苏门答腊岛西海岸的一次里氏为 9.3 级的地震。它是过去 40 年以来全球范围内最猛烈的一次地震（1960 年，智利的一次 9.5 级地震则保持着有精确测量以来最大一次地震的纪录）。由于这次地震的高震级和水下发生的位置，它引发了一场海啸，横扫整个印度洋，摧毁了印度尼西亚、南亚、东非和马达加斯加的海岸。

“海啸”这个词来自日语，本意是“港口海浪”。海啸有时候被称为潮汐波，尽管它们和潮汐没有任何关系，但这个说法已经在科学家中间流行起来。实际上，海浪和港口也没有任何关联，但是这个说法已经根深蒂固了。

海啸之所以有如此大的破坏力，是因为大洋中的一小股海浪就能引发岸边的巨浪——当海水进入港口，或者到达海滩时。海浪的能量来自地震时的震动，主要是由地壳中的聚合性板块或破坏性板块边界发生的突然的垂直上升或下沉所导致的；例如节礼日的大地震就发生在一个俯冲带。海啸不会发生在转换断层边界或分离板块边界，因为那里不会发生垂直位移；但是它们也可以在小规模上由山体滑坡取代大量海水运动而产生。凡是板块移动引发海啸的地方，大量的能量都会被释放于海面之上。

回到 2004 年的节礼日，当地时间上午 8 点左右，在苏门答腊岛附近，沿着爪哇海沟南北走向的断裂带，1 600 千米的地壳下沉了 15 米。在那里，印度板块被挤到缅甸板块的地壳下面，那是亚欧大陆板块的一小部分。由此释放的能量引发了一场海啸，摧毁了周边的地区，并辐射至整个开阔的印度洋。海浪的长度相当于下沉地壳的全长，它携带着差不多是 500 万吨 TNT 炸药爆炸一样的巨大能量——相当于第二次世界大战中所使用的所有炸药的两倍，但不包括投放在日本的两枚原子弹。在海底地震表面释放的能量相当于2 600万吨TNT炸药，这几乎等于1 500枚广岛原子弹的能量，而海啸所携带的能量其实只有它的 1/5。地震期间，更多的能量被释放到了地壳之下的深处。但是广阔的海洋如此之大，可以毫无波澜地吸收这些能量。问题是一旦这一点儿波澜抵达陆地，事情就会发生戏剧性的变化。

在广阔的海面上，海浪的波长可能很长（长达几百千米），但是高度（或称振幅）则非常小，不足一米。这一点涟漪在海面上以每小时几百千米的速度荡漾开去——节礼日的那次海啸则是每小时 500 千米的速度。但是当它们抵达靠近岸边的浅滩，所有的能量都要找到释放的出口，然后它们就变成了一系列冲向陆地的巨浪。巨浪会涨到很高，而速度则会慢到“仅仅”每小时大约 100 千米，然而它的波长已经缩小到不足 20 千米。换句话说，一个很浅但很长的海浪，变成了一个很深但很短的海浪，却携带着同样的能量。节礼日的海啸在一些地方达到了 20 米高，而另一些地方，海水灌入内陆有 3 000 米之远。尽管海啸的破坏力主要发生在印度洋沿岸，但是海浪还跨越太平洋，甚至到达了南北美洲的西海岸。此时能量已经被消耗得差不多了，但依然能引发一次规模较小的海啸，海浪的幅度也有 40 厘米高。

联合国的统计数字显示，大约 23 万人因此丧生，其中 18.7 万人的死亡确凿无疑，因为他们的尸体都找到了，其余人的官方记录还是“失踪”。这是历史上后果最严重的一次海啸；而在死亡人数上也位列历史上最惨重的 10 次地震之一；从释放的能量来看，这是自 1900 年以来地球上第四大地震，是印度洋地区至少 700 年来最严重的事件，带来经济损失高达 100 亿美元。

其中，还有些令人难以理解的统计数字，例如，在南非的鲁伊埃尔斯镇，有 8 人死亡，那几乎是离地震发生地 8 000 千米之外的地方了。受到严重影响的国家包括印度尼西亚、斯里兰卡、印度、泰国、马尔代夫、缅甸、马来西亚和塞舌尔。

地质学和考古学的证据表明，在过去的 1 200 年里至少发生过 4 次严重的海啸，其中包括 2011 年袭击日本东北部、影响波及印度洋东部及更广区域的那次。我们强调这一点是想说明，一旦真的关注地球，我们会发现这一章里所讲述的灾难事件其实是很常见的。它们之所以显得如此引人瞩目，是因为在人类寿命的尺度上，它们实属罕见。另一个能体现构造力量的迹象，就是火山爆发。

PLANET EARTH

7
火爆的地球

没有两座火山是一样的？
为什么有的火山只是间歇性爆发？
历史上最出名的火山是哪个？

正如前文所言，我们知道为什么会有火山爆发，还知道它们会在哪里爆发。但并不是所有火山都是一样的。事实上，严格地讲，没有两座火山是一样的。但是为了方便起见，研究火山的科学家们还是把火山分成五类，尽管它们没有非常清晰的界线，而且有些模棱两可的情况很难对号入座。

不同等级的火山爆发

最温和的火山爆发方式，是在扩张的洋中脊的位置处，从地球内部不断稳定地释放熔岩。一个典型的例子就是夏威夷群岛火山链，这也说明了它们经常爆发的性质。这些熔岩几乎是一种液体状态的玄武岩。因为这些液体非常稀，各种气体很容易在其中形成气泡并溢出，所以压力也不会达到足以引起壮丽的火山大爆发场面的程度。大量流动的熔岩填满了火山口，在其表面，地球物理学家们可以观察到已经固化的大块物质漂浮在上面——这是一个板块构造过程的模型，里面既有建设性板块边缘和毁灭性板块边缘，也有一些板块侧向滑动，像是微型的圣安德烈亚斯断层。

比这种火山爆发规模更大的，是斯特龙博利型（Strombolian）火山爆发，其名称来自斯特龙博利火山岛，这是位于意大利大陆和西西里岛之间的一个火山岛。比起从夏威夷火山爆发出来的熔岩流，从这里流出来的玄武岩更厚而且更黏稠，这使得气体形成的气泡更大，然后以几分钟一次的频率破裂，造成微型的火山爆发。在这些爆发中，成块的半熔融态的岩浆被炸到空气中，有时候这些岩浆会溅到火山口的外面，流到山下一点点。但总的来说，斯特龙博利型火山足够喧闹，但不是很危险。有一个比较普遍的基本规律是：爆发间隔的时间越短，火山的危险性就越低。在斯特龙博利岛上，离火山口只有几千米的地方有两个村庄；西西里岛上的埃特纳火山是另外一个例子。但是斯特龙博利型火山绝不仅限于地中海地区，远在南极地区的埃里伯斯火山（Erebus）是这种类型火山的另外一个例子。

第一种真正危险的火山大概就是分类表中间的这个了，这也是火山这个英文单词的由来——武尔卡诺火山（Vulcano），位于西西里岛北部的一个小岛上。（许多火山的原型位于地中海，这仅仅是因为科学家最开始从那里研究火山，没有其他原因。）像其他此类火山一样，武尔卡诺山只是间歇性地活动，但是一旦开始爆发，它比任何斯特龙博利型火山都要壮观。武尔卡诺型火山的爆发一次可以持续几个月，喷涌而出的有成块的固态物质，并产生大量火山灰，而这些火山灰则由火山口喷出的热气吹到了大气层中去。尽管武尔卡诺型火山也经常会产生岩浆流，但是一般火山灰造成的问题更大。火山灰可能会大范围地扩散，而且会持续很长的时间才尘埃落定。

接下来的维苏威型火山爆发，是以那不勒斯附近的维苏威火山（Mount Vesuvius）命名的。它像是一种更极端的武尔卡诺型火山爆发，持续的气流和火山灰升到更高的大气层中。有意思的是，因为这种爆发的力量是直上直下的，而且火山灰也会飘得很远，所以维苏威型火山爆发比起武尔卡诺型火山爆发对周边地区的破坏力要小。但情况并不总是如此。

第五种类型的火山爆发有两个名字，或者说有时候这是两种不太好区分的子类型。一种子类型是培雷型火山爆发（Peléan eruption），以加勒比海地区马提尼克岛的培雷火山（Mount Pelée）命名。这是一种剧烈的爆发，喷发出的大量热气体和尘埃云，会沿着山坡流下，吞噬沿途所有不幸的城镇和村庄。有时候，这些喷出来的热气又称 nuées ardentes，这个法语术语的意思是“发光的云”，但通常我们还是称之为火山碎屑流。另一种子类型，或者说另一个名字，是普林尼型火山爆发（Plinian eruption），以古罗马学者老普林尼（Pliny the Elder）命名——他死于公元 79 年的维苏威火山大爆发，就是埋葬了庞贝古城的那次。那次爆发产生了巨量的尘埃和气体云柱，也产生了发光物质的热团块，它们顺着山坡滚了下来。在这类术语中，普林尼型火山爆发是所有火山爆发中最猛烈的一种；培雷型火山爆发是简化版的普林尼型火山爆发，规模稍微小一些。唯一的区别是，普林尼型火山爆发的大部分能量都是垂直向上的，而培雷型火山爆发的能量朝向则是四面八方的。

考虑到它们在流行文学和神话故事里的受欢迎程度，有一点可能会让人感到十分吃惊：在全球范围内只有大约 500 座活跃的火山，而平均每年只有大约不到 25 座会爆发。但即便是一次温和的火山爆发，也会产生引人瞩目的效果，使得这些地质现象的“演员们”一直在吸引我们的注意力。相应地，地质学家们为这些从火山中喷发出来的东西起了一系列形象且有趣的名字。“火山弹”（Bomb）是固态或半固态的熔岩块，可能比一个人还大，从火山口被扔出去几百米远：如果火山弹外表已经固化，而内部还是黏稠状，那么它会因内部气压或撞到地面时的冲击而出现爆裂，这被称为“面包皮型火山弹”（breadcrust bomb）；丝带状的熔岩在空中飞行的时候由空气塑性固化，有一个比较合适的名字——条形弹（ribbon bomb）；圆形岩块被称为“球形弹”（spherical bomb）；细长条的被称为“纺锤形弹”（fusiform bomb）；还有一些在落地前尚未固化，在落地时四处飞溅的叫作“牛粪炸弹”（cowdung bomb，孩子们的最爱）。

那些小块的喷发物，像砂砾和鹅卵石那么大的叫作“火山砾”。那些更小的就简单地叫作“火山灰”。从火山里喷发出来的所有固态物质，总体来讲都叫“火山爆发碎屑”。而且那些最细小的固态颗粒却是能造成最大危害的，正如庞贝古城居民们的遭遇所示的那样。

公元 79 年，维苏威火山爆发

今天的维苏威火山只是古代火山活动的一抹温柔的余晖。在那里，我们可以看见一个巨大的火山口，其中一部分可以沿着半圆形的山脊一直走到今天所谓的索玛山（Mount Somma）。这个地区的地质活动是非洲板块和亚欧板块碰撞的结果，向北的非洲板块正在被亚欧板块挤到下面去。

在 2 000 年之前，这个地区的地质情况十分稳定，而维苏威火山本身在人们的记忆中也从未爆发过。山坡上布满了葡萄园，在肥沃的土地上显得生机勃勃。这个地区以今天的标准来看，人口也是非常稠密的。公元 63 年，已经有一些迹象显示火山的沉寂期快要结束了，因为据历史学家塞内卡（Seneca）的记录，那一年在山区发生过一次猛烈的地震，给周边的城镇带来了很大的损失。在接下来的 15 年里，罗马人已经对于这一地区的小地震习以为常。然后在公元 79 年，作为可能是历史上最有名的火山爆发，维苏威火山像爆炸了一样，把周围的几个城市埋葬于火山灰下，包括庞贝、斯塔比伊（Stabiae）和赫库兰尼姆（Herculaneum）。今天我们能够读到的目击者记录来自小普林尼，他是老普林尼的外甥。从此以后，维苏威火山不时地会发生一些不是很猛烈的爆发。将近两个世纪以来，火山的形状和大小都发生过显著的变化，这被许多艺术家记录下来。最近一次的爆发发生在1944年——维苏威火山是欧洲大陆上仅有的自20世纪以来爆发过的火山。那不勒斯及其300万居民距离火山只有9 000米。他们只能等待，不知道下一次的爆发是什么时候，以及规模会有多大。

小普林尼当时只有17岁，他和舅舅（也是他的养父）老普林尼住在一起。当火山爆发时，他们正在米塞努姆城，这里和那不勒斯湾隔海相望，距离火山33千米远。后来在他给塔西佗（Tacitus）[①]的信中写道：

> 9月9日，大概在第7个小时的时候，母亲告诉我舅舅说天空中出现了一片巨大无比、奇形怪状的云彩……那片云（人们从远处分不清它出现在哪座山上，后来才发现是在维苏威火山上）持续升高，我也无法很好地描述它，也许就像一棵粗壮的松树，笔直地生长着，茂盛的树冠伸展开来……它时亮时暗，有时还有斑点，这与混合的尘土和火山灰的比例有关。这个景象太令人吃惊了，从学者的角度来看，它非常值得仔细研究。

老普林尼当时是罗马舰队在米塞努姆的指挥官，他率领几艘船

① 塔西佗（公元55—公元120年），古罗马最伟大的历史学家，历任保民官、执政官、行省总督等职。他反对帝制，以共和政体为理想，代表作有《编年史》《历史》《日耳曼尼亚志》等。——译者注

去“仔细探究”发生的情况，并帮助营救斯塔比伊的居民——这座城市距离庞贝 4 500 米。由于风向不利，炙热的石块不停掉落，再加上水面上还漂浮着浮石，所以老普林尼被迫在斯塔比伊的一个朋友家待了一个晚上。第二天早上，全家人都逃到了船上，他们把头顶用“枕头和餐巾绑了起来，这是对付不停掉落的石头的唯一防护手段。当时，其他地方都已经是大白天了，他们却仍被黑暗所笼罩，比夜晚更黑暗，尽管偶尔会有几道从火山口喷发出来的烈焰照亮天空”。

即使上了船，也不能算安全。因为不断发生的地震猛烈地晃动着水面，他们无法驶入海湾，只能尽可能地在岸边躲避，直到火山灰喷发完毕。老普林尼死在了那里。他的外甥推测是由于“窒息”，“吸入了空气中大量的硫而中毒”。但是因为其他人也遭受了同样的恶劣条件而并没有表现出明显的反应，所以老普林尼更可能是因年老体胖，劳累过度，而心脏病发作去世的。

在米塞努姆早上 6 点钟的时候：

在陆地的一侧，一片携带着燃烧物质的可怕的乌云突然间爆炸了，喷射出了一条长长的火舌，虽然不是特别亮，却伴随着强烈的闪烁……整片乌云落下来，弥漫了整个港湾，很快我们就看不到卡普里岛或者米塞努姆海角了……

> 当时我们被黑暗笼罩，根本不知道该做些什么，而那种黑暗不像是多云或者没有月亮的夜晚，更像是被关在一间密闭的屋子里，没有一丝光亮。周围充斥着女人的尖叫声、婴儿的哭泣声和男人的呐喊声……
>
> 这时出现了一丝微光。那不是太阳光，而是某种炽热雾气即将飞来的前兆——然而它在离我们很远的地方炸开了。黑暗立刻又笼罩下来。随后，大量的火山灰倾泻下来，砸到我们身上。我们必须不停地起来把火山灰抖落，否则我们很快就会被它闷死，或者被压死。

当云雾消散，人们又重见光明时，周围所有的东西都“被覆盖了一层火山灰，像大雪一样厚”。

而庞贝的居民们却没有那么幸运。在那里，人们被落下的火山灰压死或者闷死。整个城市都被埋葬了，直到 18 世纪才被重新发现。据估计，从维苏威火山中爆发扩散到南方和东南方地区的物质主要是火山灰与岩石，大约有 4 立方千米，整个爆发过程持续了大约 19 个小时。

1883 年，喀拉喀托火山爆发

另外一个有望入选“历史上最著名的火山”的就是喀拉喀托火山（Krakatau）了。1883 年，喀拉喀托火山发生了剧烈的爆发。今天看来，这是一个和岛弧活动相关的最佳例证。事件的发生地在印度尼西亚的爪哇岛附近，著名的“环太平洋火山带”（Ring of Fire）西侧，也是太平洋板块边缘地带。部分地区与引起节礼日海啸的板块重合。

在沉寂了几百年之后，喀拉喀托火山从 1883 年 5 月 20 日开始表现出明显的活动迹象。它开始发出很多噪声，像是从远处传来的炮火声，喷发出的一些灰尘甚至飘落到 150 千米以外的爪哇岛。在接下来的几天里，在苏门答腊岛和爪哇岛之间的 24 千米宽的繁忙航道上，来往的船只报告说见到浮石漂在海面上，并且有尘埃柱和烟雾从火山上升起。5 月 26 日，一支探险队发现岛上有白色尘埃覆盖，时不时还有成团的物质喷射到高空中去。这次火山活动是从山坡上爆发出来的，离岸边只有 120 米远。这座山的海拔高度有 812 米。事后看来，大概这个海岸线附近的喷发口是那次猛烈爆发的集中点。

在之后的 6 ～ 8 月的大部分时间里，令人心惊的隆隆声时常传来，直到那一天发生了比人们担心的更可怕的事情。1883 年 8 月 26 日下午，伴随猛烈的爆发，山体也开始晃动，爆炸的声音非常大。远在 160 千米之外的巴达维亚的房子的窗户和挂在墙上的画也被震得直晃。在火山附近的几个小岛上，已经没有生存的可能了。但是更糟的还在后面。

使喀拉喀托火山家喻户晓的火山爆发发生在8月27日，共4次，分别是早上5点20分、6点44分、10点02分和10点52分。根据在远处目击了整个事件的幸存者们总结，第三次爆炸是最大的一次。这次爆炸非常猛烈，近一个世纪以来都没有合理的解释。现今最好的假设（这只是一个有一定根据的猜测）是，在8月26日发生的那次火山爆发可能已经破坏了至少一个岩浆库和大海之间的岩石，岩石在其后的一天则完全倒塌了，倒灌的海水和岩浆混合在一起。你可能会认为海水能熄灭火焰，但是当那里有足够多的熔岩和足够高的温度时，这种情况根本不可能发生。相反，这些条件倒是很合适发生燃料－冷却剂反应（Fuel-Coolant Interaction，FCI）。

在这种反应里，冷却剂没有熄灭燃料，因为燃料温度过高而且数量过大，冷却剂与之混合后，迅速转变成了蒸汽。“迅速气化”是常规炸药引爆的原因，而其结果对燃料－冷却剂反应也是一样的，即引发了一次爆炸。所以在适当的条件下，一个冷却剂气泡的爆炸能够把周围的热燃料或者其他东西都炸出去很远。当1立方厘米的岩浆从1 100摄氏度冷却到100摄氏度时，能够释放将近300焦耳的能量。这意味着5克的岩浆通过这种爆炸式冷却释放的能量相当于1克TNT炸药。在喀拉喀托下面的岩浆房里有几千万吨甚至几亿吨岩浆，温度更是超过了1 100摄氏度。由此，我们就很容易明白这座山是怎么被炸得四分五裂了，初步估计这次爆炸的规模至少相当于5 000万吨TNT炸药的影响力；也有认为相当于2亿吨炸药。这次爆炸震耳欲聋，远在3 000千米之外的澳大利亚和

5 000 千米之外的毛里求斯的人都能听见。

喀拉喀托山附近没有任何幸存者。而且这次灾难还影响了 150 千米之外的巴达维亚，那里的人们描述了他们对这次爆发的感受。火山在 8 月 26 日这个星期日开始了一系列的爆发，巴达维亚的人们起初以为是邻近的火山开始爆发。让人难以置信的是，这么远的火山爆发还能如此猛烈地晃动他们的窗户。8 月 27 日凌晨 2 点，他们的燃气供应被切断，警报再次升级。尽管如此，很多人还是起来开始一周的工作。此时天空阴云密布，当地气温降到了一个前所未有的低温——17 摄氏度。细小的火山灰很快就从越来越黑的天空落下。人群开始恐慌，成千上万的人开始逃离城市，尽管他们根本不知道该往哪里逃。但是就像当时的小普林尼和他的同伴一样，他们都迫切地觉得应该要做些什么。很快，由山体爆炸引发的海啸就袭来了。巴达维亚市区离海岸线有 3 000 米，被洪水淹没超过了 1 米，而爪哇岛和苏门答腊岛的沿海地区则被一系列海浪席卷，最大的海浪至少有 30 米高，300 多个村镇被毁，受灾人数达 3.6 万，大多数人在海啸中丧生。

但洪水不是唯一可怕的事情。炙热的细小火山灰如同热雪崩和火山气体从喀拉喀托的火山喷出形成碎屑流。这种热雪崩对土地是极大的破坏，它们以超过每小时 100 千米的速度涌出，吞没了路上的一切。海水也不能阻挡它们。火山碎屑流的热量达到 700 摄氏度，它们不会被熄灭，而是瞬间气化了表面的海水，这一层蒸汽仿佛气垫船的空气垫子。这使得喀拉喀托火山的热火山流能够跨越海面波及超过 40 千米之外的地方，它们吞噬了路上所碰到的船只，造成了大量的伤亡，把大片的土地烧焦。据估计，在 1883 年的这次爆发中，海啸之前火山流就已经夺去了 4 500 人的生命。

当船只可以安全地返回海峡时，人们发现联系印度洋和中国南海的重要地理形态被改变了。2/3 的喀拉喀托岛完全消失，以前没有东西的地方忽然冒出了新的小岛。海拔高度原为 450 米的喀拉喀托火山现在塌陷到海平面下 300 米，成了一个火山坑；这座火山至今仍然活跃。1928 年，一座名为“阿纳喀拉喀托”（意为“喀拉喀托之子”）的山峰从水面冒了出来，至今还在增高。

对火山爆发进行的重新评估认为，其释放的能量介于 5 000 万吨和 2 亿吨之间的 TNT 炸药，把 20 立方千米的岩石炸成粉末，并全都吹向大气层，高度超过 25 千米。这些细末状的火山灰扩散至全球，在其后的几年时间里，制造了五彩斑斓的日落景象，这些尘埃所形成的云遮挡太阳光，导致 19 世纪 80 年代全球的气温下降了大约 0.5 摄氏度。而在爪哇岛上的雅加达市，因为天空十分黑暗，人们全天都要打火把点油灯，在苏门答腊岛的人们也同样需要各种照明设备，足足等了两天天空才开始变晴。邻近喀拉喀托火山的地区则受下落的火山灰影响，那些没有进入平流层的碎片覆盖了 400 万平方千米，差不多相当于 8 个西班牙面积大小的地表。

1902年，培雷火山爆发

在1883年的喀拉喀托火山爆发中，火山碎屑流只造成了相对较小的破坏。到1902年，加勒比地区法属马提尼克岛上的培雷火山爆发时，火山碎屑流却成了破坏的主力。马提尼克岛所属的火山岛链长约850千米，弧形排列，从波多黎各一直延伸到委内瑞拉。这个岛弧是由南美板块在所谓的加勒比板块的地壳下推动出现的，推动的速度是每年几厘米。

被称为“西印度群岛的巴黎”的圣皮埃尔城在1902年5月8日上午7点59分被完全摧毁，当时距其东北部7 000米的培雷城在4次震耳欲聋的爆炸中被炸得四分五裂，人们形容那就像巨大的鞭子发出的噼啪声。爆炸发生前几天，火山一直在活动。没有人发现异常，也没有人试图撤离这座城市，部分原因是一场重要的政治选举即将到来。人们听说附近圣文森特岛上的苏弗里埃火山爆发时，却陷入了一种虚假的安全感——他们错误地认为这将减轻培雷火山的压力。对火山爆发的看法是官僚主义自满的一个典型表现。总督召集的委员会对当时的情况评估如下：

> 这种现象很正常，全世界所有的火山都经常发现类似情形。火山口已经打开，即便不发生地震或喷发岩石，气体的爆发也会持续。根据火山口的位置和通往大海的山谷来判断，圣皮埃尔城是绝对安全的。

但培雷火山的活动还是引起了一些观测员的关注。他们跑到城外，时刻关注着火山的动向，他们中的一些人幸运地逃过一劫，因为他们不在火山碎屑流的侵毁路径上。据这些目击者描述，一团红色的云从火山卷了过来，像一把气焊枪扫向圣皮埃尔城，发出的声音则是“一种连续不断的轰鸣声，夹杂着像是加特林机枪一样有节奏的扫射声”。刚好路过的一艘船上的人们看到山腰被撕开，然后一团漆黑的浓云水平地喷射而出。

事后人们回到城市的废墟上，看到树木被烧成焦炭，铁棒也弯成了神奇的形状，所有的玻璃全都熔化了。一个人如此写道：“一个荒凉的沙漠，被骇人的寂静所包围……一个地狱般的世界。”一位法国科学家被眼前的景象所震惊：“整个圣皮埃尔城所剩下的，就是如同粉末一样没有形态、腐烂至极的东西。”大部分破坏是由热气造成的，火山流经过后只留下了薄薄的一层白色火山灰，覆盖在城市的废墟之上。

在几秒钟的时间里，整座城市与大约 3 万名居民已经被炽热的发光气体和火山灰摧毁。火山灰以每小时几百千米的速度从山上流淌而下，温度超过 1 000 摄氏度，产生的破坏力堪比爆炸的核弹。令人难以置信的是，这场灾难中有两名幸存者。其中一人叫路易斯 – 奥古斯特 · 赛帕瑞斯（Louis-Auguste Cyparis），是一名囚犯，被关在当地监狱的地牢里。另一个人是莱昂 · 孔佩雷 – 安德烈（Léon Compère-Léandre），他住在培雷城的边缘，那个地方仅受到火山碎屑岩的冲击。尽管受了严重的烧伤，安德烈还是活了下来。他讲述了自己的故事：

我感到一阵可怕的狂风吹过，大地开始颤抖，天空突然间就变黑了。我转身进了一间房子，费了好大的劲才爬上房门前的三四个台阶，然后觉得我的手臂和腿烧了起来，紧接着我觉得全身都烧了起来。我摔到一张桌子上面。这时，还有其他 4 个避难者，他们痛苦地号叫，扭动着身躯，虽然他们的衣服上没有任何被火烧过的痕迹。10 分钟之后，其中一个十来岁的德拉沃的小女孩倒下死去了；其他人走了。我起来走到另外一间屋子里，在那里我发现了小女孩的父亲，他穿着衣服躺在床上，已经死去。他浑身红肿，但是衣服完好无损。我神智混乱，筋疲力尽，最后倒在床上，一动不动地等死。大约一个小时后，我清醒了过来，此时屋顶已经烧了起来。虽然我的腿因为烧伤正在流血，但我还是努力挣扎着跑到了距离圣皮埃尔 6 000 米的方圣但尼。

1980 年，圣海伦火山爆发

看过华盛顿州圣海伦火山（Mount St Helens）爆发图片的人，肯定觉得“漆黑的浓云水平地喷射而出”这句话形容得十分贴切。这座火山位于西雅图以南 154 千米，俄勒冈州波特兰东北方向 85 千米，处于喀斯喀特火山弧上，也是环太平洋火山带的一部分。在这个火山带上，触发火山活动的机制和引起 1964 年阿拉斯加州安克雷奇地震的板块运动是一样的。从地质时间的尺度上看，在美国西北地区靠近太平洋一带的地震和火山爆发是非常常见的。1980 年 5 月 18 日，在当地时间 8 点 32 分发生的圣海伦火山爆发，却是在火山休眠了 100 年之后的突然爆发，也是该国历史上伤亡人数最多、造成经济损失最大的一次火山爆发。

幸运的是，此次火山爆发只造成 57 人死亡，从死亡人数来看并不是特别惨重。这多亏了火山所处的位置非常偏僻。事实上，之前它已经表现出了逐渐活跃的迹象，处于危险地区的人们已被疏散，而且还因为火山爆发的当天是个星期天，所以在周围的森林中也没有伐木工人在工作。但是 250 栋房屋、47 座桥梁、25 千米铁路和 300 千米高速公路被毁。爆炸过程中，喷发了大约 3 000 立方米的碎片，整个火山的山顶消失了，它的高度从 2 950 米下降到了 2 550 米。在山的北侧炸开了一个马蹄形的火山口，宽 3 000 米，深 800 米。在爆发之前，山峰完美的对称曾被比喻为日本的富士山；而在爆炸中，这些特质被一下全毁了。这次火山爆发并没有像喀拉喀托火山爆发一样造成全球性的影响，因为爆炸中大部分火山灰是从侧向喷出来的，并没有垂直喷到平流层上去。大约有 6 000 平方米的森林，里面大约 1 000 万棵树木被爆炸的冲击波吹倒，并覆盖上了一层厚厚的火山灰。

尽管如此，随着火山爆发的持续，一些火山灰还是喷向天空形成了蘑菇云，它们顺风在平流层扩散使天空变暗下来，此后还飘到了华盛顿州的东部。云团以平均每小时 100 千米的速度继续扩散，在中午的时候到达了爱达荷州。这次黑暗的时刻后来被称为“黑色星期天”，它覆盖了57 000平方千米，包括华盛顿州东部、爱达荷州北部和蒙大拿州西部。总体来看，这次爆发持续了 9 个小时，但大部分破坏发生在最初的几秒钟时间里。

其中一位在火山爆发中丧生的人是戴维·约翰斯顿（David Johnston），他是一名 30 多岁的火山学家，当时正在附近的一个山脊上观察火山的活动，那里似乎是一个相对安全的位置。但是侧向的爆发使火山碎屑流以每小时 300 千米的速度直接喷射到了他身上。当火山爆发时他正在用无线电和同事们联系，所以他的遗言也得以记录下来留给后人。他用无线电向同事发出：“温哥华！温哥华！火山爆发了！”遗憾的是，他的遗体至今未能寻获。

这次侧向的爆发产生了有史以来最多的一次火山碎屑，火山灰中混合了冰、雪以及水，形成了泥石流，就是所谓的火山泥流。这些火山泥流以每秒 75 米（相当于每小时 270 千米）的速度冲向图特尔河与考利茨河，冲走了河上的桥梁，造成了巨大的破坏。据估计有 300 万立方米的火山泥流冲到了南面 27 千米远的哥伦比亚河里。

从能量的角度讲，圣海伦火山的爆发相当于一次 2 400 万吨

TNT 炸药的爆炸。在 300 千米外的人们形容那个声音像是“雷鸣般的吼声”。这座火山自从 1980 年以来一直处于活跃的状态。此外还有地质学上的证据，证明这座火山曾经有过巨大的爆炸式的喷发，使得这座火山在过去的一万年里是整个喀斯喀特山脉最活跃的火山。

《国家地理》杂志的记者罗·芬德利（Rowe Findley）是这次火山爆发的目击者之一。在该杂志的一篇文章中，他回忆道：

> 相比于对个人安全的担心，更令我不安的是，我们所有人生活的星球居然有如此脆弱的地壳，而且在如此可怕的热源和压力之上漂浮着。火山爆发突然出现在我面前，至今在我的心里挥之不去。我再也无法重获对这个赖以生存世界的骄傲了。

以此作结，再好不过。

PLANET EARTH

8

变化是地球永恒不变的主题

我们的星球表面已经被板块结构的
力量塑造了多久？
未来 1 亿年乃至 2 亿年，
世界将会变成什么样子？

我们的星球表面已经被板块结构的力量塑造了多久？现今，我们发现的最古老的岩石已有将近45亿年的历史，所以某些大陆一定也一直存在着。那些最早出现的干燥陆地一定是由聚集成俯冲带的物质所形成的，或者像今天的夏威夷底下的火山热泉，喷发出的物质形成了最早的迷你大陆。这些迷你大陆还会持续生长，而且它们中的一些至今还存在，当然，它们已经在板块构造的驱动下在地球表面进行了“漂移”。

这意味着，在过去的40亿年里，地球的形态一直在发生着改变。曾经有过相对平静的时期，某块特别的大陆只是轻微地变化，也有过快速和剧烈变化的时期，例如当超级大陆合并形成或者分裂开来的时候。但潜在的一个主题，就是不停的变化。

盘古大陆从完整到分裂

我们已经了解很多自盘古大陆分裂以来全球地理环境的变

化。盘古大陆分裂始于大约2亿年前，处于地质年代的中生代，地球上那时还有恐龙。之所以知道这些，这是因为有大量的化石保存下来供我们研究，还因为在这期间，岩石本身没怎么被地质过程干扰。而年代越古老，我们就越难追察这些证据。部分原因在于岩石在大陆的漂移、碰撞以及沿着大裂谷分裂的反复过程中被扭曲、熔化与重新组合。其他原因在于，化石很难从非常古老的地层中得到。我们只发现过极少数量的超过6亿年历史的化石。那是个极其漫长的地质时期，即所谓的前寒武纪，它占据了地球历史的将近85%。这也是因为在寒武纪时期（开始于大约5.5亿年前），含有骨骼和贝壳的生物才开始出现——骨骼和贝类能够形成好的化石，而前寒武纪的软体生物无法形成化石。这么长一段的地球历史都只能被简单归类成前寒武纪，由此你就能明白化石对地质学家和地球物理学家而言是多么重要了。

尽管如此，我们还是能够推测出一些东西。比如，大约在30亿年前，今天一半的北美大陆已经形成。从那时起，随着它在地球上漂来漂去，大陆不断地通过吸积的方式生长，也就是不断地在它们的边缘处填上新的大陆地壳。

在太古宙时代（大约介于40亿～25亿年前），似乎有数块小的大陆，它们的地壳要比今天的大陆薄很多，运动速度也比今天快很多，那时地球更热，其对流活动也更具活力。在大约25亿年～5.45亿年前的元古宙时代，事情开始发生改变，那时已经出现了一些更大块的陆地（它们中的一些就是由小块的陆地合并而成），随着时间的推移，它们聚到一起组合成了一个超级大陆。

现有的证据表明，大约15亿年前，地球上大部分的陆地是连在一起的一块超级大陆，即原始的盘古大陆，但是这块大陆并不是处于一个特别稳定的状态。可以肯定的是，有一段时间，后来成为冈瓦纳古陆和北美大陆的部分曾经分裂开，然后又再次合并到了一起。在几亿年的时间里，其他裂缝可能也在扩大后又缩小乃至消失了。在元古宙时代的末期的某个时候，发生了一次更大的分裂，产生了5块大陆。其中的4块可以辨认出来，即早期的北美洲、欧洲、西伯利亚和中国，尽管它们出现的位置和今天的不一样。第5块大陆是南方的冈瓦纳古陆。以地质学的时标来看，北方的4块大陆独立存在的时间并不是很长。大陆之间的分分合合很快又形成了所谓的劳伦西亚大陆，它包含了后来的苏格兰岛、格陵兰岛、北美洲、斯堪的纳维亚以及俄罗斯。在3.2亿年前，它就位于赤道以北。往南一直到南极是冈瓦纳古陆，而往北就是今天西伯利亚和中国的主要部分。到了2 500万年前，所有主要的大陆又都聚到一起形成了盘古大陆，这单独一块大陆覆盖了地球表面的2/5。

盘古大陆有一个不规则的轮廓，它的主要特征就是在向东侧的半路上有一个巨大的三角形切口（像一个“小于”号）。这个巨大的海湾形成了我们今天所知的古地中海。出了这个海湾就是一个海洋的世界，被称为泛大洋①。

粗略来说，古地中海北面的盘古大陆地区包含了我们之前提到的北方各大洲的核心部分，覆盖了大约 8 000 万平方千米的面积。在古地中海南面，冈瓦纳古陆大致的面积相当于后来的南美洲、非洲、印度大陆、澳大利亚所在的大陆和南极洲面积的总和。在盘古大陆远离海洋的内陆深处，是沙漠、干涸的咸水湖和山脉的广阔区域；在沿岸地区则是沼泽地和森林，是爬行动物和早期恐龙的出没之地。但当时，生命还没有开始统治陆地，这种情况一直持续到盘古大陆分裂，海洋上的湿润气流能够吹到后来的小块大陆的内陆地区为止。

大约在 2 亿年前，盘古大陆分裂，开始形成了今天地球上各个大陆的轮廓。对于大陆漂移的这个阶段，我们从化石和其他的地质学证据上有了清楚的认识。

200 万个世纪

和我们一直谈论的数字比起来，2 亿年听上去就像是地质年代里一眨眼的工夫，从某种意义上讲还真就是这样。相比于基督教时代的 20 个世纪的历史，对于人类来说，200 万个世纪又是多久的一个概念呢？一个最流行的方法就是把整个跨度的历史压缩成一天

① 泛大洋（Panthalassa）也称为盘古大洋，在希腊文中的意思是“所有的海洋”。——译者注

或一个小时。用这种方法，我们来看看过去 200 万个世纪的地球历史如果发生在 60 分钟里是怎么样的。

随着时间的流逝，古地中海几乎是横跨在赤道上，而南北半球的陆地面积几乎相当。在盘古大陆的北部，北美洲、南美洲和非洲在今天南大西洋的阿森松岛的位置，以一种三叉路口的方式合并到了一起。今天的纽约是在赤道上，而那块将会成为日本的岩石还在北极地区。在盘古大陆的南部，后来成为印度和澳大利亚的大陆还在遥远的南方与南极大陆连接在一起，位于横跨南极的地区。

随着时钟往前走，我们已经到了正午，那个连接盘古大陆南北两部分的脆弱的“小于号”断裂了。这两部分其实从来也没有牢固地焊接在一起。从炙热的地球内部涌出的玄武岩拱起了地球的表面，撕开了一个裂口，就像今天的东非大裂谷一样。

这些裂缝随着两块大陆的分开而持续地下沉。到了中午的时候，海水从泛大洋灌进来，形成了一个新的海峡，就像今天的红海，把北美洲和南美洲分隔开来。最开始这条海峡在东侧是封闭的。就像今天的红海北岸，阿拉伯地区和非洲是连在一起的，那块后来成为西班牙的陆地还勉强连接着日后成为非洲的大陆。而由北美和亚欧大陆组成的劳伦西亚大陆则开始向北移动，这个连接点的作用有点儿像个铰链，如果我们从天空俯视的话，整个劳伦西亚大陆是在沿着顺时针转动的。这使得西方裂缝打开，北美洲和南美洲之间的海峡变得越来越宽，后来形成了大西洋。同时在东方，这个旋转开始使得古地中海收缩，最后只留下今天的一小块地中海。古地中海的海床持续收缩成一条海沟，位于今天的直布罗陀与婆罗洲岛之间。

与此同时，在南半球冈瓦纳古陆分裂成两块，南美洲和非洲（此时还连在一起）在一条新裂缝的一侧，而在另一侧的一块大陆则成了最初的南极洲，以及澳大利亚、印度和马达加斯加所在的大陆。所有这些活动，即盘古大陆的完全破裂，是在我们地质时钟的12 点 20 分完成的（实际时间为 1.35 亿年前）。那时印度大陆已经分裂出去，开始自己的北上之旅。在接下来的 10 分钟（或者说 3 300 万年）里，年轻的北大西洋在南面已经扩张至大约 1 000 千米宽；而在北面，大陆地壳的裂口使大洋扩展得更宽，并且将格陵兰岛从加拿大分裂了出去。在这个时候，美国的东海岸和它今天的位置几乎垂直，大致为东西走向，位于北纬 25 度。这方面的证据都来自珊瑚礁的遗体，它们是在北美东海岸的大陆架一带被发现的。与此同时，在大西洋的彼岸，非洲板块与亚欧板块的挤压，向逆时针方向扭曲成伊比利亚半岛的板块，并且形成了比斯开湾。

在海水灌入劳伦西亚和冈瓦纳古陆的裂缝之后 1 亿年，也就是我们的时钟的 12 点 30 分，非洲和南美洲开始分裂，南大西洋诞生了。在此后的 10 分钟（3 300 万年）里，全球的地理形态已经有一点儿今天的雏形了。南美洲和非洲的裂缝连接起北面的裂缝变成了大西洋洋中脊，裂缝的北端分叉围住了格陵兰岛，把它从亚欧大陆和北美大陆彻底分开。北美大陆开始逆时针旋转逐渐进入今天的位置。和南美洲分开后，非洲向东北方向移动，并最终隔绝了古地中海，但是却割断了和欧洲大陆的联系，形成了今天的直布罗陀海峡。但是非洲板块和欧洲在地中海西岸的碰撞使得这个海峡两岸反复分分合合，并迫使比利牛斯山脉向北倾斜。

随着南北美洲稳定西进，逐渐转到了今天的位置附近时，两个大洲之间出现了一个缺口，而它们沿着西海岸隆起形成了落基山脉和安第斯山脉。在南半球的另一侧，新西兰所在的大陆先从澳大利亚和南极洲的大陆上分离出来，接着在冈瓦纳古陆的最后一次分裂中，澳大利亚所在的大陆从南极洲脱离。此时，印度大陆已经从澳大利亚分离，即将参与过去 5 000 万年来最壮观的地质事件之一。

在我们的时钟上只用了一刻钟的时间，即 5 000 万年，印度板块已经向北跨越赤道，一头扎进了古地中海海床上的沉积带，把它们沿着其边缘堆积起来。刚刚跨过赤道，就像一辆汽车迎头撞向一面坚实的墙，印度大陆也以如此势头猛烈地撞进亚欧板块，印度大陆的北边缩短了 2 000 千米，因为其地壳被挤压进了一层 55 千米厚的东西，被压在后来成为喜马拉雅山脉的地壳下面；还有一层 70 千米厚，被压在后来成为青藏高原的地壳下面。在古地中海海底的盘古大陆时期的海洋生物化石，如今又和岩石一起被迫往上移动，就是这样：在远离海洋的内陆地区，世界屋脊的顶峰出现了。

在非洲 – 亚欧大陆结合处的西部，非洲与欧洲的挤压形成了一系列山脉——从喜马拉雅山脉到高加索山脉，从阿尔卑斯山脉到非洲的阿特拉斯山脉。作为非洲一小块的意大利被迫穿过地中海进入欧洲，把阿尔卑斯山脉推得更高，就像印度大陆顶起了喜马拉雅山脉一样。

在我们时钟的 12 点 53 分，也就是 2 300 万年前，冰雪融水从不断上升的安第斯山脉向东方流去，奔向大西洋，形成了亚马孙河流流域。由大陆地壳裂缝形成的红海 – 亚丁湾系统也逐渐张开，而非洲在地中海的东岸已经和亚欧板块牢固地连在一起。至此，地中海和世界大洋的唯一联系就只有直布罗陀海峡了。它下次关闭的时间稍微比 12 点 55 分晚一点（大概 1 400 万年前），地中海开始干涸，形成了一层厚厚的盐。几分钟（大约 600 万年前）后，大西洋的海水才会灌入地中海。而当海峡再次打开的时候，全世界海水的 1/20 都涌了进来，倾泻在南西班牙和北非之间的岩棚上，形成一个持续了将近 100 年的瀑布——但这个时间在我们的时钟上也只有 1/500 秒罢了。灌满地中海需要很多水，所以全世界的海平面因此降低了大约 12 米。

非洲和欧洲的碰撞导致地中海自身的海床被反复改造，因此它大概没有保留古地中海的任何痕迹。寻找古地中海“化石”遗迹的最佳之所在更远的东部，也就是位于土耳其和乌克兰之间的黑海。

在我们时钟的12点59分的几乎最后1秒钟，即350万年前，巴拿马地峡形成了，这是由南美洲迫近北美洲引起的地质活动造成的，它连接了两块美洲大陆，由此现在地形中的最后一块大陆也已经归位。但是板块构造活动还没有停止，正如前两章的证据所示，板块还在运动。那么在未来1亿年乃至2亿年，世界将会变成什么样子？

未来世界地图

在过去的5亿年里，我们星球地质形态的变化反映了盘古大陆是如何从那些小块大陆地壳组合到一起，然后又四分五裂成今天如此分布的各个大洲的。盘古大陆自身只存在了相对短暂的一段地质时期——不会超过1亿年。但是根据我们对未来大陆漂移趋势的猜测，在大约2.5亿年后，一个新的盘古大陆将会形成。

地球物理学家克里斯托弗·史考提斯（Christopher Scotese）于20世纪80年代在芝加哥大学工作，如今更多时间是在得州大学阿灵顿分校工作，以上预测就是由他提出的，并且因在他的著作《碰撞中的大洲》（*Continents in Collision*）中论及而为众人所知。这和我们对过去板块运动的理解一样，只是他的推测在短时间内更加精确，而在长远的时间尺度上更加大胆。他的预测是基于今天全球板块活动的模式，再加上一些有依据的猜测，例如哪里会出现新的裂谷，哪里会形成新的俯冲带。这些猜测不能被视为对未来事物的确切预测，而只是对未来可能性的一种理解。

从现在起1亿年之后，如果板块继续按照今天的方式运动，大西洋将会扩张成为全球最大的海洋，而太平洋将会收缩，让出它的榜首位置。而地中海将会彻底消失，因为非洲一直在向北施压，在今天欧洲的位置上将会筑起新的山脉，一直东进至喜马拉雅山脉。海水将会灌入已经变宽很多的东非大裂谷，把非洲的一角从它的主体大陆上分裂出去。加州西侧属于圣安德烈斯断层的一部分将会被带到北方的阿拉斯加。澳大利亚所在的大陆无情地向北挤入亚洲，将会把婆罗洲岛和其他岛屿挤压成新的山脉。（也有一些地球物理学家认为澳大利亚所在的大陆可能会发生旋转，最后和中国所在的大陆撞到一起，但是史考提斯并没有预测得那么遥远。）南美洲将会推向佛罗里达，彻底封闭加勒比海。所有这些都是有一定根据的，可能性比较大。此外还有一些不是特别确定的猜测，史考提斯认为一些新的俯冲带将会出现，连接形成一条完整的火山岛弧，在南北美洲东海岸以及澳大利亚和新西兰附近变得非常活跃。

由于这些新出现的俯冲带，在接下来的5 000万年里，印度洋和大西洋将会开始收缩。根据史考提斯的理论，同一时期在太平洋海底的海床将出现新的洋中脊，然后太平洋将再次扩张。这会导致阿拉斯加和西伯利亚的断裂，也许西伯利亚的一部分破碎分裂开来，被带到东边的阿拉斯加去。这个时候，加州跑到北部的那一小块已经完全认不出来了，它已成为新耸起的山脉的一部分。东非裂谷已经成为一个小海洋。而澳大利亚所在的大陆（此时已经和新西兰合并成一块大陆了）南面的俯冲带已经吞噬澳大利亚和南极洲之间的空隙，南极洲也已经被板块构造的传送带输送至北方与澳大利亚焊接到了一起。

史考提斯对世界的最终预测一直持续至大约2.5亿年后的未来。大西洋和印度洋都已经完全封闭，而东非裂谷海洋已经变成一个内陆湖。各个大洲之间的碰撞又形成了一个新的盘古大陆，从南极一直蔓延到北极。海岸线曾经的痕迹还可以从山脉的走向中依稀可见，因为它们是各个大洲之间的碰撞所产生的。

这只是未来世界的一种可能。但有一件事情我们确信无疑——真实的世界是不会按照这个剧本发展的。但我们还是可以确信，一旦一个新的盘古大陆再次形成，它也不会持续很久，因为板块的力量会将之扯碎，开始一段各个大陆间的新的舞蹈。这几乎就是对我们地球地质变化的所有预测。但是还有一个有意思的不无争议的想法。在进入下一章关于我们地球天气的影响之前，我们还是来看一下这个问题，它也许对人类的演化还产生过影响。

一个有意思的假说

当地球物理学家试图重现古代大陆的形态分布时，他们利用计算机的帮助来绘制过去的世界地图。而实际上他们是在做一个球面上的拼图工作，即在一个地球仪的表面把那些一块块的地壳拼到一起。你是不可能在一张平面的世界地图上完成这样的事情的，因为平面地图将会改变我们星球球形表面上各个大洲之间的关系。任何平面的世界地图事实上都是把球形表面的世界“投影”到一张平直的纸上。由于目的不同，投影的方法也不尽相同，但是没有一种方法是绝对精确的。例如，某种投影方法可能对于表现大陆的形状非常好，但代价是相对的尺度是不真实的；而另一种方法也许把相对的尺度都正确地显示出来，但是为了实现这一点，肯定需要改变大洲的形状。

有一个方法可以很容易地看出这个问题的缘由。我们可以剥开一个橘子的皮，尽量小心，使它的皮保持完整。如果你把这片完整的橘子皮平放在桌子上，无论你怎么放，总是有一些褶皱，你不可能使它变成像 CD 那样平整。即使在一个稍微弯曲的表面上，你把橘子皮拼成一个完整的、平滑的、连续的整体，在一些地方还是会有缝隙。因此，想让盘古大陆重现，必须让各块大陆在一个球形的表面上漂浮移动。

对盘古大陆的大多数重构是在一个和今天地球同样大小的球面上进行的。这无可厚非。这些投影，例如爱德华 · 布拉德所做的对非洲和美洲海岸的拼接，结果是非常好的，而且肯定是要比假设地球是一个平面的结果要好得多。但是重构后的图像依然存在很小的缝隙，在那些地方，大陆地壳并不能完美地拼接到一起。通常的解释认为，我们对地质信息的记录并不是很完善，此外，在大陆的边缘可能有一些被我们忽略了的小的变化。人们对这种观点并没有什么争议。

到这里就是有趣的地方了，同时也是一个颇具争议的部分。在伦敦大英博物馆工作的休·欧文（Hugh Owen）在前人的基础上利用板块运动的早期的理论，发现了一个有趣的现象：如果使用一个只有今天地球直径的 80% 的球面，我们可以几乎完美地重构地球板块。从表面上看，这意味着自从侏罗纪的早期算起，在过去的 2 亿年时间里地球的尺寸增大了 1/4。这还意味着，古地中海可能根本就没有出现过——而之前说到的“小于号”形状的特征可能根本就是大陆构建时的一个缺口，原因在于我们使用了一个错误的地球直径。

此外，还有其他证据支持欧文的地球膨胀假说。例如，地磁记录告诉我们，除了南极洲以外的所有大陆都在向北漂移，也就是说，北冰洋应该是在缩小的。然而，北极圈地区似乎也在扩大。这两组数据当然可以被调和到一起，前提是地球膨胀的假设是正确的。

即使欧文的观点是正确的，这也不意味着所有的大陆漂移和板块运动能够以地球膨胀理论来解释。有一些证据是无可辩驳的，例如海床的扩张、俯冲，还有我们之前介绍的所有地质活动。此外，没有任何直接的证据能说明地球的膨胀足够建立广阔的太平洋地区。欧文认为，在大约 2 亿年前，我们的行星上发生了某种不寻常的事情，引起了地球的膨胀和地壳的破裂，这导致了盘古大陆的分裂。可以产生如此效应的过程将会改变地核的性质，类似于结冰的过程——从一个高密度的状态转变成低密度的状态。如果一个装满水的瓶子密封好之后拿去速冻，瓶子会被撑破，因为水在结冰时会膨胀。这种变化就是所谓的相变。地核中的相变，和内层地核由液体转变成固体的结晶相关，这可能会增大地核的体积，而且可能还会释放出额外的热量，使整个地球膨胀，并随着膨胀把地球的外壳向外推。但这纯粹猜测。

但是这个地球膨胀假说有很多问题。直接的天文学测量和来自人造卫星的数据已经精确地告诉我们，地球在今天并没有膨胀，即使有也不会很多。但是，这并不能表明它的体积从来没有增大过。另外一个问题是，如果地球像欧文认为的那样显著地膨胀过，那么地球表面的引力会大幅度减小，因为膨胀之后地表会离地心更远。我们很难解释上面那些支持地球膨胀的证据，但从地质学家目前的发现来说，地球膨胀是个伪命题。地球的膨胀还会导致自转的变慢，就像一个自转的滑冰者伸出手臂时她的自转会变慢——同样地，也没有这方面的证据。然而毫无疑问的是，欧文在一个小号的地球上能够更好地重构盘古大陆的结构和它的各个组分。

迈尔对此已有一个现成的解释：在热带地区，血液的氧化程度与在温带地区有所不同，因为在更温暖的地方，身体代谢所需的能量更少。这个解释引导他想到了另一个关键问题：如果在热带地区人的身体因辐射而导致的热量流失较少，那么由于身体运动而导致的热量损失（即机械能消耗）呢？这个过程显然会让周围的环境变热，而且不论是在欧洲还是在亚洲的热带地区都一样。除非我们能找到其他的来源，否则热量也必然来自血液的氧化作用，因此热量和机械能（如身体运动）必然是等价的，而且能以某个固定的速率相互转化，能量守恒定律便由此开始形成。

1842 年，迈尔发表了对这种等价性的首个定量评估结果，并在 3 年后将能量守恒思想扩展到了所有自然现象，包括电、光、磁。他还在两个隔热的气缸之间进行了气体流动实验，并给出了该实验的详细计算过程。

热能和机械能的等价性的真正价值是由英国物理学家詹姆斯·普雷斯科特·焦耳（James Prescott Joule，见图 1-2）发现的，他为此做了大量精心设计的实验。他首先通过由下落的重物驱动的组装旋转轮叶来搅动水，然后使用非常灵敏的温度计来测量水的温度，这样他能够相当准确地测量搅动过程所包含的机械能。1847 年，焦耳通过费心尽力的实验得到了一个与实际值相差不到 1% 的结果。能量守恒定律就此得到了初步验证，即能量既不会凭空产生也不会凭空消失。现在这一定律通常被称为热力学第一定律。

图 1-2 詹姆斯·普雷斯科特·焦耳像

1850 年，德国理论物理学家鲁道夫·克劳修斯（Rudolf Clausius）发表了他的首篇关于热动说（the mechanical theory of heat）的论文。他在这篇论文中证明：使用卡诺循环发动机可获得的最大性能仅取决于储热物质的温度，而非物质的性质，因此热量永远不会从冷的物体流向热的物体。随后，克劳修斯继续完善了这一基本概念，并在其 1865 年的一篇论文中提出了 entropy（熵）这一术语。entropy 源自希腊语词汇 τροπή（意为：转变、转换、变换），克劳修斯将其用于度量封闭系统中的混乱程度。他还明确地提出了热力学第二定律：宇宙的熵趋向于极大值。用常用的术语来说，这一定律是指：在没有任何外部能量供应的封闭系统中，可用的有用能量只会逐渐减少。煤是一种高质量的、有序的（低熵）能量载体，燃烧煤会产生热能，而热能是一种疏散的、低质量的、无序的（高熵）能量形式。这个顺序是不可逆的：散出的热能和释放的可燃烧气体永远无法重新聚合成煤。因此，热能在能量层次结构中居于一个非常独特的位置，其他所有形式的能量都可以完全转化为热能，但热能永远无法完全转化为其他形式的能量，因为初始投入的热能中只有一部分可以转变成新形式的能量。

根据热力学第二定律，宇宙的整体趋势是迈向热寂和无序，这可能是所有概括宇宙的定律中最宏观的一个，但同时也是大多数非科研人士仍然一无所知的定律。英国物理学家、政治家和小说家查尔斯·斯诺（Charles Snow）在1959年的里德讲座[①]“两种文化与科学革命”（*The Two Cultures and the Scientific Revolution*）中对这种现实情况给出了如下这番经典的描述：

> 我曾经参加过很多次这样的聚会，按照传统文化的标准来看，这些参加聚会的人士都是受过高等教育的，他们也常饶有兴致地表达他们对科学家的智识水平的怀疑。我因此被激怒过一两次，并且向他们提问有多少人能够描述热力学第二定律。我得到的回应很冷淡，也没人能描述，而这无异于我在科学领域提问：“你读过莎士比亚的作品吗？”

尽管热力学第二定律具有普适性，但生物体似乎总是在违背

① 里德讲座即罗伯特·里德爵士讲座（Sir Robert Rede's Lecture），是剑桥大学的年度公开讲座。罗伯特·里德爵士曾在16世纪任英格兰民事诉讼法院首席大法官。里德讲座在1668年到1856年间以每年三场讲座（分别以逻辑、哲学和修辞学为主题）的频率举办，1858—1998年的100多年中则大致以每年一场的频率举办。——译者注

这一定律，生物个体的孕育和成长以及生物物种和生态系统的进化都会产生明显的更有序、更复杂的生命形式。实际上，生物的存在与热力学第二定律并不矛盾：热力学第二定律仅适用于处于热力学平衡状态的封闭系统。地球的生物圈是一个开放的系统，其不断吸收太阳能，并通过光合作用将太阳能转化为新的植物体内的能量，这些能量又会成为更大的有序系统和组织的基础，这一过程是在向熵减小的方向发展。

此外，还有热力学第三定律，其最初成型于沃尔特·能斯特（Walther Nernst）于1906年提出的热定理。该定理指出：所有过程只有在温度接近绝对零度（–273 ℃）时才会终止，这时熵不再变化。

20世纪的第一个10年迎来了热力学第一定律的根本性扩展。1905年，阿尔伯特·爱因斯坦提出了一种理论：质量本身就是能量的一种形式。$E=mc^2$ 可能是这个世界上最著名的方程式了，其表达的意思是：物质的能量等于其质量乘以光速的平方。根据这一方程，4 t物质含有的能量就相当于全世界全年的商用能量消耗，但物质的这种惊人潜能仍然只是潜能，因为我们甚至还无法将石灰石或水中的这些质量能量释放出来。

但在商用能量方面，我们仅有一个途径可以将相对较多（但仍然非常少）的质量转换为能量，那就是核反应堆。1 kg铀235的核裂变释放的能量相当于190 t原油燃烧所释放的能量。在这个过程中，核裂变原料的质量只会减少1 g，也就是其原质量的千分之一。相对而言，1 kg 原油加上其燃烧所需的氧气燃烧后其总质量只会减少百亿分之一，这减少的质量甚至无法用仪器测量出来。

能量方面的科学研究正如火如荼地进行，在不到一个世纪的时间内，科学家们几乎已经完成了对能量现象的本质的解释。尽管已经有了如此庞大且高度复杂的科学知识体系作为支撑，但要想透彻地理解能量的基本概念还存在一定的难度。相较于质量或温度等概念，想要用我们可以理解的方式来解释能量的概念，其难度要大得多。20 世纪最杰出的物理学家之一理查德·费曼（Richard Feynman）1963 年在其著名的《物理学讲义》（*Lectures On Physics*）中就坦诚地说明了这一点：

> 重要的是要认识到，现如今我们并不知道能量究竟是什么。我们并不能用一幅图来说明能量是不是以定量的小块形式出现的，因为事实并非如此。但是，现在有可用于计算某些数值的公式……然而，这些结果是很抽象的，无法告诉我们各个公式的机制或原理是什么。

尽管对能量这一概念进行解释很困难，但我们还是要努力让这个抽象概念变得更容易理解。

能量，转化，效率

目前而言，对于能量最常见的定义是“做功的能力”。这种表述很简单，但其含义却深刻得多。为了清楚地理解能量的这一定义，我们不能将做功仅仅想象为机械作用[①]，而应从广义的角度将其视为受影响的系统[②]中所有会导致变化[③]的过程。

如果在接下来的 10 分钟里，你只是静坐在一间安静的房间内，也就是说表面上看你没有做任何功，狭义地说，你没有通过身体在某个机械任务上施加力。但即便如此，你身体的新陈代谢仍在大量做功，因为从消化的食物中获取的能量会为你的呼吸（吸入氧气和呼出二氧化碳）提供动力，将你的体温保持在 37 ℃左右，促进血液循环，以及产生消化过程和神经系统传输信息等身体功能所需的各种酶。需要注意的是，以上这些是人体中的四大关键过程。当你在努力思考一个抽象概念时，实际上你消耗的能量还会相对多一些，但是在你的大脑中，所有这些额外神经连接的新增过程所需的能量其实微不足道。即使你在熟睡时，你的大脑所消耗的能量也会占据身体新陈代谢的 20% 左右，而对于非常费神的脑力活动而言，其消耗的能量也只比这一比例大一点点而已。

另外，各种能量都会以各自不同的形式做功。例如，击穿夏季天空的闪电，其做功方式与巨型港口起重机从码头上抓起大型

① 用物理学术语讲，能量通过在一段距离上施加的力而发生转移。通俗来说，即要做的工作，比如打字或插秧。

② 比如一个生物体、一台机器、一颗行星。

③ 比如位置、速度、温度、组成方式的变化。

钢箱然后将它们高高地堆放在集装箱船上的做功方式有很大不同——这种差异产生的原因来自一大基础物理现实：能量以多种形式存在，而且能以不同的方式进行转化。从星系层面到亚原子层面，从生物演化的漫长时间到瞬息即逝的短暂时间，能量及其转化过程存在于不同的时间和空间尺度上。闪电的做功过程持续时间不到一秒，但会照亮和加热周围的空气，并分解氮气分子，在这个过程中，云与云或云与地之间放电的电能转化为电磁能、热能和化学能。而集装箱港口堆垛起重机的电动机则夜以继日地做功，将电能转化为机械能和被装载货物的势能。

19 世纪的物理学家认为能量不是一种容易定义的单一存在形式，而是一种涵盖多种自然和人为现象的抽象的集合概念。这些现象最常见的形式有热（热能）、运动（动能或机械能）、光（电磁能）以及燃料和食物中的化学能。其中某些能量之间的转化是生命得以存在的基础：光合作用会将光的一小部分电磁能变成细菌和植物的化学能，而烹饪和加热则是将生物质如木材、木炭、稻草或化石燃料如煤、石油、天然气中的化学能转化为热能（见表1-1）。另外，还有一些能量转化过程给我们带来了极大的便利：电池中化学能向电能的转化驱动着数十亿台手机、音乐播放器和收音机。还有一些能量转化则很罕见，例如，将电磁能转化为核能的伽马 - 中子反应只会应用在特定的科学和工业任务中。

表 1-1　各种能量形式及其相互间的转化方式

新能量形式 \ 原能量形式	电磁能	化学能	热能	动能	电能	核能	重力势能
电磁能	—	化学发光	热辐射	加速中的电荷 磷光体	电磁辐射 电致发光	伽玛辐射 核弹	—
化学能	光合作用 光化学反应	化学加工	煮沸分解	超声辐射分解	电解	辐射催化 离子化	—
热能	太阳能吸收	燃烧	热交换	摩擦	电阻加热	裂变 聚变	—
动能	辐射计	新陈代谢 肌肉	热膨胀 内燃	齿轮	电动机 电致伸缩	放射现象 核弹	物体下落
电能	太阳能电磁 光电	燃料电池 化学电池	热电 热离子学	常规发电机	—	核电池	—
核能	伽玛－中子反应	—	—	—	—	—	—
重力势能	—	—	—	物体上升	—	—	—

所有运动的物体都有动能，不管它们是由贫化铀制成的沉重穿甲弹壳，还是在热带雨林上空腾起的稀疏云朵。我们既可以轻松地感知动能产生的效果，也能轻易地计算出动能（E_k）的大小，因为它等于运动物体的质量（m）与其速度（v）的平方之

积的一半，即 $E_k=\frac{1}{2}mv^2$。需要说明一点，由于物体的动能与其速度的平方成正比，所以速度翻倍会导致动能变成原来的 4 倍；而当速度变为原来的 3 倍时，动能则会变为原来的 9 倍。因此，当速度很快时，即使很小的物体也可能变得非常危险。速度超过 80 m/s（约为 290 km/h）的龙卷风能将轻如鸿毛的稻草屑插入树干；以 8 000 m/s 的速度飞行的太空碎片，比如一个丢失的螺栓，能够穿透在太空行走的宇航员的加压服；而以 60 000 m/s 的速度飞行的微流星体[①]足以摧毁一艘太空船。

势能源自物体或其结构在空间中位置的变化。引力势能源自物体在地球重力场中的位置变化，这种势能是无处不在的：任何位置升高的物体都会获得重力势能，比如上升的水蒸气、举起的手、高翔的鸟或飞升的火箭。重力势能的一大实际应用是水力发电，即让蓄在大坝背后的水下落到涡轮机叶片上来产生电能。这种发电方式经济效益显著，全世界近 20% 的电力都是通过这种方式获取的。大坝所蓄的水或斜坡上不稳定的风化了的石头的重力势能等于其高出地面的质量（m）、其高出地面的平均高度（h）及引力常量（g）这三者的乘积，即 $E_p=mgh$。弹性势能是另一种势能，扭动而绷紧的发条就是一种常见的弹性势能的例子。弹性势能可通过形状的变化来进行存储，而在发条线圈变回松弛状态时，弹性势能会被释放并做有用功，比如驱动钟表或会动的玩具。

① 微流星体即微小的流星体，是指在太空中的微小固体，通常质量不到 1kg。——译者注

生物质（biomass）[①]和由死后的生物体转化而成的化石燃料中含有大量的化学能，这种能量保存在生物组织和燃料的化学键中，可以通过燃烧即快速氧化发生放热反应产生热能。这个过程会形成新的化学键，生成二氧化碳，另外通常还会释放出氮，并排放出硫氧化物，如果燃烧的是液体或气体燃料，还会产生水。

热能

燃烧的热能即比能（specific energy）[②]等于初始反应物中的键能与新形成的化合物中的键能的差。最差的燃料如湿泥煤、湿稻草燃烧所释放的热能还不到汽油或煤油燃烧所释放热能的 1/3。通过在热量计[③]中燃烧燃料、食物或其他任何可燃物质的绝对干燥的样品，可以确定这些物质中的能量含量。除了燃烧，其他很多能量转化过程都会产生热能。核裂变产生的热能常被用来发电，电流流过电阻时产生的热能常被用来烹煮食物、烧水或室内取暖。另外，摩擦也会产生很多我们不想要却无法避免的热能，比如在汽车变速箱中产生的热能以及汽车轮胎和道路之间摩擦所产生的热能。

① 生物质是指活着的植物、微生物、包括人在内的动物，以及生物死亡后落在土壤中的有机物质和树干。

② 比能指的是每单位质量的燃料所具有的能量。——译者注

③ 热量计是一种用于测量化学反应过程中释放的热量的设备。

热能产生之后会进行传递，而传递的方式有三种：传导、对流和辐射。热传导是通过分子之间的直接接触实现的，最常见于固体之间；热对流是指热能通过运动的液体或气体传递；热辐射则是指当物体的温度高于环境温度时会发出电磁波。地球表面、植物、建筑物和人在环境温度中会产生不可见的红外辐射，而超过 1 200 ℃的高温物体则会以可见光的形式辐射热能，比如灯泡中盘绕的钨丝、电弧炉中的钢水以及遥远的恒星等。

潜热（latent heat）是指在没有温度变化时，实现物理状态的某种变化所需的能量。例如，将 100 ℃的水变成水蒸气所需的能量（蒸发的潜热）刚好比 0 ℃的冰变成水所需的能量多 6.75 倍。

对水进行加热时，燃料的总热值①（即高位热值）减去其净热值（即低位热值）的差的大部分都会被水吸收。高位热值是指一定量的燃料完全燃烧所生成的水蒸气完全冷凝为液态时所释放的总能量，其中包含汽化的热能；低位热值则要在此基础上减去燃烧过程中生成的水汽化所需的能量。焦炭的这两种热值相差约 1%，因为焦炭基本上就是纯碳，其燃烧时只生成二氧化碳；天然气的这两种热值相差约 10%；纯氢气燃烧只会生成水，它的这两种热值相差近 20%；新鲜木材（湿木材）含有的水分过多，

---

① 热值（heating value）是指燃烧一定量的物质所释放的热量。——译者注

有些含水量甚至超过 75%，因此，燃烧这类木材时释放的大部分热能都会被用来蒸发水，而不是使房间变暖，而且，如果湿木材中的水分含量超过 67%，那么根本就无法被点燃。

能量的转化效率很容易理解，即可获得输出与初始输入之比。不同的能量转化过程的效率不同。有的能量转化过程效率极低，如光合作用：在每年射向农田的太阳能辐射中，即使最高产的农作物也只能将其中 4% ～ 5% 的能量转化为新的植物量，而全球年平均光合作用效率仅为 0.3%，因为很多植物常受到低温或缺乏水分等问题的影响。如果将初始输入限定为光合有效辐射（photosynthetically active radiation）[①]，则有用的能量传递效率会翻一倍，但在全球范围内，这一数值仍然低于 1%。低效的能量转化意味着能量损失很大，也就是说，原始能量中仅有非常少的一部分会被转化为人们所需的服务或产品，根据热力学第一定律，在这个过程中能量不会消失，而热力学第二定律则表明这些辐射中的很大一部分能量最终会变成无用的分散的热能。

相比之下，能量转化效率超过 90% 的过程、设备和机器也不少。沿踢脚板铺设的电阻式加热器能以 100% 的效率将电能转化为热能；膳食均衡的健康人类能以高达 99% 的效率消化糖和

① 光合有效辐射是指可被植物色素吸收的波长，这部分波长的太阳能平均约占入射的太阳光总能量的 45%。——译者注

淀粉等碳水化合物；最好的天然气暖炉能以95% ～ 97%的效率将输入燃料的化学能转化为房间中的热能；大型电动机能将超过95%的电能转化为快速旋转的动能；热力发电站中的巨型涡轮机更是能以高达99%的效率将在磁场中旋转物体的机械能转化为电能。

从离我们最近的恒星发出的刺眼光线到从故障核反应堆逸出的难以察觉却致命的电离辐射，从火箭发动机中的高温燃烧到在环境温度和压力下发生的复杂精妙的酶促反应，能量有着千差万别的表现形式。尽管如此，所有的能量现象的量化都可借助少量通用单位来实现。虽然世界各地的人们在日常生活中依然会用传统方式度量能量，但现代科学和工程学所应用的度量指标都是基于1960年启用的国际单位制[①]。本书只会使用适当的国际单位制单位，本章后半部分会给出本书所用单位的完整列表以及用来表示倍数和分数的词头。

量化单位的必要性

国际单位制指定了7种基本的计量单位：长度、质量、时

① 国际单位制的法语为Système International d’Unités，英语为International System of Units，通常简写为SI。国际单位制源于法国大革命期间所采用的十进制单位系统——公制。现行制度从1948年开始被建立，于1960年正式被公布，是目前世界上普遍采用的标准度量系统。国际单位制以7个基本单位为基础，并由此建立起一系列换算关系明确的“一致单位”。——译者注

间、电流、热力学温度、物质的量、发光强度。其单位既直接用于度量这 7 种常见的变量，也用于推导衍生出更复杂的计量单位，包括一些日常生活中会用到的相对简单的单位，比如面积、体积、密度、速度、压力，以及科学和工程领域会用到的更复杂的概念，比如力、压力、能量、电容量、光通量。对于能量领域反复出现的单位，只需质量（M）、长度（L）和时间（T）3 个基本量就能推导衍生出来。很显然，面积为 L^2，体积为 L^3，质量密度为 M/L^3，速度为 L/T，加速度（单位时间内速度的变化）为 L/T^2。根据牛顿第二运动定律，力等于质量乘以加速度，所以力为 ML/T^2。当在一段距离上施加力时，由于会做功，所以会消耗能量，因此，衡量能量大小的公式为 ML^2/T^2。

功率（power）的科学定义很简单，即能量的使用率：功率等于单位时间所用的能量，即 ML^2/T^3。功率这一术语常被误用，甚至在工程学期刊中也常常出现这种问题。比如在英语中，power 既可以指功率，也常被用来表示电力，比如发电厂的英语表述是 power generating plant，直译为“生产功率的工厂”，但实际上发电厂产生的是电能，并且其产生电能的速率会根据工业、商业和家庭用电的需求而变化，然后工业、商业和家庭用户再将这些电能转化为所需的动能（由电动机提供）、热能（用于工业炉、热处理和家庭加热）和电磁能（比如用于照明的可见光）。而且很显然，就算你知道某台机器的额定功率，如果你不知道它会运行多长时间，你就无法知道它将使用多少能量。

人们都熟知长度、质量和时间这 3 种国际单位制单位，它们分别用米（m）、千克（kg）和秒（s）来表示。但在度量温度时，我们使用的国际单位制单位不是常见的摄氏度（℃），而是开氏度（K，也称“开尔文”，简称“开”）。另外，电流的单位是安培（A，简称“安”）；物质的量的单位是摩尔（mol，简称“摩”）；发光强度的单位是坎德拉（cd，简称“坎”）（见表 1–2）。至少有 20 个导出单位（包括所有与能量相关的单位）有自己特定的名称和符号，其中很多都是为了纪念开拓相关研究方向的科学家和工程师而命名的。力的单位 $kg \cdot m/s^2$ 被称为牛顿（N，简称“牛”）：施加 1 N 的力可以将质量为 1 kg 的物体的速度增加 1 m/s。能量的单位 $kg \cdot m^2/s^2$ 被称为焦耳（J，简称“焦”）：1 J 等于 1 N 的力持续作用 1 m 的距离所使用的能量。功率简单来说就是单位时间的能量流动（$kg \cdot m^2/s^3$），这个度量称为瓦特（W，简称“瓦”）：1 W 等于 1 J/s，反过来能量就等于功率乘以时间，因此 1 J 就等于 1 W · s。

表 1–2　国际单位制的基本单位

量的名称	单位名称	单位符号
长度	米	m
质量	千克	kg
时间	秒	s
电流	安［培］	A
热力学温度	开［尔文］	K
物质的量	摩［尔］	mol
发光强度	坎［德拉］	cd

最能揭示能量特殊性质的度量是功率密度，功率密度的单位是 W/m^2。这个度量单位是国际单位制的一个导出单位，在某些特定的情况中也被称为热通量密度或辐照度，单位面积功率这一概念显然普遍适用于任意能量流，不管是获取食物，还是人口密集的市区的平均电力需求。功率密度度量的分母可以是地球的表面积、建筑物的占地面积或其他任何水平区域的面积。入射的太阳辐射的功率密度决定了生物圈的能量流动；家用能源的功率密度决定了燃料和电力的输入速度。在某些情况下，计算垂直方向上能量流动的功率密度也很有意义，尤其是在强风、洪水和海啸等自然灾害发生时，垂直方向的单位面积上都会被施加巨大的力，这些力会对植被和建筑物进行冲击并造成巨大的破坏，2004 年 12 月 26 日发生的印度洋海啸就是其中的典型案例。

在理解这些能量和功率单位的大小时，也许最简单的方法是通过重力加速度来理解：地球表面的重力加速度约为 $9.81\ m/s^2$，我们把它四舍五入到 10（增幅不到 2%）以让下面的计算更简单。如果你将一个质量为 1 kg 的物体抬高到离地面 1 m 的高度，比如将一瓶 1L 的水放在大约手肘的高度，那么它会受到 10 N 方向向下的重力。如果是质量为这个瓶子 1/10 的物体，比如质量为 0.1 kg 的橘子，那么它会受到 1 N 的重力。因此，将这个橘子从厨房地板上捡起来放在离地板约 1 m 高的厨台上需要消耗 1 J 的能量，如果你用约 1 s 的时间完成这个动作，那么你消耗能量的速率就是 1 W。

能量和功率的量级

基本的能量和功率单位实际上仅能代表非常小的量和速率。一颗鹰嘴豆包含 5 000 J 化学能；一只小田鼠每天至少需要 50 000 J 能量来维持生存。一辆本田思域轿车装满汽油的油箱中包含大约 1 250 000 000 J 能量，而它每行驶 100 km 都会消耗约 8 L 燃料，换算下来平均功率大约为 40 000 W。强雷雨天气中的大风在 1 h 内释放出的能量可超过 100 000 000 000 000 J，因此其功率超过 25 000 000 000 W。由于 J、W 等这些基础单位很小，所以需要为这些单位添加特定的词头，这样一来就不用总是写一长串零或不断使用科学记数法（10^n）。能量领域不仅经常用到"千（k，10^3）"和"兆[①]（M，10^6）"，而且还会用到更高的倍数：如吉［咖］（G[②]，10^9）、太［拉］（T，10^{12}）、拍［它］（P，10^{15}）、艾［可萨］（E，10^{18}）。1991 年国际单位制还增加了更大的词头：泽［它］（Z，10^{21}）和尧［它］（Y，10^{24}）（见表 1-3）。

① 在中国大陆，"兆"对应于 M（mega，10^6），而在中国台湾和日本，"兆"对应于 T（tera，10^{12}）。——译者注

② 吉也常被称为千兆，如千兆瓦与千兆宽带。——译者注

表 1–3 SI 词头

词头名称		因数
中文	英文	
十	da	10^{1}
百	h	10^{2}
千	k	10^{3}
兆	M	10^{6}
吉［咖］	G	10^{9}
太［拉］	T	10^{12}
拍［它］	P	10^{15}
艾［可萨］	E	10^{18}
泽［它］	Z	10^{21}
尧［它］	Y	10^{24}

在量化能量时，兆、吉和千是最常用的倍数，如 MJ、GJ、kW · h；在量化功率时，也最常使用千、兆、吉，如 kW、MW、GW。燃料的净能量高低不等，自然风干的秸秆能量较低（含有约 20% 水分），含有的能量仅为 7 MJ/kg（或 GJ/t）；能量较高的汽油含有的能量较高，为 44 MJ/kg。食物的总能量也有多有少，这由生物实际所能消化的食物比例所决定，叶类蔬菜含有的能量较低，不超过 1 MJ/kg，而纯脂肪含有的能量接近 40 MJ/kg，表 1–4 列出了一些常见燃料的平均能量含量的范围。1 000 瓦时等于 360 万瓦秒，又等于 1 千瓦时（kW · h），这个单位常用于度量用电量以及电价：美国家庭每个月的

平均用电量为 1 000 kW·h（1 MW·h），大致相当于 14 只 100 W 的灯泡日夜不停照明 30 天所需的电量。

表 1–4 各种常见燃料的平均能量含量范围

燃料	能量含量（MJ/kg）
氢	114.0
汽油	44.0 ～ 45.0
原油	42.0 ～ 44.0
天然气	33.0 ～ 37.0
无烟煤	29.0 ～ 31.0
烟煤	22.0 ～ 26.0
褐煤	12.0 ～ 20.0
风干的木材	14.0 ～ 16.0
麦秆	12.0 ～ 15.0

功率方面，从咖啡研磨机到咖啡机等各种厨房小电器的功率大都在 50 ～ 500 W；超小型轿车如丰田 Echo 和紧凑型轿车如本田思域的功率范围为 50 ～ 95 kW；丰田凯美瑞和本田雅阁等大型轿车的功率范围为 95 ～ 150 kW；蒸汽驱动或水力驱动的大型涡轮发电机的输出功率为 500 ～ 800 MW。在世界上最大的化石燃料发电厂中，多个发电机组能以超过 2 GW 的功率输出电力。中国的三峡工程是世界上规模最大的水电站，其安装的 32 台涡轮发电机的总装机容量为 22.5 GW。

在功率密度方面，常见的参考指标包括到达地面的太阳辐射总量（平均约为 170 W/m^2）和大城市市区辐射的热能（城市热岛效应，通常超过 50 W/m^2）。而对于垂直方向上的功率密度，建造优良的建筑物的能量通量不应低于 18 kW/m^2；强龙卷风能以超过 100 W/m^2 的功率密度发动袭击，海啸的破坏力还要更强。

有时候，我们也需要通过分数来标记功率和能量的大小，其中最常用的有毫（m①，10^{-3}）、微（μ，10^{-6}）、纳［诺］（n，10^{-9}）（见表 1-5）。写作本书时，我每次敲击键盘都会消耗 2 mJ 的动能；草叶上挂着的 2 mm 长的露珠具有 4 μJ 的势能；一个质子的质量能量为 0.15 nJ。在功率方面，只读式光盘驱动器中激光器的工作功率为 5 mW，石英表的功率约为 1 μW，跳蚤跳跃时的功率在 100 nW 左右。

表 1-5　分数

名称	词头	因数
分	d	10^{-1}
厘	c	10^{-2}
毫	m	10^{-3}
微	μ	10^{-6}

① m 既可以表示“毫”，也可以表示国际单位制中的“米”。另外，注意与大写字母 M（表示“兆”）进行区分。——译者注

续表

名称	词头	因数
纳［诺］	n	10^{-9}
皮［可］	p	10^{-12}
飞［母托］	f	10^{-15}
阿［托］	a	10^{-18}
仄［普托］	z	10^{-21}
幺［科托］	y	10^{-24}

有必要重申的是：功率不能说明所涉及的过程的能量总消耗量或总释放量。巨型闪电的功率可达到 10^{13} W 这一数量级，与整个地球的地热流相当，但是闪电总是转瞬即逝，持续时间通常在毫秒级，而地热流自地球形成以来就从来不间断，至今大约已持续了 45 亿年。类似地，如果你是一位体重 50 kg 的女性，那么在你的一生中你的基础代谢会以大约 60 W 的功率不间断地持续进行，将你摄入的食物转化为用于生长和活动的能量形式，这个功率较小，与间或打开几小时的电灯差不多。当然，到达地球的太阳辐射是地球上最强劲的持续能量流，其持续功率高达 1.7×10^{17} W（即 170 PW）。这种持续输入的能量限定了地球上大多数自然过程的极限，而地热能与地球引力则限定了其余的自然过程，由此造就了地球这适宜生命生存的特性。相比而言，2005 年全球化石燃料总消耗量经换算后的功率还不到 12 TW，仅相当于输送到地球的太阳能的 0.007%。

非国际单位制单位

在使用英语的国家和地区，所有国际单位制的标准单位都有对应的英制单位，而且现在仍有许多工匠和工程师在使用这些单位。燃料的能量含量仍然用“英热单位”（Btu）表示，1 Btu =1 055 J。机器工作时常用的能量单位是“英尺磅力”（ft · 1bf）：1ft · 1bf=1.355818 J。汽车和发动机等的常用功率单位是“马力”（hp）：1 hp=745 W。还有用“磅力”（1bf）来作为力的单位的情况：1bf=4.45 N。

另外，还有一个不是从 7 种基本度量中衍生出来的非国际单位制单位：卡路里（cal，简称“卡”）。1 cal 等于将 1 g 水从 14.5 ℃加热到 15.5 ℃所需的热量。这是一个很小的能量单位：1 cal = 4.18 J，所以通常我们都使用其千倍单位千卡（kcal）。一位身体质量指数[①] 在最佳范围内的活跃的健康成年男性每天都需要含有大约 2 500 kcal（即 2.5 Mcal 或 10.5 MJ）能量的食物。

但是，营养学家们却没有使用适当的科学词头，而是开始使用 Cal（大卡）来表示千卡（kcal），由于人们经

① 身体质量指数（Body Mass Index，BMI）等于身体的质量（kg）除以身高（m）的平方，最佳范围为 19 ～ 25。

常错误地使用首字母小写的 cal 而不是首字母大写的 Cal，所以很多人分不清楚这两者。例如，可能有朋友告诉你每天只需吃 2 500 cal 的食物就够了。实际上，这点能量还不够喂饱一只 20 g 的小老鼠，就算这只老鼠 24 h 躺着不动，它每天的基础代谢也需要约 3 800 cal（近 16 KJ）的能量。相比而言，一位体重为 70 kg 的健康成年男性每天基础代谢需要约 7.1 MJ 能量，其他活动还会进一步增加能量消耗，从久坐不动到参加长时间重体力劳动和耐力运动，能量消耗的增加比例从 20% 到 100% 不等。

再来看电，电流是指电子在导体中的流动，通常用 I 表示，单位是安培（A，简称“安”）。这个单位是为了纪念法国数学家安德烈·马利·安培（André Marie Ampère）而设定的，他是现代电动力学的奠基人之一。另外，我们也常用电压（U）来描述电，电压的单位是伏特（V，简称“伏”），得名于一位早期电学实验家及电池的发明者亚历山德罗·伏特（Alessandro Volta）。伏特是一个导出单位（V=W/A），可用来描述电势（φ）和电势差（即电压），比如电池的正极和负极之间的电势差。电流遇到的阻力称为电阻（R），单位是欧姆（Ω，简称“欧”），电阻的大小取决于材料的导电能力与尺寸大小。铜的导电能力比纯铝高出 70% 左右，而纯铝的导电能力又比纯铁强 3 倍以上，另外，细长电线的电阻比粗短电线的电阻更大，但是铝合金要比纯铜便宜很多，因此长距离高压输电线路使用的是铝合金电线，而非铜线。

电流可分为直流电（DC）和交流电（AC）两种。直流电中的电子仅沿一个方向移动，而交流电中的电子则会以固定周期不断地改变其大小和方向。在北美洲，电流每秒改变方向 120 次（每秒循环 60 次）；在欧洲，电流则每秒改变方向 100 次。得名于德国数学家和物理学家格奥尔格·西蒙·欧姆（Georg Simon Ohm）的欧姆定律给出了直流电路中电压与电阻和电流之间的线性关系（$U=IR$）。在交流电的相关计算中，这条定律需要修正，因为交流电中还存在电抗（X）。其中，交流电电流在线圈中遇到的阻碍称为感抗（X_L），在电容器中遇到的阻碍称为容抗（X_C）。电抗与电阻合起来称为阻抗（Z），单位也是 Ω，则修正后的欧姆定律即为：$I=U/Z$。不过，即使在计算电灯等普通家用电器的数据时使用的是未经调整的欧姆定律，结果也不会有明显差异。

这一定律对电的传输和安全用电都具有深远的影响。电击和触电的风险首先取决于穿过人体的电流的大小，根据欧姆定律 $I=U/R$，这意味着对于任意给定电压（北美和欧洲的家用电电压分别为 120 V 和 230 V），当电阻更高时，电流就会更小。干燥皮肤的电阻超过 500 kΩ，可将电流降至仅几毫安的无害水平。相比而言，当皮肤浸湿时，电阻会低很多，仅 1 kΩ，足以传导 100 ~ 300 mA 的电流，这样大小的电流是致命的，可能导致心室纤颤和死亡。对于健康的成年人来说，如果干燥的手意外触碰了 120 V 的电线，基本不会有性命危险；但如果在潮湿的夏日，赤脚站在地面上用汗湿的手摸这样的电线，即使电压只有 120 V，情况也会完全不同。

直流电与交流电

由于功率是电流和电压的乘积，而电压等于电流乘以电阻，所以功率就等于I^2R，也就是说电流和电阻共同决定了电器的功率。例如，白炽灯需要较高的电阻（约140 Ω）才能发出白光，而烤面包机的电阻相对较低（约15 Ω），如果烤面包机的电阻与白炽灯一样，那么面包会被烧为灰烬；因而烤面包机的电阻只能微微发出一点红光。但一个灯泡仅需要100 W，所以电流大概是0.8 A；相比之下，烤面包机的功率高达800 W，所以需要超过7 A的电流。I^2R还意味着如果使用高100倍的电压传输同样的功率，那么电流的大小可以降低99%，并减少同样数量的电阻功率损失。

正是因为这个原因，所有的现代电网不管是长距离输电还是向家庭供电，都使用交流电。不过由托马斯·爱迪生（Thomas Edison）于19世纪80年代初期设计的最早的电网传输的却是直流电，其电压要么必须与电灯或电动机等负载匹配，要么就必须通过一个串联的转换器或占用差额电压的电阻的方式将电压降至所需水平。为了减少直流电的传输损耗，我们可以相应地提高电压和降低电流，但这会导致家庭和工厂中的负载电压过高，因此也很危险。相对而言，交流电在长距离输电时可以通过高电压来尽可能地降低损耗，而在需要时又可以通过变压器将其降至可接受的低电压。

爱迪生在 1890 年之前一直反对采用交流电，而且还积极领导过反对交流电的运动。19 世纪 80 年代后期出现了一系列有利于交流电发展的创新，包括可靠的变压器、交流电电动机和仪表，以及直流交流转换器，其中，直流交流转换器可让已有的直流电电站和电网连接到高压交流电线路。这些创新决定了直流电与交流电之争的结果，到 1890 年，这场输电方式之争已经基本画上了句号，虽然某些直流电电网一直存续到了第一次世界大战结束，但很明显未来是属于交流电的。不过我们周围的用电设备中流动的电力很多都是直流电，这些直流电要么是通过转换交流电得到的，要么是由电池提供的。直流电电动机具有较高的起动转矩，也就是说能以较高的力矩进行旋转，因此是电力机车的最佳选择。电力机车的能量供应来自它们上方的交流电线路，机载转换器会将这些交流电转换为直流电。计算机也能够使用转换器来提供直流电，其中为数字电路提供的直流电的电压最高为 5 V，而为磁盘驱动器提供的直流电电压则超过 10 V。

各种各样的电池能为各种便携式设备提供直流电。电池通常设计紧凑，可将化学能直接转化为电能。目前最常见的电池之一是大型可充电铅酸电池，全世界数以亿计的汽车中都有它的身影。

铅酸电池能供应 12 V 的电力，其包含 6 个铅酸电池单格；每个单格的阴极（正电极）是铅，阳极（负电极）是由氧化铅包覆的铅，两者之间充满硫酸。汽车电池不仅要为启动发动机提供能量，而且还要为很多小型直流电电动机供电，以让它们完成一些以前需要手动完成的任务，比如开窗、调整后视镜、锁上车门等。

另一种常用的电池是一类小型圆柱形电池，我们能在很多玩具、手电筒、收音机、电视遥控器和音乐播放器中找到它们。根本而言，这类电池都是在乔治·莱克兰奇（Georges Leclanché）于 19 世纪 60 年代发明的碳锌电池的基础上改进而来的。莱克兰奇最早发明的电池使用了湿的电解液，我们熟悉的干电池则使用的是经过改进的微酸性的糊状电解质。1959 年，劲量（Energizer）公司推出了一种碱性电池，其中使用了氢氧化钾电解液，并用二氧化锰代替了传统的碳（石墨）阴极。所有圆柱形电池的负极都是一块扁平的金属底板，正极则是一个凸起的金属帽。

最常见的圆柱形电池有手电筒用的 D 型电池，即 1 号电池，还有许多电子产品使用的手指大小的 AA 电池，即 5 号电池。这些小型圆柱形电池都能以 2 600 mA/h 的电流速率提供 1.5 V 的电压，而且可以存储相对较长的时间，但是它们提供的电压会随着使用时间的增加而下降。

除此之外，还有很多其他不同类型的电池，包括笔记本电脑使用的 6 ～ 16 V 的细长方柱型锂离子电池，以及为助听器和手表供电的 1.5 V 微型氧化银纽扣电池。

现在，我们对能量的概念和度量方法已经有了基本的理解。接下来，我们将从系统性的视角循序渐进地介绍自然界、历史和现代社会中的能量。

2

生物圈中的能量：大自然的运作方式

如果没有太阳，地球上还会有生命吗？

为什么说水才是地球上最大的热能储存库？

大型鸟类为什么很难靠扇动翅膀升空？

如果没有太阳，地球上就不会有生命，但实际上在围绕恒星旋转的行星上很难形成生物圈。地球上的生物圈是地球上一层很薄的空间范围，生命在此生存和进化。人类发送到火星的探测器未能找到任何生命存在过的证据，另一颗与地球相邻的行星——金星又太热了，更别说太阳系中的其他行星了，它们更不适宜我们已知的唯一一种生命形式碳基生物的生存，碳基生物会在核酸中为自己复杂的繁殖和生存程序进行编码，并借助酶来进行新陈代谢。尽管人类已经发现了很多太阳系以外的行星，即围绕其他恒星运行的行星，但没有任何迹象表明它们适宜生命生存，这些行星中大部分都太大了。尽管人类已经投入了大量资源来聆听宇宙的声音，但我们只能“听”到围绕炽热恒星的电离态星际气体发出的无线电波，而尚未接收到来自任何其他生命形式的信号。

从严格的能量角度来看，这其实不足为奇。生命需要的不只是一颗有行星环绕的恒星，要知道仅是银河系就拥有几千亿颗恒星，行星的数量自然也非常庞大。生命需要的是一颗恰到好处的恒星：不太大也不太小，不太冷也不太热。过于庞大的恒星无法稳定地存在足够长的时间，也就无法为行星提供数十亿年的时间（地球就用了这么长的时间）来让其演化出复杂的生命形态。相对较小的恒星的寿命很长，但是光照强度不够，无法为环绕它们运行的行星提供足够的能量。除了一颗恰到好处的恒星，生命的出现还需要一个恰到好处的行星，不能像火星那样远而让行星上的水都冻结成冰，也不像金星那样近而导致水全部汽化。

这还仅仅是一个开始，要让一颗行星适宜生命存在，即使是最简单的生命，也必须满足大量的先决条件。为了说明这一点，最佳的方法是用控制变量法来想象一下：如果只改变一项影响输入地球的太阳能的因素，而保持其他影响因素不变，情况会如何变化？比如，如果重力变为原来的两倍会如何？如果地球的轨道比原有的接近圆形的轨道更偏心会如何？如果地球的旋转轴不倾斜会如何？如果地球自转一周的时间不是 24 小时而是 240 小时会如何？如果地球表面有 90% 的陆地而非 30% 会如何？如果地球大气中没有水蒸气和仅占 0.038% 的二氧化碳会如何？关于这些问题的答案，你可以猜猜看，反正这些都是对于生命来说不希望发生的情况。这里简单地给出最后一个“如果”的答案：地球上不会有生命存在。

地球的大气层不但能让太阳辐射中除了波长最短的电磁波之外的电磁波到达地球表面，对地球进行“加热”，而且还会暂时吸收部分长波辐射（见图 2-1）。地球如果没有这样的吸收能力，就会成为一个完美的黑体辐射体，它会将其接收的所有太阳能辐射出去，让自身维持在 255 K（-18 ℃）的温度，在这一温度下，水会长期处于冰冻状态，也就不可能孕育出生命。大气中的气体会选择性地吸收部分太阳能，然后再向周围辐射出去，这会改变行星的平均辐射温度，这正是金星太热而火星又太冷的原因。在地球上，这种“温室效应”刚好与复杂生命形式的演化和多样化相适应，因为这种效应将地表的平均温度提升了 33 K，达到了 288 K（15 ℃）。这个温度差不多就是温带地区宜人的春天的温度，使得地球上超过 2/3 的地表都被水覆盖，同时，水还大量存在于土壤和空气中，并且水也占据了活体生物平均体重的 2/3，在某些生物中水的比重甚至更大，比如，绿色植物组织中水占 95%，浮游植物中水的含量则高达 99%。

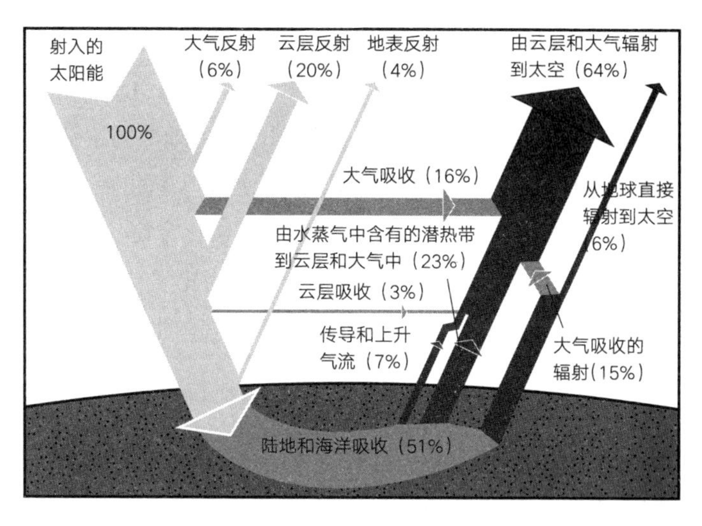

图 2-1　射入地球的太阳幅射的去处

到达地球的太阳能有着不同的命运：一部分会返回太空，另一部分则由地球吸收并转化为其他形式的能量，这样的能量流动决定了地球气候的变化及其多样化。在了解了这一点之后，我们再来看看地球上唯一一种不是来自太阳的重要能源：地热能。地热能是基于地球构造形成的能量来源，比如，地球上的陆地和海洋不断发生变迁，甚至还会引发一些地球上最为剧烈的自然现象，如火山爆发、地震和海啸。

尽管生物的多样性令人惊叹，但生物的基本代谢路径的数量却相对较少，即生物仅能以少量方式用可用的能量将简单输入的物质和能量转化为生物质。自养生物[①]有两种不同的生产生物质的方法，一种是光自养生物可将电磁能转化为三磷酸腺苷（ATP）[②]中的高能磷酸键，然后再使用这种能量将大气中的二氧化碳和土壤中的宏量营养素（如氮、磷、钾等）和微量营养素（如铁、钙、硅等）合成新的生物质（植物量）。光自养生物包括陆生植物、藻类、浮游植物、蓝细菌、绿硫细菌和紫硫细菌。另一种合成生物质的方法则不需要光，只需要二氧化碳、氧气以及某种可氧化的元素（如氢、铁）或简单无机化合物（如硫化氢、氨）。使用这种方法合成生物质的生物被称为化学自养生物，包括硝化细菌[③]、铁细菌、无色硫细菌和产甲烷微生物。化学自养

---

① 自养生物也称“初级生产者”，包括所有可使用简单无机化合物合成新生物质的生物。

② 三磷酸腺苷主要负责细胞内能量的存储和运输。

③ 硝化细菌是指可将氨转变为硝酸盐的细菌。——译者注

生物的代谢过程不是很明显，但对生物圈的生物、地质和化学循环（生物、地理、化学循环）而言却是必不可少的。

异养生物也称“化学异养生物”，指的是不能用简单无机输入物合成新生物质的生物，它们必须靠消化有机化合物来获取组成自身的物质。这类生物包含大多数细菌、真菌和动物。异养生物主要分为 4 大类别：初级消费者（植食生物）、二级及更高级消费者（肉食生物）、消费死亡和腐烂生物质的生物（食腐生物），以及采用以上所有进食策略的生物（杂食生物）。现代能量研究已经发现，植物和动物的代谢方式存在很大的共性，而且还有很多引人注目的趋利避害的适应性。另外，还有研究人员跟踪了大规模的单个生态系统循环与全球规模的生物、地理、化学大循环之中的复杂能量流动，尤其是碳循环和氮循环。

太阳辐射及地球“退还”的能量

天文学家指出太阳属于一类最常见的恒星——G2 矮星，不管是大小还是辐射都毫不出众。太阳的大部分功率都源自质子之间的反应——在温度超过 1.3×10^7 K 时，氢原子聚变为氦原子。从地球的角度来看，太阳产生的总能量（总光度[①]）极其庞大，因为其核心的热核反应每秒都会将 4.4×10^6 t 物质转化为能量，根据爱因斯坦的质能方程，这相当于 3.9×10^{26} W 的功率，这比

① 在天文学中，光度是指物体单位时间内辐射出的总能量，即辐射通量。——译者注

2005 年人类的所有燃料（化石燃料和生物质）和主要电力资源（水电和核电）的总功率还高 13 个数量级，即大约为后者的 30 万亿倍。在 45 亿年前地球刚形成时，太阳还年轻，那时其光度大约比现在低 30%。45 亿年过去了，如今太阳仅仅消耗了其巨大的总质量的 0.03%，但其核心中超过一半的氢都被消耗了，而且这种消耗还将继续，但其最终的命运与人类文明关系不大，因为很可能在太阳发生转变之前，人类文明就已经不存在了。当太阳发生转变时，它首先会变成一颗直径超过如今的太阳 100 倍的红巨星，其散发出的能量会将地球熔化，然后它又会收缩为一颗高亮度的白矮星。太阳的生命周期以 10 亿年为单位，而我们人类文明的历史目前仅有 5 000 年左右。

地球能够完美地接收太阳的辐射，太阳辐射几乎可以毫无阻碍地通过宇宙真空，然后抵达地球大气的最上层，此时其功率密度约为 1 368 W/m^2，这个速率被称为太阳常数（Solar Constant），但是专用卫星已经观察到，由于大气干扰，这个速率可能会有之前无法观察到的不规律的细微短期波动，偏离平均值最多 0.2%。另外，太阳还存在为期 11 年的活动周期，这也会导致太阳常数出现波动，这个波动也同样很小，幅度约为 0.1%，但更有规律。

太阳辐射

总体而言，太阳光谱非常接近一个完美黑体的光谱，其辐射温度为 6 000 K，最大发射峰接近 500 nm，位于绿光波段中波长最短的部分（491 ～ 575 nm）。光谱中人类可见的波段为 400 nm（深紫色）～ 700 nm（深红色）（见图 2-2），彩虹中或通过玻璃棱镜衍射的光可以按顺序展现出可见光中的美丽色彩。人眼对波长为 576 ～ 585nm 的绿光和黄光最敏感，其中，波长为 556 nm 即接近绿光波段末端的光的能见度最好。可见光带有的能量约占入射太阳辐射总能量的 38%；波长低于 400 nm 的紫外线辐射的能量所占比例不到 9%，人类无法看到或感受到这种辐射；波长大于 700 nm 的红外辐射的能量占比为 53%，其中包括人类可以感觉到的热。

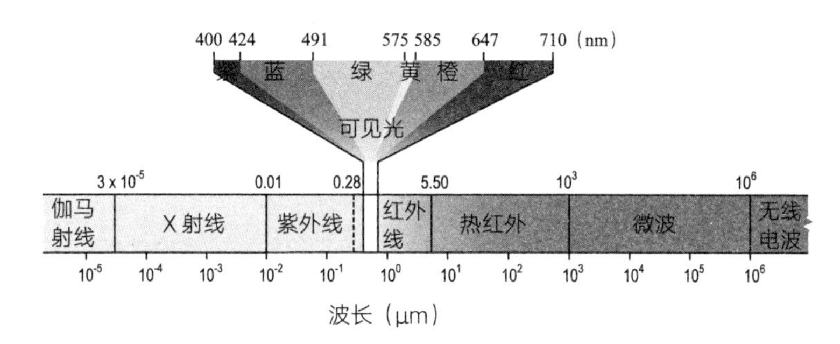

图 2-2 电磁波谱示意图

我们在大气层顶端观测到的辐射与我们在地面上接收到的辐射（日照率）有很大差异，这不仅有总量上的差异，还存在光谱组成上的差异。造成这种差异的原因有很多，其中最重要的一个明显的原因是：太阳常数测量的是穿过太空垂直抵达一个平面的辐射，而这样的能量流又必然分散到地球近乎完美的球面上，因此在旋转的地球上，每单位面积的地表所能接收的太阳辐射的均值仅有地外能量流的 1/4，即大约 342 W/m^2，因为球面的面积是同半径的圆的面积的 4 倍。入射的短波辐射主要被分为 3 部分，其中，大约 20% 会在穿过地球大气时被吸收；紫外线辐射主要由平流层臭氧吸收，这部分电磁波的波长低于 300 nm，仅占辐射总能量的 1/10 左右，但正是由于去除了紫外线辐射，地球才具备了促进复杂生命演化的先决条件；其余部分则被对流层的云和气溶胶[①] 吸收。全球反照率基本上为 30%，这是在不改变入射辐射的波长的前提下被云层和地表反射回太空的辐射比例。刚下的雪和厚积雨云（雷雨云）的反照率超过 90%，深色土壤和茂密针叶林的反照率仅有 5% 左右。全球反照率中大约有 2/3 都是由云层反射造成的，其余部分有的来自地表反射，有的则来自大气中的反向散射。

这意味着日照率差不多刚好等于平均到旋转地球的每单位面积上的太阳常数的一半，即大约 170 W/m^2。这样的日照率相当于全球每年输入太阳能 $2.7×10^{24}$ J，折合功率约为 87 PW，是 2005 年全球化石燃料和主要电力资源总能耗的 7 000 倍。所以很显然，我们不缺能量，我们缺少的是以可接受的资金或环境成本来收集能量并将其转化为可用能量的能力，这将成为决定人类文明命运的重要因

① 气溶胶是指悬浮在大气中的固体或液体细颗粒。

素。极少量的太阳辐射就足以驱动能耗超过我们 100 倍的文明，但我们却很难将这样充裕的能量流转化为成本合理的电力。

如果没有云，地球上的年平均日照率会从赤道向两极有规律地递减，但热带多云的气候导致赤道地区明显缺乏太阳能，另外，亚洲北部地区的季风云也产生了同样的效果。由此造成的结果是，赤道地区的亚马孙河流域的大部分地区、赤道以北仅 5° 的尼日利亚南部地区以及中国南部省份，尤其是位于北纬 30° 内陆地区的四川盆地，其年日照量还不及位于北纬 40°～ 45° 的新英格兰[①]地区。更令人难以置信的是：位于南纬 6° 的印度尼西亚首都雅加达和位于北纬 55° 左右的加拿大阿尔伯塔省省会埃德蒙顿的夏季中午日照峰值几乎相等。未来，当我们大规模地将日照能量直接转化为电能即进行光伏发电时，这样的现实状况会对其产生非常重大的影响。

地球的大气与固体和液体表面吸收的所有辐射最终都会以红外辐射的形式再辐射出来。虽然入射辐射的能量峰值在 500 nm 左右，且 90% 的波长都低于 4 μm，但出射辐射的波长在 3 μm 以上，能量峰值在 9.66 μm 处，这相当于入射峰值波长的 20 倍。这意味着入射的短波能量流和出射的长波能量流存在

① 新英格兰地区位于美国大陆东北角、濒临大西洋、毗邻加拿大的区域，包括美国 6 个州。——译者注

少量重叠。维持地球辐射平衡的路径主要有 3 条：

- 一小部分能量通过传导和对流以显热（sensible heat）[①] 的形式返回。
- 第一条路径 3 倍的辐射量会变成蒸发的水的潜热，这会在水蒸气凝结之后被释放到大气中。
- 地表也会向上进行长波辐射，这些辐射是地表吸收了太阳辐射的短波能量流与大气中向下的长波经过辐射后再辐射出来的能量，其中约 95% 会被大气中的温室气体吸收，仅有很少一部分会直接进入太空。

大气中的水蒸气是最重要的温室气体，具有多个强吸收带；借助 1 ~ 8μm 波长的吸收带，水蒸气将地表平均温度提升了大约 20 K。二氧化碳在大气中的浓度虽然很低，但也非常重要，其带来的温室效应占当前自然温室效应的 1/4。此外，重要的微量浓度温室气体还有甲烷、一氧化二氮和臭氧，它们一起将地表温度提升了 10K 以上。温室效应在过去的 35 亿年中将生物圈的温度维持在相对较窄的范围内，而水蒸气虽然作为主要贡献者，却并非关键的调节因素，因为其在大气中的浓度会改变，而这种改变会放大而不是抑制温度的变化：水蒸气在温度下降时

① 显热是指会导致物体或热力学系统的温度发生变化而交换的热能。——译者注

会变少，而在温度上升时会变多。对于地球温度保持稳定的原因，最佳的解释涉及大气中的二氧化碳、温度和硅酸盐矿物风化作用之间的渐进式反馈：当温度更低时，硅酸盐的风化[①]也更慢，并会导致已释放的二氧化碳逐渐累积增多，进而导致气候变暖，二氧化碳在温室效应方面发挥着关键性的作用。而人们已知注意到，自 1850 年以来人类活动已导致天气中的二氧化碳相对增多，由此引发的全球变暖问题已成为人类文明面临的重大挑战之一。

空气和水，能量运动的媒介

地球生物圈在吸收太阳辐射后获得了 3 种必不可少的能量效果：陆地和海洋被加热；水被蒸发成水蒸气并可被输送到离水源很远的地方；光合作用获得了能量。其中，加热过的陆地和海洋辐射出的热能是大气热量的主要来源，这维持着大气的持续运动。而且由于空气的质量相对较低，在地表附近每一立方米的空间中包含的空气的质量仅有 1.2 kg，仅为同体积水的质量的 1‰，因此只需非常少量的日照能量（也许仅仅 2%）就足以为全球的大气流动供能。大气流动不仅可以分散热量传递，也能传播微生物、花粉和种子，还能引起陆地地表由风导致的风化作用。全球性大气环流的能量来自热带地区的持续受热，进而导致冷空气从高纬度地区向赤道地区流动，形成所谓的“热带辐合带”，并由

① 风化作用的原因有很多，其中一部分风化作用会吸收二氧化碳。——译者注

此构成了两个空气迅猛移动的环流圈[①]。

温暖潮湿的热带空气会向上运动，形成赤道低压带，然后热空气会向南北两极移动，并在纬度 25° ～ 30° 的宽广带区冷却和沉降，且会被重新加热。这个亚热带高压带造就了地球上的大片沙漠地区，这种温暖且干燥的空气会向赤道地区回流，然后在海洋表面附近形成持续强劲的信风（trade wind）。1492 年，这种信风仅用了 36 天的时间就将 3 艘由哥伦布率领的小船从加那利群岛送到了巴哈马群岛[②]，人类也因此发现了该信风的存在。大气中还有另一个相对弱一些的环流圈，由极地冷空气外流引起。这些冷空气在向低纬度地区流动的过程中逐渐被加热和升高，并最终返回高纬度地区完成环流。但实际上，由于地球还会进行自转，所以这个循环并不完整。如果地球不自转，北半球中纬度地区的地面风将是南风，但是地球的自转将它们偏转为盛行西风，从而为美洲和欧洲的西海岸带来了大量降水。

速度最快的近地面风是夏季强热所产生的气旋（低压）气流，其中既有无害的局部雷雨大风，也有具有大规模破坏性的飓风。即使是功率达到数百吉瓦的雷雨强风，其冲击物体的垂直功率密度也不会超过 15 kW/m^2，不会破坏建筑物；而飓风则不同，

① 这两个环流圈也被称为哈德里环流圈（Hadley Cell），得名于首先描述了这一现象的英国物理学家乔治·哈德里（George Hadley）。——译者注

② 加那利群岛位于大西洋东侧非洲西北海域，巴哈马群岛位于大西洋西侧加勒比地区。——译者注

北美飓风起源于非洲，其首先向西移动，然后顺时针猛然转向，通常会在墨西哥湾北部、美国佛罗里达州和美国东海岸登陆。在亚洲，这种风被称为台风，其起源于马里亚纳群岛附近的太平洋水域，然后向西运动，不断影响东南亚大部分地区、中国沿海地区、朝鲜半岛和日本。飓风和台风气旋的速度可达 90 m/s，相当于超过 300 km/h，甚至能以高达 1 MW/m^2 的功率密度垂直冲击物体表面，现代钢筋混凝土建筑能轻松抵御这样的威力，但木质结构的房屋完全无力抗衡。

某些飓风可以持续数周时间，而且可沿数千米宽的路径一路影响大片地区，而龙卷风则受限得多。美洲龙卷风的平均宽度大约有 125 m，而且通常界限分明——一栋完全被摧毁的建筑物的对面可能就是一栋几乎未受损的房屋，而且其路径长度不超过 10 km，持续时间也不超过 3 分钟。相较而言，最猛烈的龙卷风的风速可超过 100 m/s，其冲击垂直表面时的功率也超过了典型的飓风，只不过这种龙卷风相对罕见。

然而，地球上最重要的热能载体却并不是空气，而是水，这要归功于水的独特性质，而且这种独特性质还让水成了地球上最大的热能储存库。

水的独特性质

水的比热高达 4.185 J/（g·℃），是土壤和岩石的几倍，这正是水的温度上升和下降速度比固体表面更慢的原因。也正因如此，每单位体积的水能留存更多热能，这也使得海洋成了地球上规模最大的温度调节器。如果地球上大部分地区是陆地，那么地球表面的温度就会在高温和低温之间来回摆动，就像沙漠中的温度一样。此外，前文也已经提到，水的蒸发热较高，在 20 ℃时大约为 2.5 kJ/g，这就意味着大量的潜热可通过水蒸气移动非常远的距离，然后在离来源地数十、数百乃至数千千米远的地方释放出来。

蒸发会带走裸露土壤中的水分，而且植被的蒸腾作用[①]还会加剧这一点，但很显然，主导地球能量平衡的是海洋，不仅是因为海洋面积大（约占地球表面积的 71%），而且还因为海洋的低反照率，平均为 6%，由此导致海洋吸收的日照能量是陆地的 4 倍左右。但由于水的导热能力很差，甚至还不及导热能力相对较差的金属的 1%，这就导致海洋存在显著的热分层现象。海洋的平均深度为 3.8 km，而阳光只能穿透海洋薄薄的表层。在大江大河裹挟着大量泥沙涌入的沿海海域，海水浑浊，阳光能够穿透的深度甚至不超过 1 m；而在最清澈的热带海域，阳光的穿透深度也仅有约 200 m。风也在差不多同样深度的海面薄层内卷起海浪，将这层海水搅动混合成大致一样的温度。

① 蒸腾作用是指水分经由植物的根到叶，然后流向大气的过程。——译者注

海洋表面的这个薄层日复一日、季复一季地混合波动着，在热带地区，这层海水的温度可超过 25 ℃。太平洋地区会周期性地发生暂时性的变暖现象，正常情况下，南美洲沿海的强劲信风会推动表层海水向西运动，造成表层海水温度下降并导致富含营养物质的海水上涌，因此养育了丰富的海洋生物。但当信风减弱时，南美洲沿海区域的表层海水温度会上升，使得营养物质的上涌同时停止，甚至该地区的捕鱼活动也会因此而暂停，这些原本会向西扩散的温暖表层海水会停留在赤道附近，并汇入来自大洋洲沿海的温暖海水。这种反复出现的变暖现象被称为“厄尔尼诺现象”(El Niño)，与之一起出现的还有秘鲁的暴雨和洪水灾害以及澳大利亚和印度尼西亚的干旱。与厄尔尼诺现象相反的是“拉尼娜现象”(La Niña)，当异常强劲的信风带走了南美洲沿海过多的温暖海水并导致这片海域比正常情况下更冷时，这种现象便会出现。

表层海水之下有一层温跃层（thermocline)，是海洋中温度迅速下降但营养物质浓度和盐度逐渐升高的海水层。温跃层之下的海水总是处于黑暗之中，而且温度接近 4 ℃，这是水密度最高时的温度。同时这也体现了水这种媒介的又一非凡性质：其他物质的密度都会随温度下降而上升，但水在 3.98 ℃时的密度最高。水的温度和密度之间的这种不同寻常的关系使鱼类可在北方的水域中生存，因为，这些水域的表面虽然结冰了，但冰层下的水仍是液态的。

只有在沿各大陆亚热带西海岸的一些有限的上涌区域，深海的冷海水才会被带到表层。另外，海洋中还存在着巨型海洋瀑布，其可将表层海水带到几千米下的深海，这种向下的海水对流可以对上涌的海水进行补充。

包括蒸发、降水和径流在内的地球水循环每年会转移近 580 000 km^3 的水，这相当于全球地表的每平方米面积的日降水量为 3 mm 左右或年降水量 1.1 m。要将这么多水蒸发为水蒸气，所需功率大约为 46 PW，相当于地球总日照功率的 52% 左右。因此，在带来夏季降雨的气旋中，潜热远高于气流的动能：雷暴中潜热的动能通常为气流的 50 ～ 100 倍，飓风中水蒸气液化过程释放的热能可达大规模移动气旋的动能的数千倍。只不过与亚洲的夏季风相比，即使最大规模的飓风所携带的热带热能也微不足道。亚洲的夏季季风每年都会影响西起阿曼[①]沿海、东至菲律宾的广大地区，为生活在这片区域上大约占世界总人口一半的人带来约 10 000 km^3 的雨水，这期间释放的潜热则接近最强劲飓风的 500 倍。

陆地降水中仅有很少的一部分会渗入地下很深的含水层，大约有 3/5 会蒸发为水蒸气，而不到 1/3 会通过河流返回海洋。假设陆地平均海拔为 850 m，那么河流中的水流每年会释放 400 EJ（13 TW）的重力势能，这比 21 世纪初全球用电总量还

① 阿曼位于西亚，是阿拉伯半岛东南沿海的一个国家。——译者注

要高一个数量级。建造水力发电站只能收集这大量势能中的一小部分，因为水电开发需要可用于建造大型水坝的合适位置，而合适的位置又很有限，这既需要考虑灌溉、城市和工业等对水资源的需求，还必须考虑足以保证水生生物生存以及冲走淤泥的最小水流。

地球的热能，重塑地球的力量

地球上还存在着地球内热这种能量流，虽然它与太阳辐射比起来微不足道，但却实实在在地影响了生命的演化，而且其对人类文明命运的影响也是不可估量的。这种能量在一刻不停地重塑着海洋河床，不断地拼接和撕裂陆地。而且这种大型地质构造过程伴随着屡屡发生的毁灭性灾难，比如强地震、横穿海洋的海啸和壮观的火山爆发，这些灾难会重塑地表，也会给生命带来毁灭性的打击。地球内热的来源有两个：一个是地球的熔融态金属（大部分是铁）内核的缓慢冷却过程中释放的基础热能；另一个是放射性物质（尤其是铀 235、铀 238、钍 232 和钾 40）衰变所释放的热能。其中后者的能量通量更重要。尽管我们目前还不能确定这两种热能来源的比例，但我们已经通过大量测量得知地热能的全球总功率约为 44 TW。

将全球总功率除以地球的表面积可知地热能的全球平均功率密度不到 90 mW/m^2，与平均日照功率密度的 170 W/m^2 相比，相差 3 个数量级。地球上不同地理位置的地热功率密度存在显著的差异：海床的平均值比陆地的平均值高出 70% 以上，而在陆地上，古代地壳岩石地区的数值是最低的，加拿大地盾区就是一个典型例子。相比之下，最年轻的海床渗出热量的速度大约是海床平均值的 3 倍。据记载，大面积平均值最高的地方是沿大洋脊的海床，在这里，热岩石上升形成新的海床，因此太平洋的地热流差不多占地球地热总量的一半。这里的海底热泉会喷射出壮观的水柱，其中水的温度高达 360 ℃，功率密度可达每平方米数兆瓦，只有大火山爆发时的功率密度才能与之比肩。

大约 60% 的地热都会被用于沿大约 55 000 km 海脊形成的新海床，这些海脊将地壳[①]分成了多个坚实的且缓慢移动的地质构造板块，其中太平洋板块面积最大，而且几乎全是海洋，某些地方的厚度还不到 10 km，而其他一些板块承载着大片陆地，很多地方的地壳厚度甚至超过 100 km。按照全球平均每年不到 5 cm 的扩散速度，沿海脊从下面的地幔上升的玄武岩浆每年会创造大约 3 km^2 的新海床。在厄立特里亚和索马里之间的阿法尔地区、东非大裂谷和冰岛中部等地，可在陆地上目睹这种裂谷过程。不断扩散的海洋板块最终必然都会与更大型的陆地板块发生碰撞，而海床又必然通过向下俯冲的方式被回收到地幔之中。地幔层位于地壳和液态的地核之间，是接近 3 000 km 厚的固态层。深海海沟是板块俯冲作用中最壮丽、最惊人的特征。

这种持续不断的循环导致所有海床的年龄都不会超过 2 亿年，事实上，大部分海床的年龄都不到 1 亿年。另外，这也是大

① 地壳即地球最外侧的坚固薄层。——译者注

多数最猛烈的地震（通常会引起大规模海啸）和火山喷发都集中在俯冲带附近的原因。这些区域在太平洋底构成了一个由深海海沟组成的巨大半圆，这个半圆从阿留申群岛一直延伸到新西兰以北的汤加，在这些地方，移动速度较快的太平洋板块会被挤压到几乎不移动的澳大利亚和欧亚板块下方。海洋板块和大陆板块间的另一种主要的碰撞形式会形成高耸的山脊，比如，印度板块与欧亚板块的碰撞仍在推高喜马拉雅山脉，而阿尔卑斯山脉也是由非洲板块与欧亚板块最西侧部分的碰撞造就的。

关于地球宏大的地质构造的能量学和力学方面的很多细节仍不为人知，但毫无疑问，沿海脊上涌的岩浆以及沿海沟的板块俯冲作用驱动着地球上规模最大的循环。由地幔岩浆对流形成的新海床平均位于深海平原上方 3 km 处，这些海床的热岩石块具有巨大的重力势能，能提供远离海床的推力。沿着海沟，冷海床的下沉会产生拉力，因为它会向黏稠的地幔施加力矩。这种力的重要性已经得到了证明，因为人们已经发现板块移动的平均速度与俯冲带的长度密切相关：太平洋板块的短期生成速度高达每年 20 cm，长期速度则高达每百万年 90 km。这样的速度表明，与板块的面积和移动速度成正比的地幔阻力必然相对较小。

地震和海啸

即使移动速度最快的板块每天也只能移动 0.5 mm 左右，因此，我们无法直接感知这样的连续位移，但地震和火山喷发不断提醒着我们：地幔一刻不停地涌动着巨大的能量流。在所有已发生过的地震中，95% 都与板块的俯冲作用或板块碰撞有关，而且 90% 的地震都发生在太平洋沿岸及周边地区，这些地方也因此被称为“太平洋火圈”。每年地震释放的能量仅占总地热能量流的 1% ～ 2%，但地热能量流是持续的热对流过程，而大多数地震会在几秒钟到半分钟内释放所有能量，这也就意味着大地震具有非常大的破坏力。因此，在 20 世纪，地震夺走的生命比火山爆发、飓风和洪水夺走的生命加起来还要多。

想要知道一场地震的能量，最简单的方法就是确定其地震震级。查尔斯・里克特（Charles Richter）在 1935 年提出了一种标准的测量方法。里氏震级是在离震中（震源在地表的投影点）100 km 处使用一个标准扭摆地震计测得最大迹线振幅［以微米（μm）为单位］，然后以 10 为底求出其对数。地震的能量是以地震波的形式释放的，而里氏震级和其他地震评级方法一样，换算过来的总能量都只是近似值。有记录的最强地震达到了里氏 9.0 级，释放的能量接近 1.5 EJ，如果这些能量在 30 秒之内释放出来，那么功率将高达 50 PW，地球上的其他短时能量释放过程都达不到这么大的功率。然而，地震强度与总死亡人数之间并不存在很强的相关性，居民密度和房屋建筑质量是决定人员伤亡情况的关键因素。因此，20 世纪两起最广为人知的地震所导致的死亡人数完全不同：1906 年旧金山大地震的强度是 1923 年的东京大地震的 4 倍，但东京大地震却造成了近 14.3 万人死亡，主要是由东京密集建造的木制房屋坍塌和燃烧造成的，这比旧金山大地震所造成的死亡数高出将近 50 倍。近年来伤亡最惨重的地震发生于 1976 年 7 月 28 日的中国河北省唐山市，这座城市及周边地区累计死亡超过 24 万人。

一些水下地震会引发海啸，大规模地震波可在深海中以超过 600 km/h 的速度传播，同时对海面的影响却很小。这些地震波一旦撞击到沿海地区较浅的水，就可能使海水上升数十米高，以超过 1 MW/m^2 的垂直功率密度冲击海岸线上的植被和建筑物，这足以与最强力的龙卷风比肩，甚至超过它。太平洋发生海啸的频率最高，而现代历史上日本因海啸造成的伤亡人数最多，其中包括 1896 年 6 月 15 日袭击本州岛的海啸，这场海啸掀起了高达 30 m 的巨浪，最终造成约 2.7 万人死亡。但在 2004 年 12 月 26 日，一场罕见的印度洋海啸创造了新的伤亡纪录。

印度洋海啸发生当天，在苏门答腊岛的亚齐省西北端之外不远处的海底发生了里氏 9.0 级地震，并由此引发了滔天巨浪。这场海啸导致 20 多万人死亡，其中大部分在亚齐省，另外斯里兰卡和印度的东海岸以及泰国的西部海滩也伤亡惨重。这场海啸甚至还横穿了整个印度洋，给远在非洲东岸的索马里带来了伤亡，不过这里的伤亡人数要少得多。据估计，这次由板块俯冲作用所导致的地震总共释放了 2 EJ 能量。

此外，苏门答腊岛的西北端也曾发生过一起现代历史上最大规模的火山爆发事件。1883 年，此处发生了一系列的火山喷发活动，并在当年 8 月 26 日达到顶点。当天，巽他海峡中的喀拉喀托火山大爆发，摧毁了坐落于其火山口上的拉卡塔岛的大部分岛体，并将大约 20 km^3 的灰尘和石块喷入了大气。据估计，这场灾难造成了约 3.6 万人伤亡，但其中大部分都是由其引发的海啸造成的，而不是火山爆发本身。

由于火山喷发是间歇性的，而且通常持续时间很短，因此火山喷发释放的能量仅占全球地热能释放量的一小部分。最近似的估计是这部分能量占总能量通量的 2% 左右，但每年的差异会很大，因为两次壮观的大规模火山活动之间可能会相隔数十年。同时，有的火山爆发剧烈但时间很短；而另一些火山则会持续活跃相当长一段时间。

火山释放的总能量中绝大多数都是热能，比其中的其他能量多 1 ～ 3 个数量级，但不同火山释放热能的载体有所不同。很多火山的大部分热能是由大规模的火山灰带走的，这些火山灰可一路升至平流层，这会导致全世界范围内的地面温度连续几个月都低于正常水平。最近一次这样的火山爆发发生于 1991 年 6 月 15 日菲律宾的皮纳图博火山，全球平均气温因此下降了 0.5 ℃左右。另一种火山热能释放方式是像夏威夷火山那样通过缓慢流动的岩浆释放热能，这些岩浆有的是表面光滑像绳索形状的结壳熔岩，有的则是表面充满褶皱的渣块熔岩，人们可以靠近其中某些岩浆流以采集热岩浆样本。目前，最危险的热释放是碎屑流，它混合着细灰和大石块等火山材料，并与可能超过 500℃的炙热气体混合在一起，它们能以超过 100 km/h 的速度滚下山坡并冲到 100 km 之外，焚烧并掩埋途经的一切。1902 年，培雷火山爆发产生的这种“发光的云”使得法国的海外大区马提尼克的圣皮埃尔市约 2.8 万位居民因此丧生。1997 年 8 月，火山碎屑流摧毁了加勒比的蒙特塞拉特岛的大部分地区。另外，日本的云仙市也曾多次出现过火山碎屑流。

在历史上的火山爆发事件中，1980 年 5 月 18 日圣海伦火山的爆发活动得到了最好的监控记录。在超过 9 小时的喷发过程中，圣海伦火山共释放出大约 1.7 EJ 能量，平均功率约为 52 TW。对于其他现代的火山爆发事件，人们对其释放能量的估计较为准确的分别为：1883 年喀拉喀托火山爆发释放了 1.7 EJ 能量，1956 年堪察加半岛别济米安纳火山爆发释放了 3.9 EJ 能量，1914 年日本樱岛火山爆发释放了 4.6 EJ 能量，1815 年坦博拉火山爆发释放了 8.4 EJ 能量。但是，即便坦博拉火山释放的能量已经相当多了，但依然无法与 220 万年前的黄石火山大爆发相比。据估计，黄石火山大爆发共释放了 2 500 km^3 火山灰。此外，还有更猛烈的：大约在 6 000 万年到 6 500 万年前，持续了大约 500 万年的火山喷发活动堆积了大约 1×10^6 km^3 的玄武岩浆，形成了现在印度中西部约 1.5×10^6 km^2 的德干地盾。

火山与地震很像，大都位于地质构造板块的边缘，但也有少数一些地方强劲的热岩浆羽流可以穿透板块，在任何远离俯冲带和碰撞带的地方创造出壮观的热区。其中最著名的例子是夏威夷岛链，这些岛屿以海底山脉的形式一路延伸到堪察加半岛，这个火山链是由大规模的热区创造出来的，这个热区正向西北方向移动，并不断撞击太平洋板块。现在这个热区正位于夏威夷岛西海岸的下方，这也正是导致基拉韦厄火山一直不断喷发的原因，而在离该岛不远处的海洋中，罗希这座大型海底火山将在数万年后冒出海面，成为夏威夷岛链中的最新岛屿。另一个主要热区位于非洲板块中部，其穿透了非洲大陆的中心，创造出的维龙加火山群成了乌干达、卢旺达和刚果民主共和国三国的交界处，世界上最后的山地大猩猩就生活在其中海拔 4 500 m 的卡里辛比火山山脚下的竹林中。

光合作用：反应与速率

植物和一些细菌都含有叶绿体，这是一种让植物体呈现绿色的细胞器，在叶绿体中有类囊体膜，其中的色素可以吸收光，这正是光合作用的物质基础。光合作用可将简单的无机物输入转化为新的植物量，但能量转化效率却低得惊人。入门级教科书通常会用一个简单的化学方程式来概括性地描述光合作用的整个过程，即 $6CO_2+6H_2O=C_6H_{12}O_6+6O_2$，表示的是 6 个二氧化碳分子与 6 个水分子发生反应可得到 1 个葡萄糖分子与 6 个氧气分子，但实际上，光合作用的反应过程要复杂得多。1948 年，梅尔文·卡尔文（Melvin Calvin）与其同事一起首次揭露了光合作用的关键步骤，并因此获得了 1961 年的诺贝尔化学奖。卡尔文发现，光合作用的反应过程不仅涉及固碳和释放氧气，还存在氧气与二氧化碳在光合作用与光呼吸作用这两个紧密关联的循环中的复杂交换。

在各种植物色素中，叶绿素 a 和叶绿素 b 是可被辐射激发的最主要的两种植物色素，它们可吸收的辐射波长区间其实相当窄：叶绿素 a 可吸收的辐射波长区间为 420 ～ 450 nm，叶绿素 b 可吸收的辐射波长区间为 630 ～ 690 nm。这意味着光合作用的能量绝大多数都来自蓝光和红光，而且由于这些色素几乎不吸收可见光谱中的绿光和黄光，因此，这些颜色会被叶子反射回来，从而成为春季和夏季植物叶子的主体颜色，而在秋季这些色素被分解时，植物叶子的颜色也会随之发生变化。另外，这还意味着光合有效辐射（PAR）的能量大约仅占日照能量的 43%。这些能量被色素吸收后，会驱动电子发生转移，由于水提供这些电子，因此水是氧气的来源，这个过程涉及 3 种多酶复合物，并会产生烟酰胺腺嘌呤二核苷酸磷酸酯（NADP）与三磷酸腺苷（ATP），其中 NADP 是细胞中两种最重要的酶之一，然后，NADP 与 ATP 会将来自二氧化碳的碳合成到碳水化合物中。这种光合作用过程有 3 条不同的路径。

光合作用路径

这个过程有自己的专有名称：“还原型戊糖磷酸（RPP）循环”或“卡尔文－本森循环”。第一步，核酮

糖 -1,5- 二磷酸羧化酶（Rubisco）催化[①]二氧化碳与五碳糖核酮糖 -1,5- 二磷酸（RuBP）组合得到三碳化合物 3- 磷酸甘油酸（PGA）。Rubisco 是生物圈中含量最丰富的酶之一，占叶中可溶性蛋白质的一半左右。第二步，NADPH（添加了一个氢原子的 NADP）和 ATP 生成 1,3- 二磷酸甘油酸（三碳糖磷酸）。最后生成 Rubisco，而三碳糖磷酸要么被用于合成碳水化合物，要么被用于合成脂肪酸和氨基酸。

Rubisco 不仅是一种羧化酶，还是一种加氧酶。也就是说，Rubisco 不仅可以催化添加二氧化碳的反应，还能催化添加氧气的反应。在催化添加氧气的反应时，Rubisco 会催化氧气与 RuBP 结合，得到 PGA（重新进入 RPP 循环）和二碳化合物乙醇酸，乙醇酸经过分解会释放出二氧化碳。由于大气中含有的氧气（20.95%）比二氧化碳（0.037%）多得多，因此，以 Rubisco 为中介的光呼吸循环实质上是光合作用对应的消耗氧气、释放二氧化碳的反应过程。该过程可将多达一半的碳转化回二氧化碳，由此会降低光合作用的转化效率。这两个循环的最终产物中碳原子的数量决定了它们的共同名称：光合作用循环被称为 C_3 循环；光呼吸循环则被称为 C_2 循环（见图 2-4）。可惜的是，大多数被广泛种植的粮食作物以及大

① 催化作用可以提升化学反应的速率，同时催化剂本身在反应前后不会发生变化。——译者注

多数的蔬菜和水果作物使用的都是 C_3 或 C_2 循环，因此它们也被称为 C_3 植物，其中包括水稻、小麦、大麦、黑麦、所有块茎作物、所有豆类作物和所有油料作物，这些作物的能量转化效率其实很低，并且，种植这些作物还需要大量的水。

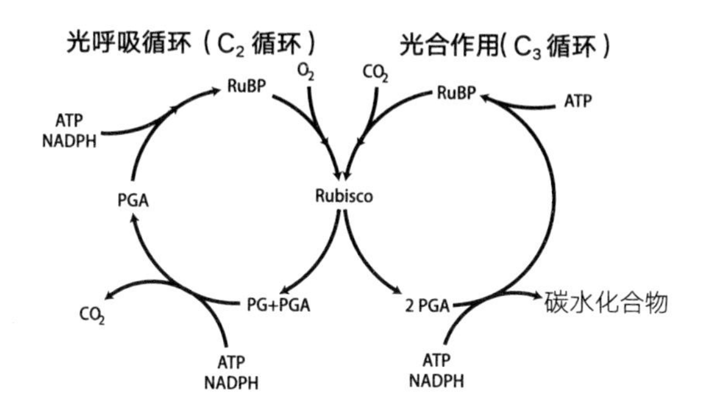

图 2-4　C_2 循环和 C_3 循环示意图

光合作用还有一条路径，这是主导反应顺序之外的另一条重要路径。二氧化碳在叶肉细胞中发生水合反应，得到碳酸氢根离子（HCO_3^-）。这些二氧化碳来自叶片中较大的细胞——叶肉细胞通过气孔与叶表面的气体进行交换。这里不使用 Rubisco，而是使用另一种名为“磷酸烯醇丙酮酸羧化酶”（PEP）的酶来将碳酸氢根离子还原为草酰乙酸，这是一种含 4 个碳原子的酸，然后它又会被转化成另一种同样含 4 个碳原子的苹果酸。这种化合物会被移入叶内深处、环绕着叶脉的维管束鞘细胞，在这里二氧化碳会被移除，释放的二氧化碳会进入 RPP 循环，由

Rubisco 将其固定到碳水化合物中。这种 C_4 循环的固有效率更高，因为 PEP 羧化酶是比 Rubisco 更好的催化剂，且仅存在于 C_4 植物维管束鞘细胞中的氧含量低于叶肉细胞的氧含量，由此 Rubisco 在催化 C_3 循环的同时就几乎无法再被用作加氧酶进行光呼吸作用了。

C_4 植物在光合作用方面还有另外 3 个优势：C_3 植物在光输入的功率密度达到 300 W/m^2 左右时便会出现饱和，而 C_4 植物不存在光饱和问题。C_3 植物表现最佳的温度范围是 15 ℃～25 ℃，而 C_4 植物在 30 ℃～45 ℃范围内的净光合作用速率最高。C_3 植物平均每输入 1 mol 二氧化碳便会蒸腾大约 1 000 mol 水，有的植物甚至可达 4 000 mol，而 C_4 植物只需蒸腾 400～500 mol 水。

这 3 个性质表明 C_4 植物适宜阳光充足的气候，比生长于同一环境中任何 C_3 植物都更耐热和耐旱，因为 C_4 植物对水的利用效率更高。遗憾的是，仅有玉米、高粱和甘蔗这 3 种主要农作物使用了 C_4 光合作用路径。然而，世界上某些入侵能力较强的杂草也使用了 C_4 光合作用路径，包括花园中令人厌恶但又难以消灭的马唐草。

最后一条光合作用路径称为“景天酸代谢”（CAM），仅有景天科和仙人掌科的多肉植物以及某些兰科和凤梨科植物具备这条光合作用路径，这条路径是植物为适宜极端干旱和高温气候的结果。这些植物可在夜间吸收二氧化碳，此时它们能尽可能少地损失水，并使用由淀粉生成的PEP将吸收的二氧化碳转化为苹果酸。到白天后，光反应可产生NADPH和ATP，二氧化碳会从苹果酸中分离出来，从而使细胞内的二氧化碳浓度更高，RPP循环便可利用这些二氧化碳来合成碳水化合物。具有商业价值的CAM植物包括菠萝、著名的药用植物芦荟、仙人掌（仙人掌果）、龙舌兰和香草。墨西哥龙舌兰酒是用龙舌兰和仙人掌的甜汁制作的。

不管植物利用何种路径进行光合作用，其呼吸作用都会消耗相当一部分已固定的碳，即通过糖的氧化来产生能量。这个过程发生在植物细胞内特定的细胞器——线粒体中，产生的能量用于维持植物体的基本功能，包括将糖和淀粉等光合产物从叶运送到茎和根、吸收土壤中的常量营养物质和微量营养物质以及将这些物质吸收转化为有机化合物。通过呼吸作用获得的能量也会用于合成复杂有机化合物，而这种化合物是生物体新陈代谢所需的，以便支撑植物的根、茎和树干等结构以及抵御昆虫等异养生物。对于后者，植物采用的方法是将柔软的内部组织藏在厚皮、叶片蜡质或尖刺之后。对于农作物来说，由于人类会通过施肥为其提供直接可用的养分，而通过喷洒杀虫剂为其提供保护，因此呼吸作用消耗的能量可能不到光合作用新吸收的所有能量的20%，但成熟的树木会用尽光合作用产生的所有能量，即把所有能量都用在维持已有的结构功能上，因为它们新合成的物质是为了替代老化的部分，而不是为了构建新的组织。

理论上，光合作用的最大净效率指的是扣除所有呼吸损失后的净值，大约为日照的 4%，但植物只能在很短的时间内达到这个效率，而且还必须保证水分和养分都刚好合适。集中灌溉和施肥的农作物在生长季节的光合作用最大净效率平均可达 2%，效率最高的温带和热带森林的效率接近 1.5%，全球陆地平均水平仅有 0.33%，而且因为海洋浮游植物将日照能量转化到水生植物的植物量中的效率不到 0.1%，最终导致整个生物圈的平均转化效率低于 0.2%。换句话说，在抵达地球上未被冰覆盖的地表上的所有光子中，每 500 个仅有 1 个光子的能量会转化为新的植物量。鉴于太阳辐射到地球的能量流规模庞大，虽然光合作用效率低下，但其实也无关紧要。从总量来看，全球光合作用整体所转化的能量还是很可观的；而从定性角度来看，光合作用更为出色。全球年净初级生产量[①]的计算结果表明：陆地每年的净初级生产量为 1.2×10^{11} t，海洋每年的净初级生产量则为 1.1×10^{11} t。

森林通常是生产量最高的生态系统。主要生物群系[②]分布的主要限制因素不是日照，而是温度和降水，热带雨林每年需要至少 1 m 的降雨，且年平均温度需要超过 20 ℃。“夏绿林（落叶阔叶林）”是欧洲西部和北美东部地区的主要天然植被，占据着

---

① 初级生产量（primary production）是指用二氧化碳等无机物合成有机化合物的总量，反映了自养生物总生产量的多寡。净初级生产量（net primary production）是指扣除了呼吸作用等生产过程损失后的生产量。——译者注

② 主要生物群系是指由植物集群、动物集群和土壤生物集群等各种生物群落组成的复杂的大规模的生物群落，是生态学上气候条件相似并按照气候和地理划分的区域。——译者注

广阔的生态位，其所需的年平均温度为 0 ℃～ 20 ℃，年降雨量少则 0.5 m 以内，多则超过 2 m，主要生物群系的年净初级生产量生产速率也差别巨大：从热带雨林的 1 ～ 3.5 kg/m^2（即每 1 万平方米 10 ～ 30 t）到温带森林的 0.5 ～ 2.5 kg/m^2，大多数草原的生产速率为 0.2 ～ 1.5 kg/m^2。

从定性角度来看，最富饶的热带雨林是亚马孙热带雨林，这里平均每 1 万平方米的土地上生活着 600 多种不同的物种，但这里的植物量大部分都储存在数量相对较少的大树冠树和突出木[①]中。温带森林和北方针叶林的主导物种通常只有少数几种，但其中某些生物群系每公顷可储存的木材量远多于最富饶的热带雨林，尤其是太平洋西北地区的雨林，那里每 1 万平方米的木材量最高可达 3 500 t，但温带森林地上植被[②]的平均植物量与热带雨林地上植被的数据很接近，为每 1 万平方米 250 ～ 300 t，但这些植物量的能量转化效率各异，木质素[③]以及树脂和蜡等可抽取物含量越高的木材其热值也越高，北美常见树木的热值从枫香树的 17.8 MJ/kg 到花旗松的 21 MJ/kg 不等。

净初级生产量生产率实际上就等于未遭受病虫害等严重损害

① 突出木是指高于周围树木树冠的树木。

② 根的植物量通常难以评估，因此大部分植物量总计数据仅限于地上生长的部分。——译者注

③ 木质素是一类复杂的有机聚合物，是维管植物和一些藻类的支撑结构中重要的结构材料。木质素对细胞壁的形成非常重要，特别是在木材和树皮中，因为它能够增强树木的刚性并且使其不容易腐烂。——译者注

的农作物的年产量。可以预见，C_4 作物和在最优条件下生长的作物的生产率最高。美国艾奥瓦州的许多农民可在每 1 万平方米的土地上收获 12 t 玉米，英国与荷兰的小麦的丰产水平约为每 1 万平方米 8 t，日本与中国沿海地区的大米产量略高于每 1 万平方米 6 t。菜豆、小扁豆、豌豆等豆科作物的产量大都低于每 1 万平方米 2 t，而许多蔬菜的产量可超过每 1 万平方米 50 t。这是因为，收获时报告的产量包含了作物中的水分——谷物和豆类作物的水分含量不到 15%，而许多蔬菜的水分含量则达到了 90% ～ 95%。如果计算绝对干物重，这些蔬菜的产量将降到每 1 万平方米 5 t 以下。丰收的甘蔗情况也类似，这种 C_4 植物丰收时产量可达每 1 万平方米 80 ～ 100 t，但其中干物质仅占 25% 左右。管理得当的森林扣除明显较高的呼吸作用的影响后，每年每 1 万平方米增长的干物质为 1 ～ 2 t，而对于受到严格管理的生长迅速的树种，如白杨、桉树、松树，人工林每年每公顷可生产 3 ～ 4 t 干物质。

异养生物的新陈代谢和位置移动

异养生物代谢复杂有机化合物的基本方式有两种：无氧代谢（厌氧代谢）和有氧代谢。负责乳酸发酵的细菌与酵母菌是在人类社会中发挥着显著作用的两类厌氧发酵生物。发酵细菌能将糖转化为乳酸，帮助我们制作酸奶和奶酪以及酸菜、酸黄瓜和腌橄榄等。酵母菌是属于子囊菌门的真菌，可把各种甜的或含淀粉的原料变成乙醇。厌氧代谢路径在地球历史早期便已出现，那时候大气中的氧气还很稀薄；在过去 20 亿年中，大气中的氧气含量逐渐上升，这让有氧代谢变得很普遍。

在有氧气存在时，酵母菌不会产生乙醇，而是生成二氧化碳，这正是发酵面包蓬松鼓起的原因。细菌门中有一半都是好氧细菌，其中包括一些很有商业价值的细菌，比如，固氮细菌（根瘤菌属中的所有细菌）能以氨的形式为豆科植物提供关键的养分，并换取豆科植物供应的碳水化合物。动物界的所有物种都是好氧异养生物[①]。异养代谢的首要任务是将碳水化合物分解成其组成成分单糖[②]、将脂质水解[③]为甘油和脂肪酸，将蛋白质分解为其组成成分氨基酸[④]。养分分解时释放的能量会保存在 ATP 中，而当 ATP 转化为 ADP（二磷酸腺苷）时这些能量又会再次被释放出来，用于合成新的生物质和支持生物体的运动。

这些复杂的反应需要大量酶来催化，发酵的最终产物是乳酸或乙醇与二氧化碳，香槟里保留了这种气体，而葡萄酒里则没有。有氧代谢除了产生大量 ATP 之外，生成的主要是二氧化碳与水，其中二氧化碳会被我们呼出，水分则会通过呼吸、排汗、排尿以及排便排出体外。无氧发酵的最大总效率约为 30%，有氧代谢的最大总效率约为 60%，两者都用于转化得到简单的糖

① 2020 年 2 月发布的一项研究表明，鲑鱼的一种寄生虫没有线粒体基因组，其代谢过程不需要氧气。这是人类首次发现无须氧气就能生存的动物。——译者注

② 单糖包括葡萄糖和果糖，而世界上主要的甜味剂蔗糖则是单糖组成的二糖。

③ 水解反应是指有水参与的分解反应。

④ 氨基酸可用于构建新的蛋白质结构，包括肌肉、器官和细胞。

或脂肪酸。每种异养生物都有自己的基础代谢率（BMR），即保证重要的内部器官存活所需的恒定的最小功率。

BMR

BMR 的测量需要满足这些条件：在距离生物上一次摄入养分几小时后（消化会提高代谢率）；在温度适宜的环境中；以及生物需保持完全静息不动。几十年来，耗氧量或二氧化碳产生量一直是最佳的确定 BMR 的因素。

1932 年，马克斯·克莱伯（Max Kleiber）发现从大鼠到公肉牛等多种哺乳动物的 BMR 仅取决于动物身体质量的 0.74 次幂，之后，他将这个指数调整为 0.75，因此这一规律也被称为“3/4 次幂定律”。如果用 w 表示体重，单位为 g，同时功率的单位为 W，则 $BMR=3.52w^{0.75}$。将这两个变量画在对数坐标系中，则 BMR 与体重的关系非常接近于一条直线（见图 2-5），这种线性关系最后在小至树鼩、大到大象等更多哺乳动物上得到了验证，而且研究还证实 3/4 的斜率也能近似表示某些鸟类、某些外温动物[①]和许多微生物的情况。

① 外温动物也称冷血动物，是指无法主动调节其核心体温，而是依靠外界热源比如阳光来调节体温的动物。

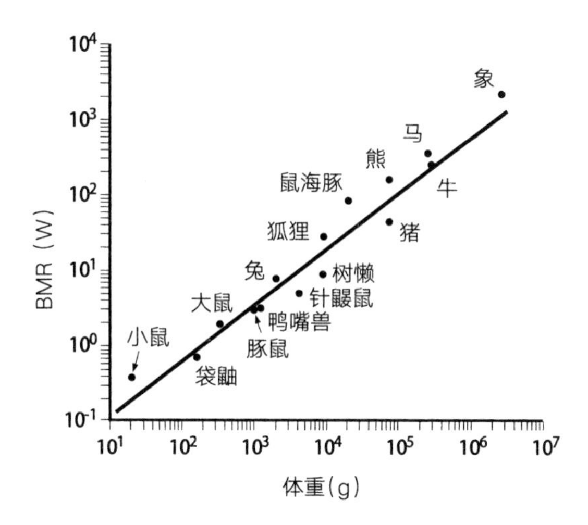

图 2-5　不同动物的 BMR 与体重的关系示意图

一方面，食肉目哺乳动物的指数明显较高，接近 0.9，这就意味着它们的 BMR 大于质量相近的非食肉目动物，而且它们的 BMR 随体重增大而增长的速度也较快，这使得自然界不可能出现犀牛（1 000 kg级）那样重的虎（100 kg 级）。另一方面，沙漠啮齿动物的指数则要低得多（略低于 0.5），因为在恶劣的环境中，尽可能地降低能量需求以及水的消耗才是生存之道。另外，尽管许多内温动物[①]与外温动物的 BMR 指数相同，但内温动物必须消耗能量来调节体温[②]，因此其BMR比质量相近的外温动物高

① 内温动物，也称温血动物或恒温动物，是指可以主动调节其核心体温，并使体温非常接近某个恒定值的动物。目前来看，内温动物全部都是脊椎动物。

② 哺乳动物的体温范围是 37 ℃～38 ℃，鸟类的体温范围是 38 ℃～42 ℃。

20 ～ 40 倍。内温动物之间 BMR 的差异要小一些，但仍然比较显著。例如，几乎总是在天空飞行的大型鸟类——信天翁（有些信天翁每年都会环绕地球飞行），其 BMR 几乎是同等大小但偶尔飞行的鸟类的 2 倍。

克莱伯线揭示的 BMR 与体重的关系也意味着单位质量的 BMR（W/g）会随体重的增大而呈现指数级下降（下降速率约为 $w^{-0.25}$）：体型最小的树鼩大约需要 100 mW/g，而比其重近5个数量级的公肉牛仅需要1 mW/g（见图2-6）；而加拿大最小的飞鸟棕煌蜂鸟（体重 3.5 g）的 BMR 大约是比其重 1 000 倍的褐鹈鹕（体重 3.5 kg）的 20 倍。这就限制了内温动物的最小质量，因为如果有比树鼩和蜂鸟还轻的内温动物，那么，由于这些动物单位体重对应的体表面积相对更大，它们就需要不断地进食才能补偿非常高的热损失速率。与此同时，由于大型哺乳动物单位质量的 BMR 较低，因此它们可以连续很多天不进食，而且有

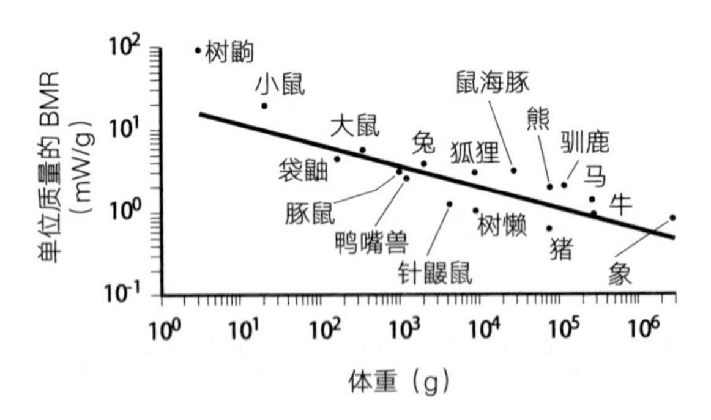

图 2-6　不同动物的单位质量的 BMR 图示

时候它们还能通过保持静止状态来降低自身的 BMR，进行长达数月的休眠，在此期间它们可以靠自身储备的脂肪存活下来，比如熊会冬眠。

活动能力有限的异养生物，包括许多无脊椎动物、爬行动物和鱼类，其总体能量消耗速率仅比自身 BMR 稍多一两倍，而精力旺盛的飞行生物与四处漫游的哺乳动物的大部分能量都会用在其高能量需求的活动上。人们已经对多种动物的代谢活动进行了长时间的观察，结果发现，啮齿类动物的每日总代谢约为其 BMR 的 2.5 倍，靠翅膀觅食的鸟类的每日总代谢超过其 BMR 的 4 倍。每一种异养生物都有一个代谢范围，即短期最大能量消耗速率与 BMR 的比值，这决定了该物种奔跑、飞行和游泳的速度和耐力。哺乳动物的平均代谢范围（与体重无关）约为 10，某些鱼类和大多数鸟类的代谢范围约为 15，但鸟类的 BMR 远高于鱼类和哺乳动物，而爬行动物和两栖动物的代谢范围通常低于 5。因此，鸣禽的小身体平均每克可输出功率 150 mW，小型啮齿动物可输出功率 50 mW 左右，而鬣蜥则不到 5 mW。

人们对奔跑型哺乳动物有很多错误的印象：野兔似乎总是跑得飞快，而狼、野狗、郊狼和胡狼等犬科动物似乎总是在慢步缓行，然而，野兔的代谢范围在 8 左右，但犬科动物的代谢范围却超过了 30，是已知动物中最高的，它们是动物世界中最持久的奔跑型动物。猎豹可能保持着速度最快的世界纪录，能以 105 km/h 的速度快速奔跑，而格雷伊猎犬的速度仅为 58 km/h，但是猎豹狩猎时的冲刺距离通常不到 100 m，而且它们往往只跑 10 s 就得停下来，然后精疲力竭地大口喘气。相对而言，速度更慢的狼可以连续 20 分钟不停歇地追捕猎物，而且每天可奔跑 30 km 以上。此外，体型大小其实很重要，因为当体重更大时，用于奔跑的功率增长得比奔跑所需的成本更快。因此，大型动物可能看似过于笨重和肌肉发达，并不擅长快速短跑，但这种错误的估计可能会给你带来生命危险：因为人类通常跑不过野牛、灰熊或河马!

如果你是一位优秀的短跑运动员，你也许能跑赢一头亚洲象，不过不幸的是，现在我们在野外遇到亚洲象的概率基本为零，这类大型动物能以接近 7 m/s（约 25 km/h）的速度运动，但我们仍不清楚这种快速运动是否算得上是真正的奔跑，所以如果你能在 14 s 内跑完 100 m 的距离（目前人类的世界纪录是 9.58 s），那么你就能躲开它们。现代测量结果表明，两足动物和四足动物的奔跑成本相差不大。更大型的奔跑动物不仅有更高的功率，而且它们还能将长腿肌肉和肌腱中的弹性应变能量存储起来，然后再通过弹性回位将其释放出来，在高速奔跑时，这种能力能极大减少奔跑所需的总能量，人类、马和猎豹都具备这种能力。

动物的移动方式主要有 3 种：奔跑、飞行和游泳。相对而言，游泳的能量成本是最低的，当然这并不令人感到惊讶，因为水有浮力。游泳所需的能量不到奔跑的1/10。对于体重低于1 kg的生物，奔跑所需的能量比飞行更多，而对于更重的鸟类来说，两者之间的差异要小一些。飞鸟的最大质量受限于这一事实：随着质量增大，飞行所需功率的增长速度比胸肌所能提供的功率的增长速度更快，因此，大型鸟类很难直接靠扇动翅膀升空，而是往往在悬崖峭壁或陡峭斜坡上借着强风起飞，比如美洲秃鹰和皇家信天翁。很少有飞鸟的质量可以超过10 kg，但有一种特殊的飞鸟——东非灰颈鹭鸨，其质量最重可达13 ~ 19 kg，但它们很少飞行，而且起飞时需要进行一连串的弹跳助跑。

很多动物会通过奔跑、游泳和飞行进行长距离迁徙，比如驯鹿、鲑鱼和加拿大鹅，如果沿路可以觅食，这个过程一般会轻松得多。但是，与我们的直觉相反的是，在寒冷天气中迁徙的鸣禽如果中途停下来觅食，消耗的能量可能比直接飞过去还要多一些。到目前为止，我们发现的最壮观的长距离迁徙是小型鸣禽的不间断飞行，它们会从位于北方温带的筑巢栖息地一路越过看似不可能逾越的海洋，抵达位于亚热带和热带的过冬地点。这样的长距离迁徙是在星辰、太阳、地磁场和极化光的引导下完成的，其能量必定来自可储存于动物身体中且能量密度最高的脂肪。因此，如果排除风的作用，小型鸣禽不停飞行所能飞过的最大飞行距离受限于其起飞前所储存的脂肪量，许多物种可在飞行前增加相当于正常体重30%的脂肪，而当它们抵达遥远的目的地时，身上几乎已经没有任何剩余的脂肪了，有的甚至会精疲力竭地直接坠落在海滩上。

能量网与能量流，生态系统中的能量

热力学的限定因素决定了生态系统中能量的流动方式。光合作用过程的效率也许相对较低，但自养生物依然处于生物圈的能量转化层级的顶端，因此，自养生物的植物量始终主导着生态系统中的生物质总量。生物与太阳光这一主要能量来源之间所间隔的步骤越多，则后续进食层级（营养级）可用的能量就越少。营养级是指生物在食物链中所处的层级，但食物链其实是个错误的说法，因为生物的进食关系基本都是网状的。

无须科学研究，我们就能知道初级消费者显然比次级消费者更多，其中初级消费者都是食草动物，比如啮齿类动物和有蹄类动物；次级消费者则是捕食初级消费者的食肉动物，比如捕食啮齿类动物的猛禽和捕食蚜虫的瓢虫。相应地，次级消费者的数量又多于三级消费者，这是指第二级食肉动物，比如以捕食昆虫的蛙类或以肉食性鱼类为食的水鸟。无须多言，杂食动物获得食物的机会要大得多，因为它们可以无差别地进食任何可获得的自养生物、异养生物或正在降解的生物质，只要它们能轻松找到、捕获和消化这些食物。

杂食性动物非常常见，只要有机会或有需求时便可能出现，因为当某些资源暂时变得非常丰富且易于获取或某些资源变得稀缺时，许多通常食草或食肉的动物可能就会上移或下移一个营养级。人类早已掌握了这种方法，因而变成了毫无限制的杂食动物，在自然资源丰足或紧缺的不同时候，人类的食物涵盖了从鲸脂到柳树皮的广大范围。

最后是分解者，它们在每个生态系统中都发挥着至关重要的作用，因为它们可将复杂的有机大分子不断分解成自养生物和异养生物必需的常量营养物质和微量营养物质。当然，不管生物体属于哪个营养级，只要死亡，分解者都能够以之为食。

在大多数陆地生态系统中，进食层级都很短，在大型动物丰富的东非大草原上，大多数能量转移都只进行两步就会停止，仅到次级消费者。例如，瞪羚、黑斑羚、牛羚等有蹄类动物吃草，猎豹、狮子等猫科动物和野狗、鬣狗等犬科动物以有蹄类动物为食，分解者则以它们的尸体和任何可通过自己的酶分解的东西为食。在离太阳能量 6 个营养级的位置就不再有任何凶猛的食肉动物了。在热带雨林中，植物量数量更大、种类更多，而且分布在立体空间中，异养生物的种类也更多，其中 3 层很常见，但 5 层也有可能，比如，真菌进食植物、树栖无脊椎动物进食真菌、蛙类进食无脊椎动物、蛇类进食蛙类、鸟类进食蛇类等。

海洋生态系统所基于的初级生产量来自浮游植物，其中包含大量种类繁多的微型自养生物，包括细菌、蓝藻细菌、古细菌①和藻类。海洋食物网通常比陆地生物群落更加复杂，它们的营养

① 古细菌是一类单细胞生物，它们的外观与细菌相似，但基因组成不同。按美国微生物学家和生物物理学家卡尔·乌斯（Carl Woese）等人在 1977 年提出的细胞生命形式三域系统分类法，细菌、古细菌和真核生物各为一个域。——译者注

级可以扩展至 5 级以上；在大型海草林中可达 6 级；在无比复杂的珊瑚礁中甚至可达 7 级。

在任何陆地生态系统中，单位面积内生物质的完整图景都呈现金字塔式的分布，其宽阔的底层是自养生物，食草动物占据较小的第 2 层，再下一层是杂食动物与第一阶肉食动物，顶层则是稀少的顶级捕食者。不同生态系统中各层的生物量差别巨大，但植物量通常超过初级消费者动物量的 20 倍，而且顶级食肉动物的动物量总和可能还不到植物量的 0.001%。

海洋生态系统的金字塔却是倒过来的。由于浮游植物生命短暂，大部分只能存活 12 ～ 48 小时，而浮游动物和大型食草动物又具有很高的消耗速率，因此，活着的异养生物的总生物量可能是浮游植物光合作用质量的 2 ～ 4 倍。这不仅是海洋生态系统的整体情况，对其中生存的个体而言也是如此，因为大多数海洋自养生物都是微小的浮游植物，其平均直径大约仅有 10 μm，而更高营养级的典型生物都是越来越大：浮游动物是初级消费者，小鱼是次级消费者，较大的鱼和欧洲乌贼是三级消费者，金枪鱼是四级消费者。过度捕捞已经使金枪鱼的体重和数量都在减少，而在此之前，成年南方蓝鳍金枪鱼的体重可达 150 kg 以上。海洋生态系统中也存在一些很明显的特例：最大型的海洋哺乳动物（如蓝鲸，体重可达 130 t）和鱼类（如鲸鲨，体重可达 1.5 t）都是滤食动物，它们会进食大量微小的浮游植物和浮游动物。

营养级更高的异养生物大都数量更少，这通常与营养级更高的生物体型更大有关，顶级捕食者通常都是各自类别中体型最大的动物，比如飞禽中的金雕、猫科动物中的虎和狮。食草动物的能量优势明显，在现代所有的生态系统中，体型最大的动物都是巨型食草动物[①]，比如热带地区的大象、河马和长颈鹿以及北方生物带和北极的驼鹿和麝牛。这个现象在过去更是明显，曾经最大的巨型食草动物的质量比如今最重的陆地食草动物还高出一个数量级，其中包括相对来说灭绝不算太久的猛犸象以及体重超过80 t 的巨型恐龙。

营养级金字塔中的能量转移方式一直都难有定论。雷蒙德·林德曼（Raymond Lindeman）对美国威斯康星州曼多塔湖中的水生生物进行了开创性的研究。他发现，自养生物的效率为0.4%，而初级消费者保留的能量不到其中的 9%，次级消费者又只能保留剩下的 5% 左右，三级消费者则大约能使用所有可用能量的 13%。这些近似值被错误地概括成了所谓的“10% 能量转移定律”，并得出结论：营养级越高，营养级之间的能量转移效率也会逐渐提高。之后的研究表明这两个结论都不正确，而且细菌和食草动物的能量转化效率要比食肉动物高得多。因此，只有如下两个概括性总结是合理的：

- 第一，任何生态系统中的能量损失都没有进行光合作用的损失高。

① 巨型食草动物是指体重超过 1 t 的食草动物。

- 第二，相对于光合作用过程中的能量损失，后续向更高营养级转移能量的过程中损失都更小，但净转移率通常远低于 10%。

生态系统的能量效率

生态系统中最终的能量转移情况取决于生态系统利用、吸收和生产能量的效率。在不同的生态系统中，食草动物所食用的植物量高低不一，在温带森林中仅为 1% ~ 2%，而在某些热带草原中则可高达 50% ~ 60%。这个比率没有考虑由昆虫灾害导致的偶发性峰值：舞毒蛾可以吃光大面积的北方树木的叶；飞蝗可在穿越北非时吞噬途中 90% 以上的可食用植物量。除了土壤动物以外，任何温带生态系统中的能量迁移率基本上都低于 10%，而大部分脊椎动物的能量迁移率仅有 1% 左右。应当指出的是：限制食草动物丰富程度的因素通常不是可食用的植物量，而是可捕食的肉食动物，肉食动物的数量则通常受限于它们可捕食的猎物的丰富程度。

吸收效率也是一个重要指标，即摄入的能量中实际进入新陈代谢的比重。很显然，吸收效率取决于食物的质量：食草动物若以通常难以消化的植物聚合物为食，其吸收效率通常低于 30%；而进食高脂质、高蛋白动物质的食肉动物的吸收效率则超过 90%。对很多物种而言，将摄入的能量转化为新的生物质的效率差别不大，因此，肉食动物的优势并不明显。不管营养级如何，外温动物的这种生产效率都比内温动物高得多。在将吸收的能量转化为新的生物质方面，无脊椎动物的转化效率超过 20%，某些昆虫的转化效率可达 50%，而内温动物的平均转化效率大约为 10%，其中大型哺乳动物仅为 3%，小型哺乳动物和鸟类更是低于 2%。

一个营养级中可实际转化为下一营养级生物质的能量份额被称为“营养级效率”，也可称为“生态效率”或“林德曼效率”（Lindeman’s efficiency）。有的生物的营养级效率很低，比如雀形目鸟类的营养级效率仅有 1%；有的生物的营养级效率则较高，比如昆虫的营养级效率可达 30% 左右。此外，营养级效率与分类学共性、生态系统共性和空间共性都没有明显的相关性。在任何情况下，营养级效率都无法预测进化是否成功，因为低效率的内温动物和高效率的外温动物在相似的生态系统中都表现得相当出色。例如，在非洲草原上，大象每年在每单位面积上吃掉的植物量与白蚁相当。

在复杂的食物网中，降低单个物种的丰富程度可以减少某些进食路径的能量流，比如通过气候变化、疾病或人类活动，但却会造成一些意料之外的结果。在 20 世纪的最后 25 年里就出现了一个完美的例证。那时，由于海胆大量增多，太平洋西北地区的大型海草林遭受了巨大破坏，因此也让很多依赖这些大型海洋植物生存的物种遭受重创。在此之前，海胆的数量受海獭控制，但虎鲸的捕食导致海獭的数量明显下降，其实虎鲸这种体形光滑的大型哺乳动物更偏好更大的猎物，如海狮和海豹，然而，在过度捕杀和气候变化的共同影响下，这些更大型的猎物变少了，因此，虎鲸便把捕食目标转向了海獭。

ENERGY

3

人类历史中的能量：肌肉、工具和机器

人类的能量来源以及代谢的比例如何？

为什么农业生产中更多用牛而不是用马？

工业化之前的城市是如何进行运输与制造的？

在人类进化史中超过 90% 的时间里，人类的生活方式都是小规模聚集生活的觅食者，包括采集者、狩猎者和渔猎者。在离开非洲后的几万年里，我们的祖先大都没有生活在某一固定聚居地里，而是依靠他们的身体能量（肌肉）并越来越多地利用他们的推理能力来获取食物，保护自己免受野生动物和其他敌对觅食者群落的伤害，建造更好的庇护所，以及制造各种简单的器具。

人类的创造力和适应性最早体现在使用火来取暖、烧熟食物和抵御危险动物。人类在造出了最早的石器之后，又造出了棍棒、木质挖掘棒、弓箭、长矛以及用骨头切刻的工具。这些工具帮助人类提升了自身肌肉能力的极限。现存的历史记录显然很有限，因此认定这些里程碑事件的发生时间的方法也充满了不确定性，所以，以此确定的时间都只是大概，但人类（直立人）可能至少在 150 万年前就已开始使用火，而最早的弓箭的出现不会早于 25 000 年前，比最古老的渔网的出现大概还要晚很多。

后来人类开始借用其他动物的力量，尤其是大型动物。在大约公元前 6000 年，人类驯化了牛；大约 2 000 年后，人类又驯化了马。这些大型动物帮助人类突破了自身能力的极限，使身体能力实现了根本性的提升。人类一开始只能对这些动物进行很低效的控制，经过一段时间的发展后，这些动物开始被用于驮拉重物，比如车辆、货箱和农具，其中最值得一提的是简易的木犁。但是，即使在那些用较为强壮（喂得更好）的马逐渐替代了较弱、较慢的牛的社会里，大多数农耕工作仍然需要繁重的人力劳动，人类需要长时间艰苦的体力劳作。直到 20 世纪初，安装在拖拉机上的内燃机问世之后，这种情况才发生根本性的转变。

不过，在古代，人类已经在使用机械了，尤其是那些场所固定的劳作，如碾磨谷物和抽水等。这些劳作在之前成百上千年里都是靠人类或动物来完成的，但后来出现了水车。水车是第一种简单的机械原动机[①]，能将水流之力转化为旋转运动，后来又出现了风车，经过了缓慢的发展，两者都变得比最初发明时强大和高效了许多，并被大量用于采矿、冶金和制造工作中。另外，值得一提的还有帆船，最早期的帆船只有简易的帆，而且操控性非常差，但却是那时唯一一种能将太阳能间接转化为有用动能的重要工具。在供热方面，从史前时代到现代社会[②]早期，人类获取热能的方式一直没有发生根本变化：燃烧任何可燃的植物，而且

① 原动机泛指利用能源产生原动力的一切机械。——编者注

② 本书中的现代社会是指公元 1600 年以后的人类社会。

通常是直接燃烧自然状态的植物，主要是在低效的开放式火堆、壁炉和简单的炉灶中进行。后来，燃烧方式有所升级：木材被制成了木炭，此后，植物燃烧为所有家庭和生产制造活动提供所需的热能。

在旧世界[①]，即使是在一些水车和风车应用得更广泛的地区，甚至在现代早期一些更高效、更大型的设计出现之后，动物能量仍占据着主导地位。直到工业时代到来，机器数量大幅增长并成了主要原动力源；不久之后，机器便成了唯一重要的原动力源。这种划时代的转变常被错误地称为“工业革命”，其始于 18 世纪的西欧，但直到 20 世纪中叶才在整个欧洲大陆和北美洲完全实现。在亚洲许多地区和撒哈拉以南的非洲大部分地区，从生物燃料到非生物燃料（从生物质燃料到化石燃料）的过渡尚未完成，在这些地方，人类和动物的肌肉以及木材和木炭仍然不可或缺。

本章首先会介绍人类能量需求和人类工作能力的基本现实情况，然后简要概述工业化之前能量转化的过程。接下来，首先要介绍的是觅食型（采集和狩猎）社会的能量情况；其次会更详细地描述传统农业社会中人们使用和获取能量的方式；再次会说明工业化之前的城市和制造生产中能量的来源和转化方式；最后，以对大型水车和风车的评价作为结束。这些机器不仅是工业化之

① 旧世界，也称“旧大陆”，是指在哥伦布发现新大陆之前欧洲所认识的世界，包括欧洲、亚洲和非洲。与之相对应的概念是“新大陆”。——译者注

前各个时代的最佳原动力源，而且在工业化早期也是不可或缺的——那时候大型水车和风车（而非蒸汽机）是许多机械化任务的动力源。

人类的能量：食物、代谢、活动

人类必须摄入 3 种常量营养物质和超过 30 种微量营养物质。其中，3 种常量营养物质分别是碳水化合物（糖和淀粉）、动植物油和蛋白质，而微量营养物质则分为两大类：矿物质和维生素。其中，矿物质包括需求量相对较大的钙、钾、铁、铜以及需求量很小的硒和锌；维生素则包含水溶性的维生素 B 和维生素 C，还有仅溶于脂类的维生素 A、维生素 D、维生素 E 和维生素 K。膳食能量的来源基本都是碳水化合物，但工业化时代前的社会则并非如此，其中唯一值得提及的特例是海洋渔民和一些牧民。但是，自然界中大多数碳水化合物都无法被人体直接利用，因为我们无法消化木质素、纤维素和半纤维素，正是这些化合物构成了木材、稻草以及其他纤维植物体。

碳水化合物、脂质、蛋白质

可消化的碳水化合物主要有三大来源：谷物（大米、小麦、大麦、黑麦、玉米、高粱，以及包括藜麦和荞麦在内的小品种）、豆类（菜豆、豌豆、小扁豆、大豆和鹰嘴豆等）、块茎（白薯、甘薯、山药和木薯等）和水果（有很多热带和温带品种）。这些常见的膳食碳水化合物中可消化的能量大都来自复式淀粉，即由数以千计的葡萄糖分子构成的多糖，但许多热带和温带水果提供的是单糖、单糖类果糖和葡萄糖。精制砂糖则属于蔗糖，这是一种由葡萄糖和果糖构成的二糖，直到 19 世纪，人们才得以广泛且廉价地获取蔗糖。不管是复式的还是单式的，所有这些化合物含有的能量都是 17 kJ/g。人类发明了纷繁复杂的加工方式来把它们变成可消化的食物，比如烘、煮、蒸、炸等。目前，世界前四大经过加工的碳水化合物产品（按质量计算）是精米、小麦粉、玉米粉和精制糖。

脂质的能量密度为 39 kJ/g，是目前能量密度最高的营养物质。其中的脂肪酸至关重要，是合成前列腺素[①]的不可替代的载体。脂质主要可分为植物油和动物脂肪两类。油菜籽、橄榄、大豆、玉米、花生、油棕和椰子是烹饪用植物油的主要来源；黄油、猪油和牛油是 3 种主要的可分离的动物脂肪；动物的肌肉（或形成其外部环境）或乳汁也含有一部分脂质，人类可通过进食肉、鱼和乳制品对其进行消化吸收。纵观历史，人类在使用脂质方面已经从一个极端走向了另一个极端：在工业化之前，人类社会对脂质的消费非常有限，甚至可以说是相当贫乏，但如今，许多发达国家的人却已经摄入过量脂质。

① 前列腺素是一种用于调节胃功能、平滑肌活动和激素释放的脂质。——译者注

由氨基酸构成的蛋白质的能量密度为 23 kJ/g，但蛋白质只有在其他两种营养物质不够时才会被用作能量来源，它们是构建人体组织不可或缺的结构。人类的成长需要均衡地摄入必需氨基酸[①]，才能提供生产酶、激素、抗体、细胞、器官和肌肉所需的蛋白质以及在组织老化时替换某些化合物和结构。所有动物食材和蘑菇都能以人类生长所需的比例提供所有必需氨基酸，但不管是块茎等低蛋白质来源还是豆类和坚果等高蛋白质来源，植物蛋白质都至少缺乏一种氨基酸，比如，谷物缺乏赖氨酸，而豆类缺乏蛋氨酸。严格的素食者必须适当地组合食用这些食品（见表 3-1），以免影响身体正常发育。

表 3-1　营养物质和食品的营养含量

营养物质	MJ/kg
纯脂质	39.0
纯蛋白质	23.0
纯碳水化合物	17.0
食品	**MJ/kg**
黄油	30.0
酒精	29.3
谷物	14.5 ～ 15.5

① 必需氨基酸是指人或其他脊椎动物无法合成，只能从食物中摄取的氨基酸。人或其他脊椎动物需摄取必需氨基酸才能合成所需的蛋白质。对成人而言，必需氨基酸有 8 种，即赖氨酸、色氨酸、苯丙氨酸、甲硫氨酸、苏氨酸、异亮氨酸、亮氨酸、缬氨酸。另外，婴幼儿必需组氨酸。——译者注

续表

食品	MJ/kg
瘦肉	5.0 ~ 10.0
鱼	3.0 ~ 9.0
马铃薯	3.0 ~ 5.0
水果	1.5 ~ 4.0
蔬菜	0.6 ~ 1.8

膳食均衡的健康人类能以很高的效率转化常量营养物质，比如 99% 的碳水化合物、95% 的脂质、92% 的蛋白质都能够被转化，但是人类消化的蛋白质中仅有大约 80% 可用于组织的生长和活动，因为其中超过 20% 会通过尿液流失。也就是说，几乎全部碳水化合物的能量（17 kJ/g）都能得到利用，脂质被利用的能量要少一些（38 kJ/g 而非 39 kJ/g），蛋白质中能被利用的部分就更少了（17 kJ/g）。

这些能量加起来差不多就等于人类代谢、生长和活动所用的实际能量。食物成分表（以千卡而不是焦耳为单位）基本上就是将这些值降低一些后再组合起来的。有些人会通过酒精饮品摄入大量能量，比如啤酒和葡萄酒，纯乙醇的能量密度相对较高，为 29.3 kJ/g。经过代谢的食物能量会转化为新的细胞和组织，婴儿的转化效率较高，约为 50%，而成年人的转化效率大约为 30%。

对于人类来说，青春期之后，生长所需的总能量份额就会变得微不足道，此时基础代谢和各种身体活动所需的能量将占据主导；脑力劳动仅会增加少量的 BMR，因为肝脏、大脑和心脏消耗了大多数代谢能量，即使在睡眠时也是如此（见图 3–1）。

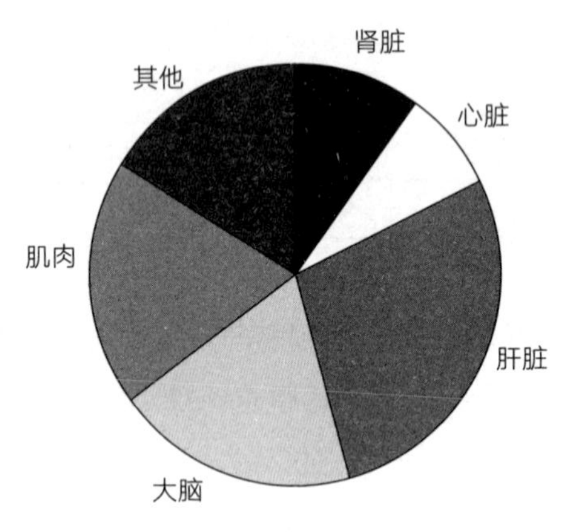

图 3–1　成年人不同器官 BMR 的对比

研究者已经通过测定耗氧量确定了体重和 BMR 之间的关系，根据这些数据推导出的线性方程能够很合理地预测儿童和青少年的个体代谢率，但很难预测成年人的情况，对于两个身体指标相同、同一性别、同等体重、同样的身体质量指数的成年人，其 BMR 通常有 10% ～ 20% 的差别，有些情况下这一差距甚至可能超过 30%。此外，BMR 不仅在同一人群的个体之间存在差异，也会因人群而异，并且有些器官的 BMR 会随着年龄的增加而下降（见图 3–2）。

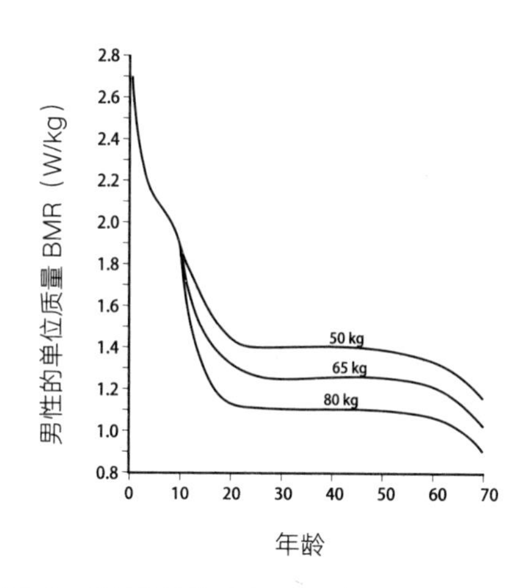

图 3-2 男性的单位质量 BMR 在一生中的变化情况

由于 BMR- 体重标准方程的推导方式过于倚重欧洲和北美洲的测量数据，所以在估计非西方的超过 30 岁的成年人群体（尤其是热带地区）的能量需求时，会有所夸大，导致这种差异的最可能的原因是人们身体中代谢组织的比例和代谢效率不同。在这种差异的基础上，对于体重范围在 50 ～ 80 kg 且具有理想身体质量指数的成年人，女性的 BMR 范围为 55 ～ 80 W，男性的 BMR 范围基本为 60 ～ 90 W。由于女性皮下脂肪（非代谢组织）的比重更高，所以 BMR 总是比相同体重的男性低。

成年人中除了部分非常活跃的人以外，其日常食物消耗中的大部分都会用于基础代谢。身体活动会造成耗能增长（用 BMR 的倍数表示）：仅需维持个人清洁的居家者低于 1.2，轻度劳动时低于 1.6，中度劳动时低于 1.8，重度劳动时则可超过 2。在现代机械化社会中，最后一类仅限于少量繁重工作和休闲活动比如伐木和跑马拉松，但这样的活动量在传统农业社会中非常常见，比如挖掘和清理灌溉水渠。在觅食型社会与工业化之前的农业社会中，繁重劳动非常普遍，不过也只是在有限的时间里才有这样的活动量。如果将这些倍数换算成每天的能量需求，那么从事繁重劳动的成年男性需要的能量超过 4 000 kcal，而轻度活动的娇小女性所需的能量低于 2 000 kcal。成年人的日常需求通常在 2 000 ～ 3 000 kcal。

人类效能的短期上限则要高得多：训练有素的个体能在几秒钟内实现超过 4 kW 甚至 5 kW 的无氧输出。短跑运动员和游泳运动员的身体活动大都是无氧的，且持续时间更长，一般会持续 10 ～ 15 秒，其功率峰值可超过 3 kW。健康成年人进行有氧工作或运动时，可以很容易地实现 10 以上的持续代谢范围（BMR 的倍数）。耐力长跑是需要这种高代谢范围的最自然的持续性活动：未经训练的成年人的最大范围是 10 ～ 20，但优秀的运动员可以达到 25 左右，换算下来，这样的效能高达 1.75 kW，只有犬科动物能比人类做得更好，尽管这有相对较高的能量成本，但作为耐力奔跑动物的人类具有许多显著优势。最重要的是，我们有两条腿，这让我们成了唯一一种可以将呼吸频率与步幅频率脱钩的奔跑型动物。四足奔跑型动物的胸部骨骼和肌肉必须吸收前肢的冲击力，因此它们的肺部充气会被自动限制为每步呼吸一次，但人类的呼吸可以根据步幅频率做出改变。因此，四足奔跑型动物的最佳奔跑速度是由它们的身体结构决定的，因为跑更慢或更快时都会消耗更多的能量，而人类的奔跑速度范围则很广，而且当速度为 2.5 ～ 6 m/s（也就是 9 ～ 21 km/h）时，跑步所消耗的能量基本一样。在耐力长跑方面，我们卓越的体温调节能力也许是一个更大的优势，因为我们释放代谢热的方式不仅有辐射和换气，还有排汗。

人类的体温调节

当我们的体温升高时，周身的血管都会扩张，让更多的血液流过表层的血管，当皮肤温度达到 35 ℃时，我们便会开始出汗。在奔跑或从事其他形式的体力活动时，我们的排汗速度是其他会排汗的哺乳动物[①]所不能比拟的。马的排汗能力适中，它们每平方米表皮每小时大约可排出 100 g 水，骆驼的排汗能力为每小时 250 g/m²，但人类的最大排汗速度可达后者的两倍！如果不排汗，成年人靠呼吸（从肺中排出的水分会带走一些热能）和皮肤散热能达到大约 20 W 的散热功率，但当出汗速度达到最大值时，散热功率可达 600 W 左右。经过训练和高度适应环境（到达热带的北方人能在两周内达到热带居民一样的排汗速度）的人散热功率甚至可超过 1 300 W。

所以只要我们能补充充足的水分，我们降低体温的能

---

① 大部分哺乳动物都不会排汗，包括卓越的奔跑型动物——犬科动物，它们的散热方式是伸出舌头，大口喘气。

力就比其他任何大型哺乳动物都更强，这样的能力让猎人能够追赶沙漠中的有蹄类动物（详见下一节），让矿工可在南非深入地下的金矿[①]中工作，有的运动员也能在炎热的8月跑完长达100 km的超级马拉松。但近来出现的连续补水的风潮（每隔几分钟就喝点儿水）其实毫无必要，而且很可笑。我们的进化历程已经让健康人的身体能够忍受适度的脱水，并且不会有任何不良影响，只要随后再把水补上即可，马拉松运动员在赛跑过程中并不会完全补充自己流失的水分，他们可能会在一两天之后才会使自己的身体水分回归正常水平。

当然，世界上越来越多的人不再通过排汗来排热，而是选择生活在受控的环境中，比如使用空调来应对炎热和寒冷。人们一直以来都更喜欢外部解决方案，比如庇护所、毛茸茸的衣服或火，而不是让身体去适应寒冷。在沙漠中过夜时，为了应对低温，人们会通过收缩血管减少流过皮肤和四肢的血流量的方式来调节体温，澳大利亚土著居民的身体就很擅长这种调节方式。但是，如果想在北极生存，这种调节能力远远不够。很多哺乳动物远比人类更加耐寒，但由于人类的身体综合了双足行走能力、出色的散热能力和耐力奔跑能力等特性，严格来说人类的身体条件是无可比拟的。有充分的证据表明，人类在大约200万年前获得的耐力奔跑能力可能是人类身体进化历程中一个

① 这里深入地下3 km，温度在50 ℃以上。

至关重要的因素。毫无疑问，如果我们没有那样高效的排汗能力，我们也无法成为如此出色的耐力奔跑动物，也就不可能成为一个真正的全球性物种。

觅食型社会：采集者、狩猎者、渔猎者

能量是必需品，这也能清楚地说明为什么觅食型社会的典型膳食绝大部分都是素食，除了少数典型的特例，正如前一章阐述的那样，营养级更高的生物可获取的能量总量较少。由于采集型觅食者是初级消费者，其获取食物的主要方式是挖掘植物块茎，收集种子，采集坚果、浆果以及水果，因此与那些食用了等量植物的动物（次级消费者）相比，它所能获取的食物能量要多一个数量级。此外，获取这些食物所需的能量也不是很多。人类学家对存续到 20 世纪的觅食型社会进行过研究，结果表明觅食可食用植物至少有 5 倍的能量回报，即使在干旱环境中也是如此，而一般情况下，采集者的能量回报为 10 ～ 15 倍；在某些情况下（尤其是挖掘块茎），采集者可获得的食物能量回报高达 30 倍。

当然，很多这样的采集活动都是季节性的，尤其在温带环境中，为了尽可能多地获取食物，大多数觅食者会充分利用任何可食用的植物。研究表明，尽管少数丰富的物种占觅食者总食物摄入量的较大份额，但特定群体也会吃大量不同植物的某些部分，在某些情况下，觅食者食谱中的植物甚至会超过 100 种。觅食者明显更偏爱能量密度高的种子和坚果，比如美国加利福尼亚

州的印第安部落偏好橡果，卡拉哈里沙漠中的觅食者偏爱蒙刚果[①]。种子和坚果的能量密度也较高，从草籽的15 MJ/kg到松子的略多于25 MJ/kg不等；相比而言，块茎和南瓜的能量密度低于5 MJ/kg，而大多数可食用植物叶子的能量密度低于1 MJ/kg。种子和坚果还有另一个重要的营养优势——蛋白质含量相对较高（很多超过20%），而块茎、蔬菜和水果中的蛋白质很贫乏（通常低于2%）。

相比于非常丰富（或者至少相对丰富）的植物质，位于营养级金字塔更高层的动物的可食用生物质会少得多，而能量需求同样也能解释为什么有些动物是最常见的猎物——其他食肉动物最喜欢猎捕的动物。比如，很多小型且种类丰富的食草动物，尤其是啮齿类动物，这些动物也非常敏捷，很难被抓住，就算被抓住了，也只能提供很少量的肉。热带森林中也有很多小型的树栖食草动物，包括猴子和较大的鸟类，但这些物种通常远离地面，隐藏在茂密的树冠之中，因此，猎捕它们的难度自然也就更大。对非洲和拉丁美洲的弓箭型狩猎者的研究表明，狩猎前述这类动物的成功率非常低，因此整体来看其能量回报非常低，如果狩猎者空手而归，甚至还会导致能量净损失。

因此，最好的狩猎目标是大型的有蹄类动物，比如热带和亚

① 蒙刚果树在非洲南部有广泛的分布，可生长至15～20 m，其果实每年3～5月成熟，成熟的果实有一层较薄的可食用果肉包裹着一个硬壳坚果。——译者注

热带的羚羊和瞪羚以及北方生物带的鹿和驯鹿，这类动物的体重大都在 50 ～ 500 kg，值得狩猎者投入能量进行一场持续时间长而且要求很高的捕猎活动。此外，所有较小的有蹄类动物都不具备攻击性，而大型有蹄类动物通常非常多。北美野牛在 19 世纪遭遇大规模屠杀之前有数千万头之多，即使现在每年也有上百万头角马在东非平原上迁徙，即便如此，如果不使用武器，人类也不容易捕杀这些食草动物，而且就算使用石头、弓箭或长矛这些武器，由于猎人需要接近目标才能攻击，所以也非常困难，更别说要在开阔的草原上接近猎物了，所以，最终的结果往往是动物虽然受了伤，但还是逃走了。

也许，狩猎这些跑得飞快的有蹄类动物最好的方法是长距离地驱赶它们，让它们身体疲劳，速度变慢，然后就可以杀死甚至活捉它们了。根据相关记载，北美洲西南部和墨西哥北部的一些部落都曾使用过这种方法来捕猎鹿或羚羊；卡拉哈里沙漠的巴萨尔瓦人也曾使用这种方法来捕猎麂羚和南非剑羚（尤其是在旱季）；一些澳大利亚土著居民也曾用这种方法捕猎袋鼠。这样的捕猎方法之所以能够实现，主要得益于人类特有的综合能力——既能以可变的速度长距离奔跑，还能通过排汗来调节体温。有一些狩猎者会通过巧妙的策略来捕杀这些动物，但效果都比不上这种方法：首先通过模仿迷路牛犊的哞哞叫声将野牛群引诱到一片狭小的空间中，然后在伪装成狼的年轻人的帮助下，通过石头标记和猎人组成的长驱赶线将它们引导至特定方向，最后让它们受惊乱窜、互相拥挤着坠落悬崖。

狩猎野牛和猛犸象

在加拿大阿尔伯塔省南部有一处北美洲最著名的驱赶式围猎遗址，该遗址于 1981 年入选世界遗产名录。这里埋藏的大量骨骸表明驱赶式围猎法已被使用了数千年（这个地方曾被使用过 5 500 年以上）。

许多已被发掘出的史前遗址表明，许多大型哺乳动物都必须面对一个又一个仅装备有长矛的狩猎者，这些猎人也愿意冒险攻击长毛猛犸象，而这种动物的体重可超过狩猎团队中体型最魁梧的人 100 倍。

我们可以从能量角度解释为什么这些狩猎者喜欢猎杀猛犸象或野牛——这些动物的身体中含有大量脂肪，这是能量密度最高的营养物质，能带给人无可比拟的饱腹感。野兔、羚羊甚至鹿等动物更容易通过陷阱捕捉，而且捕杀它们的危险也小得多，但它们的肉基本都是蛋白质：能量密度低于 6 MJ/kg，仅含有少量脂质，比如狩猎一头小羚羊或鹿只能得到几百克脂肪。相较之下，大型食草动物身体中含有的脂肪要多得多，即使相对较瘦的也是如此。一头大型公野牛的脂肪含量可超过 50 kg，可成为高能量密度食物的重要来源。曾经在围猎遗址等地方，人们会将烧热的石头投入装满牛皮的水坑中来炼制脂肪，在阳光下将肉晒干，再将骨头里的骨髓抽取出来。然后，他们会将干燥后的肉与油脂和骨髓（有时候还会加入浆果）混合起来并捣碎，做成肉糜饼，这是一种可长时间保存的高能量密度主食，甚至可以说是“能量棒”的前身。

大型长毛猛犸象的脂肪含量可达野牛的 10 倍，这意味着狩猎它们不仅能量回报高（高于大多数觅食方式），值得投入能量和承担一定的风险，而且很大一部分回报都是能量非常充盈的脂肪。

捕猎这种巨型食草动物的各个阶段都需要整体的相互合作，追踪、击杀和屠宰都需要团队参与，这会消耗更多能量，但是这样获得的能量回报远远大于单个狩猎者所能获取的能量。毫无疑问，合作带来的这种好处在人类群居社会的发展过程中发挥了重要的作用。

能量回报超过猎杀巨型陆地食草动物的捕猎活动只有一种，那就是在大规模迁徙鱼类或鲸定期到来的沿海水域进行渔猎。比如，太平洋西北地区有大规模的鲑鱼巡游以及近岸的须鲸迁徙，这为这类渔猎活动提供了绝佳的机会，这样得到的能量会超出人类所需，足以让很多部落免去迁徙觅食之苦，建立起半永久或永久的定居点。在其中的一些定居点，人们建造了坚固的木结构建筑。这样的群居社会是觅食型社会中人口密度最高的社会，接近

每平方千米 100 人。相较而言，居住在森林中的人的平均密度不到每平方千米 10 人：在森林生态系统中，大型树木的植物量基本都被锁定在树干和其他不可食用的物质中，比如攀缘植物、树叶、灌木。而热带雨林中种类繁多的物种又意味着特定种类的树或灌木很分散，为了利用它们，需要频繁地更换营地。干旱地区觅食者的平均人口密度要比森林居民的低一个数量级，每平方千米大约只有 1 人。

传统农业的基础与进步

通过比较人口密度，我们可以发现：即使生产力最低的传统农业也能提升人类定居点的集中度和规模（见图 3–3）。在古代美索不达米亚、尼罗河沿岸和中国华北平原地区，每平方千米耕地上收获的粮食可养活大约 100 人，在工业时代之前，最高的平均人口密度大约可达每平方千米 500 人，但是膳食的平均成分却并未发生显著改变。

和觅食型社会的情况差不多，能量也限制着传统种植者的食物选择，他们的膳食基本都以谷物和豆类为主，并辅以蔬菜和水果，而且还会补充少量的动物性食品（通常包括野味）。由于当时社会的作物产量很低，因此人们不可能把他们的谷物和块茎植物用来喂肉用型内温动物，因为内温动物的代谢会将这些输入能量的 90% 以上都消耗掉，也正是因为这种原因，它们吃掉的谷物和块茎植物中只有一小部分会变成可食用的肉。

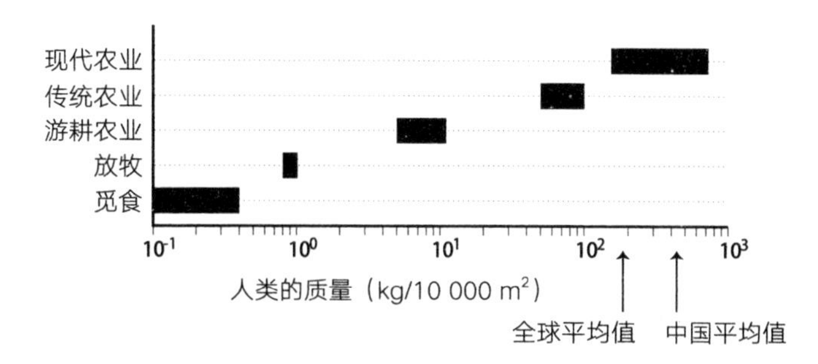

图 3-3　不同食物获取方式可养活的人口密度

生产肉类的能量来源要么是给动物喂食人类无法消化的农作物秸秆，要么是通过放牧反刍动物的方式饲养动物。但这两种策略都存在局限性，因为以谷物秸秆和植物根茎为首的农作物残留部分还有很多其他用途：在没有森林的地区，它们是不可或缺的家用燃料和动物窝棚建造材料；它们还可用来盖屋顶、作为栽培蘑菇的绝佳基质、编织成多种产品（比如精美的日本榻榻米床垫、绳子、帽子、袋子和篮子等），还可以将其填充到枕头和马项圈中或打成纸浆来造纸。

而对放牧来说，尽管一些传统农业社会有很多土地可供放牧，但一些社会的放牧土地则很有限，要么是由于干旱，要么是由于人口密度过高——前者包括地中海沿岸的大部分地区和中东地区，后者则包括中国的一些地方和爪哇岛。在这些地方，几乎所有适合的土地都被耕种了，放牧仅限在道路与河道旁边的边缘土地或已经收获过的田地上进行，而且通常只允许放牧绵羊和山羊。

因此，传统种植者的蛋白质大都来自为他们提供碳水化合物的植物食物，以及少量不能经常吃到的肉类、乳制品、鱼类和贝类。但在某些地方，蛋白质的摄入也会受到限制，比如许多宗教都禁止信徒食用某些动物甚至所有动物肉制品。另外，由于在一些国家中大多数土地都被用来种植谷物了，而且动物摄入的食物量普遍有限，因此这些国家传统农业社会的膳食结构中脂质也很少——来自脂质的能量或许还不到总食物能量的 15%。

遗憾的是，许多传统社会的膳食不仅蛋白质和脂质的含量较少，而且几乎所有的工业化之前的社会都曾经历过反复出现的食物短缺问题，这导致人们的平均能量摄入量不断降低，甚至降到不足以维持健康活力的生活，所以那时候生长受阻是很常见的现象，严重的甚至可能导致灾难性的大饥荒。

平均农作物产量曾在长达千年的时间里增长缓慢，甚至一度陷入了停滞状态，对这一点进行解释的最好方法是比较每 1 万平方米耕地所能养活的人口数。研究者对古埃及的农作物产量数据进行了重组，结果表明古埃及人在尼罗河泛滥时仅种植一种农作物，而在古王国时代[①]，这些农作物所能养活的平均人口密度仅勉强多于每 1 万平方米 1 人，到公元纪年的首个千年开始时，这一数据超过了每 1 万平方米 2 人。中国的平均水平到公元 1000

① 古王国（公元前 2686 年—前 2181 年）是古埃及历史上的一个时期，对应于从埃及第三王朝至第六王朝的 4 个王朝。这一时期也被称作“金字塔时期”，因为其中的第四王朝以曾修建为数众多的金字塔建筑群而闻名于世。——译者注

年左右（宋朝）才达到同等水平，到清朝时这一数字最终跃升到每 1 万平方米接近 5 人的水平。爪哇和尼罗河三角洲等其他较小的密集耕种地区的表现相近，但也有例外。在工业化之前，欧洲的平均水平从未超过每 1 万平方米 2 人，美国的水平甚至更低，不过这些地区的肉类产量更高。19 世纪末之前，美国每 1 万平方米土地的小麦平均产量低于 1 t，仅相当于 15 GJ 食物能量，法国的产量为每 1 万平方米 1.3 t；只有英国和荷兰的产量达到了每 1 万平方米 2 t 左右。

几千年的低产导致食物供应不稳定，造成这种后果的原因有很多。

- 从农学角度来看，突出的原因包括种植未改良的农作物品种，因此导致大部分光合产物都没有进入可食用的部分，而是变成了不可食用的剩余部分。另外，农作物的养分供应不足也是一方面原因，尤其是氮的供应不足。

- 从能量学角度来看，最重要的限制因素是那时田间劳动的原动力源仅有人类和动物，而两者都无法提供足够的功率且能量成本也相对较高。人力农业劳作最适合密集型的园圃式种植。较大规模的耕作需要的劳动力太多：对于较重的土壤，要让 1 万平方米的土地达到可种植条件，可能需要花 200 小时来进行准备，这对于大规模耕作来说时间成本实在过高。役用动物能显著削减工作量：即使一头拉着低效而沉重的木犁的牛，也只需大约 30 小时就能完成

> 这一任务，而如果是在相对疏松的土地上，两匹拉着弧形钢犁的马则只需 3 小时。

在农业驮拉工作中，最重要的役用动物是牛科动物（如黄牛和水牛）与马科动物（如马、矮马、骡和驴），另外，还有部分地区会用到骆驼和牦牛。这些动物的体重范围很大，轻的小型驴不到 200 kg，重的良种骏马可超过 700 kg。而体重又是决定役用动物驮拉能力的主要因素，不过动物的健康和年龄状况、土壤条件（重而黏的土壤难以耕犁）以及挽具等因素也会对动物的驮拉能力造成一定的影响。

牛科动物的典型效能为体重的 10% 左右，也就是能驮拉 30 ～ 40 kg 重物；马科动物的效能为体重的 15%，即驮拉 60 ～ 100 kg 重物。役用动物的持续功率范围从小牛的 300 W 到骏马的 700 ～ 800 W（1 马力=745 W）。健康的役用动物能以这样的功率持续驮拉数小时，在此期间只需短时的休息即可。

从全世界范围来看，役用牛科动物一直都比役用马科动物多一些（见图 3-4）。为什么人们更偏爱使用这类功率更低、速度更慢、役用时间通常短于 10 年（马的役用时间可达 15 ～ 20 年）、更难训练、耐力也不及马的动物呢？当然，经济方面的原因是使用牛的成本更低——它们的脚无须蹄铁，也不如马那么容易兴奋，但关键的原因还在于能量。牛是一种反刍动物，反刍动物拥有一套非常独特的消化系统，借助于生活在瘤胃[①]中的微生物，它们还能代谢纤维素，而其他哺乳动物要么不能消化纤维素，要么仅能利用少量的纤维素。反刍动物无须与其他动物或人类争抢食物，水牛这种牛科动物非常适合热带地区，它们能在泥泞的田地里很好地行走，可以吃水草等水生植物，代谢食物的效率也比黄牛高。此外，所有牛科动物最终都能产出肉类和皮革，它们的粪便也可回收用作补充田地养分的肥料。正是由于这些原因，农民一直更偏爱牛，甚至役用奶牛，而不去选择役用条件更好的马。

图 3-4　用于抽水的牛（左）和马（右）

① 瘤胃是反刍动物胃肠道的第一个胃，一般也是反刍胃中最大的一个胃，在这个胃中寄生着大量微生物，这些微生物可以分解和发酵进入瘤胃的食物。——译者注

役用动物不管是相当弱小还是非常强大，都能提供非常好的能量回报。假设人的工作功率为 60 ~ 80 W，就算只进行简单的定量比较，一头牛提供的功率也相当于 5 个人创造的总功率，而且它只需要吃人类无法消化的草和农作物的秸秆即可。而一匹壮马每天要吃 4 kg 燕麦，用于种植这种谷物的土地能够产出供 6 个成年人食用的粮食谷物（如小麦或黑麦），但选择壮实的马所完成的工作量相当于至少 10 个壮汉辛劳工作一整天的工作量。只不过这样的比较仍然忽视了这样一个事实：这些动物能完成一些即使一群壮汉也无法完成的任务，而且这些动物还可以被成群结队地大规模使用，这足以完成一些用其他任何方法都难以完成的任务。

役用马

马作为一种役用动物，其优越性有的显而易见，有的则微妙和特殊。许多品种的马都比牛重得多，因此力气也更大，而且马的耐力也更好。但有一点或许不能明显地看出来：马身体的前半部比后半部更重（比值为 3 ： 2），因此马具有更大的前向惯性。另外，马的寿命也比牛长，而且由于马特有的身体属性，使得它们在站立时不会额外使用任何能量。和其他动物不同的是，马在站立时悬吊的韧带与肌腱会将它们的腿锁住，这样它们就无须绷紧长腿肌肉了。几个世纪以来，马的这种优势一直无关紧要，即使出现了更高效的挽具和马蹄铁，也不足以让马成为主要的原动力源，至少在某些地区是如此。只有当农作物产量增长到足以种植足够多的谷物饲料以及更广泛地使用更有力的品种时，马才会转变成主要的原动力源，但这并不意味着前面提到的两种进步不重要。

颈圈挽具让人们可在不限制马匹呼吸的同时利用其强有力的胸部和肩部肌肉。这种挽具起源于中国，但在几个世纪之后，直到10世纪末，其改进版的设计才传入欧洲，在此之前，欧洲人使用的是“喉－肚带”挽具，这种挽具特别容易勒住马的咽喉。另外，马蹄铁不仅可提升马掌的附着摩擦力，还能防止马蹄过度磨损。但如果要让马发挥全部潜能，还必须在它们的粗饲料（草）中补充丰盛的精饲料（谷物和豆类），只有当农作物产量达到让人们可以把更多的土地用来种植饲料作物时，这种饲养方式才有可能实现。18世纪末，大西洋欧洲地区[①]开始广泛使用役用马，到19世纪末和20世纪初，役用马的发展在北美平原达到了顶峰。

法国贝尔修伦马、英国夏尔马和德国莱茵兰德马等体重更大的马种能够稳定持续地提供1马力以上（可达1 kW）的功率，并能短时输出超过2 kW功率。马在田地中的主要任务是深耕，最早使用的犁是低效的笨重木犁，

① 大西洋欧洲地区是指欧洲西部大西洋沿岸地区，包括大不列颠、爱尔兰、冰岛、比利时、荷兰、葡萄牙中部和北部、西班牙的西北和北部、法国的西南和西部地区、斯堪的纳维亚西部和德国北部。——译者注

其扁平的犁板使得阻力很高，而且容易被堵塞，这种犁后来被更高效的犁所替代。首先是铁制犁板（欧洲在17世纪完成了换代），然后到19世纪中叶，光滑的弧形钢犁铧开始得到应用，这种犁的阻力相对较小，而且能轻松切开土壤并将其翻过来。直到1860年之后，饱食的壮马与高效的钢犁铧组合到了一起，这才翻开了北美洲、澳大利亚、阿根廷和俄罗斯南部的草原，将其变成了大规模的耕地。

1831年后出现的机械收割机和捆扎机需要两匹好马来拉，19世纪末在加利福尼亚州开始应用的第一批谷物联合收割机需要一个大型马队来拉，很多马队拥有的马匹数量超过20匹。这种基于马的机械化作业方式需要大量强壮的动物，而且能量成本也很高。1919年，在美国的农场中工作的马和骡的数量达到了顶峰，超过了2 000万匹，这时候美国丰裕的耕地中约20%都被用于种植饲料。而在几乎所有耕地都被用于种植粮食作物的中国和印度是无法做到这一点的。

生物质燃料，热与光之源

不管是公元前3200年左右建立于美索不达米亚南部的乌鲁克、乌尔和拉格什的黏土城邦，还是公元前1600年左右中国商代的木制城市，最早出现的城市文明所依靠的是同一种燃料来烹煮食物、烧制砖块、融化金属。一直到现代社会早期，一些富裕的大城市仍在继续使用（至少是部分使用）这种燃料，比如17世纪的威尼斯和18世纪的巴黎。这些社会之间虽然相隔着广阔的陆地与数千年的时间，但它们都不约而同地选择了通过转化植物质中的化学能来获取有用的热能，其中人们使用的大部分都是林木，但也有人们专门种植的薪柴林和木材木炭。在附近没有森林且以农田为主的冲积平原和草原等地，以及只能生长小型灌木的干旱地区，城镇必须从相当远的地方引进薪柴和木炭，而农民和贫穷的城市居民则会尽力使用任何可用的植物质。

各大洲都会将农作物剩余的部分用作燃料，使用最多的通常是谷物秸秆和豆科作物的茎，但农民也会使用棉花秸秆、甘蔗叶和某些作物的根。甚至有些地方农作物剩余部分也不够用，于是当地居民就会使用干燥的动物粪便作为燃料，比如印度次大陆与蒙古使用牛的粪便、中国西藏使用牦牛粪便、非洲和亚洲的沙漠地区使用骆驼粪便；在北美平原上，野牛粪便也是19世纪的开拓者们不可或缺的燃料。前文已经提到过，木材的能量密度取决于其含水量，正因为如此，人们更偏爱用干枯的树枝和从树上掉落的枝条作为燃料，当然另一个原因是收集它们无须使用斧头或锯。风干的木材的能量密度为14～16 MJ/kg，相比而言，风干的秸秆的能量密度约为11 MJ/kg，风干的牛粪的能量密度为9～11 MJ/kg。

植物质燃料的能量密度相对较低，但如果能以较高的功率密度收获它们，那么问题就会小得多。我们在前文已经了解到，大多数森林存储的植物量仅为每1万平方米200 t，即为20 kg/m^2，所以即使能完全收获所有这些植物量，产出的能量也不会超过 300 MJ/m^2。由于这些植物量大部分都存在于大树的树干之中，因此只能通过优良的金属工具来砍伐，因为完全砍伐的森林需要经过 50 ～ 100 年的时间才能恢复到砍伐之前的状态，所以，计算木材采伐情况的功率密度时，还必须用总能量除以植物质重新生长所需的时间。因此，即使采伐速度只除以 50 年，实际可持续的木材采伐功率密度也仅有 0.2 W/m^2。

木炭虽然比用于制作木炭的木材更好，但其能量回报其实很低。由于木炭几乎是纯碳，其能量密度为 29 MJ/kg，大约比风干的木材高 60% ～ 65%，因此这是一种出色的冶金燃料，而且木炭也很容易运输和存储。另外，因为木炭燃料基本上无烟，所以可以很好地用于不通风室内的火盆烹饪和取暖。传统的木炭制造过程非常浪费能量，木材制成木炭后只能保留大约 20% 的能量，因此森林植物质中可持续收获的木炭的功率密度仅有 0.04 W/m^2。

这样的比值要参考一个大型的工业化之前的城市的典型热能需求来看。世界各地的人有各自不同的烹饪模式，比如常见于欧洲的烘焙在中国却非常少见，因为烘焙需要更多燃料。不同地区的气候严酷程度也不一样，比如中国长江以南的地区在冬季历来是不供暖的，而俄罗斯则需要大量木材供热才能过冬。另外，城市内的生产制造情况也会对此产生影响，比如锻造、制陶、制砖。总体而言，工业化之前的城市每平方米的建筑面积所需的功率至少为 10 W，最多可达 30 W。这意味着如果这些城市完全依靠木材，那么它们所需的附近的可持续植物质生产面积应为城市建筑面积的 50 ～ 150 倍，而如果燃料供应既有木材也有木炭，那么所需面积还会再增大 85 ～ 250 倍，仅凭这一点，就足以让任何工业化之前的社会都不可能出现人口超过 1 000 万的依靠植物质供应热能的巨型城市。

然而，随着以木炭为基础的炼铁工艺从小规模活动变成大规模生产，情况也开始变得越来越糟。尽管随着时间的推移，木炭的使用效率在提升，比如，18 世纪中叶出现了一种新型鼓风炉，熔炼每单位热金属时所消耗的木炭量还不到中世纪鼓风炉的 1/10，但森林植物量很快就变成了决定炼铁业未来发展的关键因素。据统计，1810 年，美国的钢铁工业每年需要 2 500 km^2 森林，该国丰富的森林资源尚且可以轻松地保证供应。然而，一个世纪后，钢铁工业所需的森林面积增长到接近 170 000 km^2，这相当于两个奥地利国土的面积，木炭再也无法满足这样的碳需求量了，而只能靠煤制成的焦炭来供应，而英国早在一个世纪之前就已经完成了这样的转变。

农作物剩余部分所能提供的能量密度甚至更低，尤其是在每年仅种植一季农作物的温带地区。在现代社会之前，典型的谷物产量为每 1 万平方米 1 t，秸秆产量与谷物产量的比值为 2 ∶ 1，则所剩的纤维素植物质的功率密度还不到 0.1 W/m^2。但秸秆还有很多其他用途，比如床上用品、饲料加工、房屋建造和制造业，因此收获的秸秆中仅有一部分能用作燃料。假设半数的秸秆都可用作燃料，则每 1 万平方米获得的燃料也不超过 1 t，即少于 0.05 W/m^2。生活在温带气候地区单间小屋中的农民家庭，其大部分烹饪和取暖需求都要通过燃烧秸秆来获取，但较大城市的能量供给不能依靠农作物剩余部分，因为收集这些剩余部分所需的土地面积要比该城市大 600 倍。

此外，植物质燃料可能成为室内污染源。如果在通风不良的浅火坑或壁炉中燃烧，可能会产生大量有毒的一氧化碳，而且植物质燃烧还可能产生高浓度的细微颗粒，其中包括多种致癌物。人类如果反复吸入这种烟尘会导致肺功能受损，并引发慢性呼吸系统疾病，比如支气管炎和肺气肿，这种影响至今依然困扰着贫穷国家数以百万计的人，因为那些地方的人仍主要通过低效地燃烧植物质来获取烹饪所需的热能。只有使用带有炉箅的炉子或连接烟囱的管道为燃烧气体提供适当的通风渠道，才能减少或消除这种不良影响。

照明方面的进展也很缓慢，从开放式壁炉和树脂火炬到黏土灯，人类过去常借助燃烧的火焰来照明，比如最早的黏土灯可以追溯到 40 000 年前，那时候燃烧的是动物脂肪，一直到很久之后的农业社会才开始使用各种植物油作为燃料。由蜂蜡或牛脂制成的蜡烛出现于公元前 800 年，在蜡烛得到广泛使用之后，人类才获得了更好的照明条件。但是蜡烛显然很不方便——持续使用时间很短、燃烧会起烟、存在火灾风险，而且将制作蜡烛脂肪的化学能转化为光能的效率也是非常低的，一直不到 0.01%。即使是 18 世纪末和 19 世纪初最好的油灯，其效率也不超过 0.03%。19 世纪 60 年代，带有玻璃烟管和可调灯芯的油灯出现了，这种油灯使用的燃油提取自大型捕鲸船队在世界各地捕杀的抹香鲸的巨大尸体。火柴最早出现在公元 6 世纪的古代中国，但在近代才传入欧洲，而现代的安全火柴在 1855 年才问世。之后，人类发明了煤气蒸馏技术并开始用原油提炼煤油（1870 年后才实现大规模提炼），并在 1879—1880 年首次发明了可实际应用的白炽灯，又在 1882 年开始大规模地集中发电。此时，家庭、街道和工业照明才变得方便起来，并最终随着荧光灯和钠灯的出现而实现了几个数量级的效率提升。

工业化之前的城市：运输和制造

城市的出现标志着定居性社会的开始，这样的社会能产生足够多的剩余食物能量，让部分人口可以参与到种植业和畜牧业之外的其他活动中去。因此，城市是社会和经济复杂度增长的主要推动者，推动人类社会产生了宗教、标志性建筑、各式各样的视觉艺术、书写系统和文学、经济行为的法则和规则以及对自然现象的实证式观察和研究，这些观察和研究最后逐渐发展成了科学。几千年来，仅有少部分人可以进行这样的智识追求，因为农业生产并不能产生过多过剩的食物，而植物质能量供应又很有限，无法支撑城市化人口的过快增长——至多能支撑 10% 左右的人口增长。

但是，在古代和中世纪，也是有一些大城市存在的。早在公元 1 世纪末，罗马的人口就超过了 50 万。哈伦 · 阿尔 – 拉希德（Harun ar-Rashid，《一千零一夜》中的哈里发）的巴格达在公元 9 世纪初拥有 70 万人口，同时期亚洲最大的城市是中国唐朝的都城长安，其人口峰值大约为 80 万。1800 年，清朝的首都北京的人口数量超过了 100 万，与同时期伦敦的人口差不多，但不管是中国还是欧洲，城市人口都仅占总人口的 10% 左右。对于不在可航行的河流旁边的内陆城市而言，由于低效的陆路运输极大地限制着日常必需品进口的经济可行性，因此也限制了食物和燃料的供应。

传统陆路运输

在铁路出现之前，所有陆路运输所依赖的原动力源与传统农业一样，都是人类和动物的肌肉。在田地任务中占主导地位的牛和马也是最重要的驮兽，它们常被用于运输货物和进行一些繁重的建筑任务。在北非、中东和亚洲部分地区，骆驼是常用的拉货动物，比如，在 20 世纪 40 年代，北京出现过骆驼大篷车；印度次大陆和东南亚地区的人们会用到象，尤其是在森林活动中；拉丁美洲的安第斯山脉周边国家会使用美洲驼。在多山的地区，人类搬运工一次可运输 25 ~ 40 kg 的物品，他们和小型驮兽在整个 20 世纪都承担着重要的运输任务。

在工业时代之前，轮式运输的发展非常缓慢，甚至很多地方还倒退了几个世纪。其中，欧洲的倒退是最显著的，古罗马用碎石混凝土、鹅卵石或石板铺成的出色的道路网在中世纪和近代早期经历过漫长的衰退，同等水平的道路系统直到 19 世纪才重新建立起来。道路表面的光滑程度和载具的设计是决定摩擦力的关键因素，因此也决定了轮式运输的能量需求。在平滑坚硬的路面上，移动 1 t 货物仅需相当于大约 30 kg 的力；在松散或粗糙的路面上，所需的力要增大 4 ～ 5 倍；而在沙地或泥地上，所需的力则要增大 10 倍，使用重型货车和缺乏润滑时，这个问题还会更加严重，更加轻型的设计、经过润滑的车轴和 17 世纪出现的滚珠轴承降低了运输过程中的整体摩擦力。

糟糕的路况、虚弱的动物和低效的载具设计限制了货物运输的最大负载和平均速度。罗马人将牛拉货车的总重量限制为 490 kg，每天可行进 15 ～ 20 km，而骑马前进并一路更换快马的信使每天可行进 300 km 以上。也因为这个原因，当埃及的谷物抵达古罗马位于第勒尼安海海边的城市奥斯蒂亚的港口之后，会被装上驳船而不是货车，然后再被运到不到 25 km 远的市区。

直到 18 世纪，更好的货车设计与具有良好路面的道路相结合，才实现了陆路运输负载能力的显著提升，同时货物运输的速度也获得了提升。1840 年之后，铁路运输很快就在长距离运输中替代了马拉货物的运输方式，但在城市内部的货物集散和人员出行方面，驮兽仍然是不可或缺的，比如在 1901 年维多利亚女王去世时，伦敦大约有 30 万匹马，到了 20 世纪上半叶，这些马逐渐被电动机与内燃机所取代。在第一次世界大战之前，所有大型城市在设计和管理过程中都遇到过养马场地和饲料的难题，另外清理它们产生的大量粪便也是一大难题。

以风提供动力的水上运输成本更低且速度更快，但如果没有高效的风帆或易操作的船舶，这种运输方式的潜力也无法完全发挥出来。地中海地区从古代一直用到 17 世纪的大型划桨船，其本质上是非常低效的，而且绝大多数都用于军事行动，而不是运送货物。用简单的物理术语来说，帆是织物翼面，应能最大限度地提高升力并减小阻力，在埃及的墓葬画和希腊陶器上都可以看到，而且，每个地方早期形式的帆都是简单低效的方形帆。在中国式帆船的图像中我们可以看到，中国人在 2 000 多年前就已采用了独特的板条加强型斜桁横帆，到了公元 7 世纪，阿拉伯和印度洋地区出现了三角帆。

在很多个世纪里，欧洲在海洋船运方面一直都只是追随者，而不是创新者，船尾舵和磁罗经[①]都需要进口，而且它们均来自中国。直到中世纪晚期，欧洲人通过组合方形帆和三角帆，才使得欧洲的船具备了逆风而行的能力，这些船装备上重型火炮之后，则化身为向世界各地投放欧洲殖民力量的主要工具。这段历史始于 1450 年之前，那时葡萄牙人开始沿非洲海岸航行，直

① 磁罗经是由中国古代四大发明之一的指南针发展而来的，是一种可以利用地球磁场来指示地理方位和船舶航向的仪器。——编者注

到19世纪末才结束，而这时非洲大陆已被英国、法国、西班牙、葡萄牙、比利时和德国瓜分。第一次横穿大西洋和太平洋的航行分别由哥伦布和麦哲伦于1492年和1519年完成，他们使用的船和古罗马的标准货船（载重100 ~ 200 t）差不多大。3个世纪之后，船的体型又增大了一个数量级，而且速度也快了很多。中国著名的快速帆船长距离航行的平均速度可达5 m/s，差不多是最快的罗马帆船（见图3-5）的2倍。

图3-5　一艘19世纪的快速帆船

在工业化之前的城市，食物、燃料、建筑材料和种类有限的消费品的运输主要是靠驮兽和风力来完成的，但城市中建筑物、道路、桥梁和沟槽的建造以及各式手工制造工作都完全依靠人类劳动。借助各种简单的机械装置，人类劳动的效率可以得到提升，这些装置大都基于杠杆、斜面和滑轮的基本原理制作，同时组合了木楔、螺钉、转轮、绞盘、踏轮和齿轮等不断发展改进的设计。这些工具虽然简单，但也足以造就壮丽非凡的建筑，比如大西洋欧洲地区的巨石阵、复活节岛的巨人石像、中美洲的阶梯金字塔和庙宇，以及最让人叹为观止的古埃及巨型石质金字塔。目前，我们仍然对建造这些非凡建筑的技术细节知之甚少，也许我们永远无法完全理解。这些简单的机械经过不断地发展演进，最终演化为非常复杂精细的设计，并带来了文艺复兴与现代工程早期的非凡成就。人类为什么需要这些机械呢？因为增加劳动力人数的方法在某些任务上是行不通的，比如，在一个古代建筑工地上，监工也许可以指挥几百人，但在搬运沉重的石头时，也许十几个人就能把这块石头完全围住，而其他人就完全没法提供帮助了，而且人这么少，可能加起来的力量也无法搬动这块石头，但如果借助杠杆、斜面或绳索与滑轮，同样的这些人就能够搬动这块石头了。

城市所需的加工食品与金属制品的量是前所未有的，比如，小麦必须碾磨成面粉，种子必须榨成油，铁、铜、铅也都必须熔化、锻造和加工成型为最终产品。不管是人类肌肉还是动物肌肉，都不足以提供满足这种需求的力量——即使是再多的人和动物加起来也无法提供。正因如此，这些任务中的大部分成了人类创造的首类非动物原动力源（原动机）的最大受益者，即水车以及几百年后出现的风车。

水车的起源尚有待考证，至少可以追溯到公元前 1 世纪，但这种带有垂直轴的简单木质机械在古希腊和罗马帝国的制造形式差别不大，而且由于这两大文明都有富余的奴隶劳动力，因此它们都没有发展出任何大规模的集中化制造业。即使在西罗马帝国解体之后，水车的能力也耗费了很长时间才逐渐超越配备了挽具的大型动物团队。类似地，风车的起源我们也不清楚，但中东的某些地区在公元10世纪之前就已经在使用低效的垂直轴机器进行劳作了。最终，水车和风车在很多伊斯兰国家都得到了普遍的使用，而在中世纪晚期和文艺复兴时期的欧洲，它们更是受到了热烈欢迎。这些原动机能产生旋转运动，可以完成从给砖抛光到抽水、从驱动高炉风箱到锻造重型铁器等众多任务。这些发展进步以及人们对它们的适应非常重要，并为机器主导的西方文明的崛起奠定了基础。

机器的崛起

机械化的进程一直持续了几个世纪。而且发生于现代早期的这个过程也在不断加速，要说明这个过程，最好的方式是将《各种精巧的机械装置》（*Le Diverse et Artificiose Machine*）中卓越的木刻画与法国《百科全书》（*L'Encyclopedie*）中精美的版画进行比较。其中《各种精巧的机械装置》于1588年首次出版，是16世纪的经典作品，其作者是意大利工程师阿戈斯蒂诺·拉梅利（Agostino Ramelli）。法国的这套《百科全书》则是世界上首套带有丰富插图的百科全书，由法国启蒙思想家丹尼斯·狄德罗（Denis Diderot）编辑完成，其最后28卷完成于1771年。不管是水车、水泵、风车等机械，还是齿轮、链条、凸轮等工具，又或是拉梅利自己的新设计，《各种精巧的机械装置》中记录的设备都很精巧，但基本上都由木头制成，笨重且效率低下。相对而言，《百科全书》中丰富的插图不仅描绘了更加复杂精细的机械设计，而且其执行的精准度也要高得多。一个世纪之后，这两种品质变得更加明显，水车和风车这两种古老的原动机已开始为西方的工业化供给能量。

在近代早期的世界，水车是最先进的能量转换器。它们已在几十种成群的人或役用动物都无法完成的高度专业化的任务上得到了应用，但水车的功率仍很有限——到 17 世纪末，欧洲具有代表性的水车功率也只有 4 kW，而且其粗糙的木制齿轮和润滑性能缺乏导致能量的转化效率很低。到了 18 世纪，情况有所改善，而且毫无疑问的是，西方早期的工业化对水力的依赖程度与对蒸汽机的依赖程度一样。甚至到 1849 年时，美国所有蒸汽机的总装机功率也仅是所有水车总功率的 2 倍。在美国的新英格兰地区和法国的部分地区、苏格兰等地以及纺织和矿石开采等行业中，水车及其更高效的后继者水轮机一直到 19 世纪后半叶都是作为主导性的原动机出现的。

水车

水车的设计多种多样，其中最为常见的是两种垂直轮设计，垂直轮安装在水平轴上，可通过直角齿轮传输功率。另一种是下冲式水轮，这种水轮的旋转方向是逆时针的，其动力可以直接来源于自然水流，也可以让水流经一个引水槽后再驱动水轮。在使用自然水流时，因为其功率与水流速度的立方成正比，所以水流速度是越快越好。因此，为了保持稳定的输出功率，使用引水槽的方法更为常见（见图 3-6）。效率最高的下冲式水轮设计是彭赛列水轮[①]，其叶面是弯曲的，可将至少 20% 的水流动能转化为旋转动能。另一种设计是上冲式水轮，这种水轮两种旋转方向都可以，因此，该水轮的驱动力来自通过引水槽输送的水流下落时的冲击力，所以可以安装在流速较慢的水流上。这种水轮的效率一般在 50% 以上，甚至可达 80%。还有一种较少见的中冲式水轮，其水流冲击位置略低于或略高于中心轴的高度。此外，还有许多历史悠久的小型水平式水轮。

图 3-6　18 世纪末法国应用下冲式水轮的水车

水车功率的提升既得益于建造水车的零件越来越小，也得益于人类有了前所未有的建造机器的能力。世界上最大的水力驱动机器于 1854 年完工，由拉克西采矿公司（Great Laxey Mining Company）建造于马恩岛上，其设

① 彭赛列水轮是由法国数学家和工程师让 – 维克托 · 彭赛列（Jean-Victor Poncelet）改进的一种水轮设计。——译者注

计的复杂度与精细程度都是出类拔萃的。水轮上方的水流会被引导至集水箱，然后这些水又会被导流到大型砖石塔中，最后让这些水通过一个引水槽落到水轮上方，使其逆时针旋转（背冲式上冲设计）。这台水车的峰值功率超过400 kW，可为日常的抽水作业提供200 kW左右的功率。当铁制轮毂和轴替代了木制的之后，水车的效率实现了质的提升，但直到1800年，首台全铁制、齿轮光滑且润滑优良的水车才出现。

19世纪上半叶，金属水车直接催生了水轮机。伯努瓦·富尔内隆（Benoit Fourneyron）在1832年完成了首台采用径向外流方式的水轮机并将其用于驱动锻锤，之后不久又有了一种更好的设计，被用于驱动旋转磨坊。1838年，塞缪尔·B. 霍德（Samuel B. Howd）在美国为一种新设计申请了专利并取得了更大的成功，后来詹姆斯·B. 弗朗西斯（James B. Francis）对其进行了改进并进行了商业化应用。19世纪80年代，莱斯特·艾伦·佩尔顿（Lester Allen Pelton）发明了脉冲式水轮机，其动力来源是将强力水流喷射到水轮周围的水斗上，这种设计非常适合应用于水位差非常高的地方。而在1913年，维克托·卡普兰（Viktor Kaplan）申请并获得了反动式水轮机的专利，其带有可调节的垂直水流的螺旋桨，可用于低水位差的项目。早期所有的水轮机都是为工业应用提供旋转动力的，但在19世纪80年代之后，水轮机也在发电方面得到了应用。

风车的设计（见图 3-7）也体现出了与水车相同的精细度和高效率。1600 年左右，荷兰的磨坊主为风车那大而扁平的扇叶（会引起阻力）引入了一种倾斜式扇翼边缘，这种创新可以提升升力并减少阻力。之后，金属铸件的传动装置逐渐代替了木制组件。1745 年之后，英国的磨坊主开始使用尾部自动调向的风叶，这能为卷扬装置提供动力，使风车翼板可以根据风向自动调整方向，从而免去了人工调整风车顶盖的烦琐之苦。到了 19 世纪末，英国的磨坊主开始使用翼型设计和针对空气动力学设计的翼板，这就像现代的飞机螺旋桨一样。自动调节器与平稳的传动装置的出现，以及由于大规模生产拉低了价格使得建造小型风力机械的成本下降，它们也因此为美国大平原的开发做出了许多重要贡献（见图 3-8）。

图 3-7　18 世纪法国风车的部件剖析图

图 3-8 19 世纪末美国大平原上的风车示意图

这些小型能量转换器通常被安装在木塔顶端，其典型额定容量低于 30 W，而且大部分都低于 500 W，它们并没有使用大量的大型翼板，而是使用了许多很窄的叶片（板条），这些窄叶片从整块的或组装的轮辐上展开，并装配有调速器和方向舵。人们广泛使用这些风力机械来泵送家庭和家畜用水以及穿越美洲大陆的蒸汽机车所需的水。19 世纪下半叶，美国和加拿大共售出了数百万台这种小型机械，其数量远远超过欧洲当时所有在使用着的风车，在 1900 年，欧洲大约有 3 万架风车，而且大都位于北海[①]沿岸国家，不过当时欧洲的风车可要强力得多，其平均功率超过 3 kW。

① 北海是指大西洋东北部边缘海域，位于欧洲大陆的西北。——编者注

ENERGY

4

现代世界中的能量：化石燃料驱动的文明

现代文明越来越依赖什么能源？

原油有哪些品种？电能的发电方式有哪些？

世界上首个超巨型油田在哪里？

地球上的任何一种文明都离不开太阳能，源源不断流入的太阳能维持着地球的生物圈，并为生产我们的食物的光合作用提供能量。因此，每一种文明从根本上来说都以太阳能为基础，但现代世界已在两个重要方面有所不同：现代文明依赖于煤与碳氢化合物（原油和天然气）等以化石形式保存的太阳能；越来越依赖电能，而发电的方式包括燃烧化石燃料、收集太阳辐射（基本上都是通过水和风等间接形式）、使用地球的热能（地热能）和使用核能（见图 4–1）。传统社会的食物、饲料、取暖和机械能要么来自太阳辐射的直接转换，比如流水和风，要么就是通过生物质和代谢转换的方式收集，其中的收集过程有的需要几个月的时间，比如用作食物和燃料的农作物；有的需要几年，比如役用动物、人类肌肉、灌木、小树等；有的则需要几十年，比如成材的乔木。

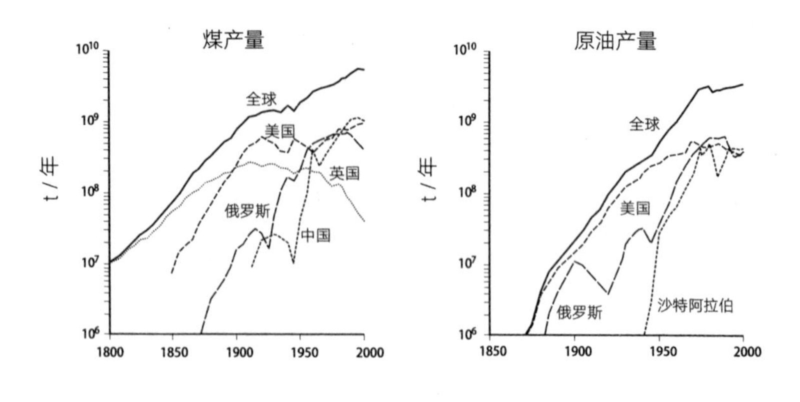

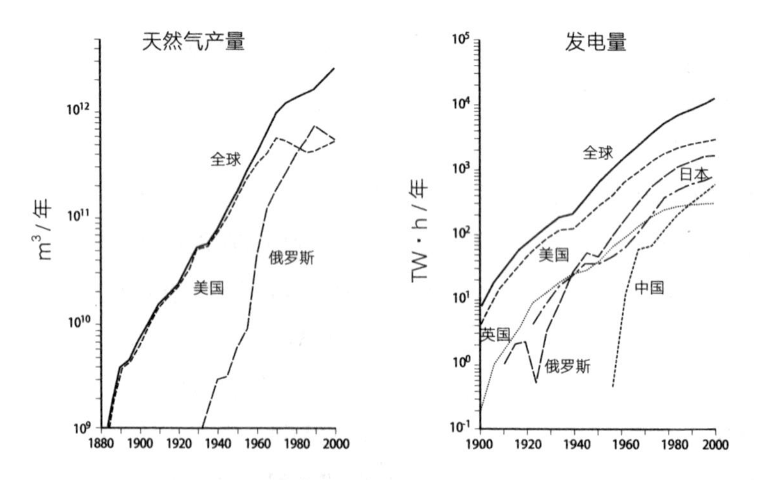

图 4-1　全球煤、原油和天然气产量以及发电量

注：1TW · h=10^9 kW · h。

相对而言，化石燃料是累积的生物质在压力和热的作用下，历经漫长的时间发生了缓慢而重大的转变之后的产物，除了一些形成时间相对较短的泥煤之外，这段漫长的时间长达数百万年到数亿年。传统社会依赖于即时的太阳能，这种太阳能持续时间很短且会不断补充。相比之下，现代文明则是在取用累积的太阳能，并且取用的速度很快，与创造化石燃料所需的漫长时间相比，人类将在非常短的时间里耗尽这些燃料。因此，至少从理论上来说，在以千年为单位的文明尺度上，传统社会在能量利用方面是可持续的，但实际却并非如此，很多古代社会都出现了过度砍伐森林和水土流失的问题，而且当时的人们普遍劳动过度。相比之下，现代文明立足于不可持续地利用太阳能“遗产”，也就是说在文明的时间尺度上，这些遗产无法得到补充。很多人说要提升现代经济的可持续性，但也只是说说而已，在我们完全采用某种新式能源作为基础之前，可持续性虽然还会继续保持理论上的正确性，但从科学的角度来看却是荒谬可笑的。

不同于太阳辐射，化石燃料既高度集中，又易于存储，依赖它们能给我们带来极大的好处。因此，现代社会的总能耗和人均能耗都提升到了前所未有的水平，但如果比较的是历史上实际供应的热能、光能、动能等能量服务，而不是一次能源（primary energy）[①] 消耗，那么增幅还会更高，这是因为随着技术的持续进步，几乎所有主要能量转化过程的效率都获得了提升。得到更高效利用的化石能量不仅成本低廉，而且非常富余，已经为现代经济的每个生产行业都带来了变革：农用机器和化工产品已经替

① 一次能源是指可从自然界开采并可直接使用的能源，如煤、石油、天然气、铀、阳光等。相应地，二次能源（secondary energy）是指由一次能源经过加工转换以后得到的能源，如电能、热能、汽油、柴油、液化石油气和氢能等。——译者注

代了农业活动中的动物劳力和有机循环模式；机械化已经消除了矿产资源开采中的沉重体力劳动并开启了制造业的大规模生产时代；新型原动机的使用已经彻底改变了交通运输方式；新式通信和信息处理技术对服务行业更是影响深远；而服务行业现在已经成为发达国家主要的财富来源。

更进一步，这些进步也已改变了现代的工业和后工业社会的结构和发展动态。

- 首先，最重要的一点是，这些进步将平均食物供应量提升到了远高于人类维持生存所需的水平，并能够保证充足的医疗服务。正是因为这两个关键因素，人类的平均预期寿命才得以稳定增长。

- 其次，这些进步让全世界的城市化程度越来越高，这些城市为人类提供了前所未有的职业和发挥聪明才智的机会。在所有的发达国家，由于平均工资的增长，中产阶级变成了主要收入群体，他们也因此可以购买各式各样前所未见的商品和服务。

- 再次，早在半个世纪之前，新技术就已经将个人的移动出行能力提升到了前人无法想象的程度，同时还真正实现了大规模全球贸易与全球性事务管理。

- 最后，电子技术让人类获取信息的能力成倍增长。现在，任何拥有已连接互联网的个人计算机的人都能即时且低成本地获取前所未有的海量信息。

如果不能越来越有效地把化石燃料转化为电能，那么这种最灵活、便捷的能量形式所带来的变革全都不会发生。电让我们可以廉价、清洁和可靠地延长工作时间、驱动各种高效率和高准确性的机器（从微型的牙钻到巨型的挖土机）、使火车以超过 300（km/h）的速度运行，以及建立起全新的产业（从电弧金属熔炼到电化学合成）。电也是仍在飞速发展的电子通信与信息领域的能量来源，这类系统最早是基于真空管的，直到 1950 年之后才开始使用越来越复杂的晶体管，在 1960 年后则基于集成电路。然而，随着 1971 年英特尔 4004 微处理器的出现，这类系统开始立足于微处理器。此后，微处理器的性能大约每隔 18 个月就会翻一番，符合戈登·摩尔（Gordon Moore）提出的著名的摩尔定律[①]。

由高能量化石燃料所带来的技术进步也给人类文明带来了一些负面影响：发达国家与发展中国家的差距进一步扩大，而国家间在获取信息的能力和享受高品质生活的机会等方面的差距甚至比平均收入的差距还大。比如，富人能通过拥有的电子设备或购买印刷品来获取信息，也具有更高的预期寿命和更多的职业选

① 摩尔定律最早于 1965 年由英特尔联合创始人戈登·摩尔提出，到目前为止已经历了多次修正。近些年，随着半导体芯片制程工艺逐渐接近物理极限，摩尔定律的预测能力已经后继无力。因此，有人认为“摩尔定律已死”，有人则试图提出新的摩尔定律，以进行修正。——译者注

择。巨大的能量投入也导致了核武器的发展——如果超级大国之间互相投掷核武器，那么人类可能很快就会灭绝。另外，全球环境恶化的程度也是前所未有的。

现代文明对化石燃料的依赖导致了很多世界性难题，其中21世纪最棘手的问题是全球快速变暖的威胁。而且这种变化的程度仍高度不确定，最新的科学共识认为，到2100年全球平均气温将上升1.4 ℃（尚可控制）至5.8 ℃（显然非常让人担忧）。不管这一重大难题的结局如何，立足于化石燃料的文明存续的时间都无法与古代文明比肩。在我们还远未耗尽有限的化石燃料储量之前，化石燃料文明就将迎来终结，因为获取化石燃料的成本将变得越来越高，人类也将越来越依赖新型的太阳能转化技术以及非化石燃料新能源的开发。

煤，第一种化石燃料

根据成分和质量的差异，煤可分为许多不同的种类，但总体而言，煤是以可燃有机物质为主的沉积岩，而且还会含有不同含量的不可燃矿物质和水。所有的煤都源自沉积在潮湿环境中的植物，这些植物的一部分会被分解，剩下的则会被其他沉积物覆盖，最后再在高温高压条件下度过漫长的时间，其中有的可长达3.5亿年。很多变成煤的植物物种一直延续到了今天，不过它们的体型变得小了很多，下次当你看见在潮湿的林中角落里生长的30 cm的马尾草和拇指高的石松时，可以试着将它们想象成沼泽森林里高达10～30 m的大树，而且其间栖息着最早的爬行动物和大型有翅昆虫。后来，在2 000万～1 000万年前，被掩埋的桦树、枫树和柳树开始转变为煤。

煤的品种和成分

产生煤的初始植物成分与后续的质变过程都差异巨大，因此也导致煤的质量存在明显差异，而且这种差异不仅体现在不同的煤田之间，还体现在同一煤田甚至同一煤层之间。最好的煤是乌黑发亮的无烟煤，其与又黑又硬的优质烟煤一样起源于石炭纪（3.54亿～2.9亿年前）。褐煤则是在浅层沉积物之下形成的，因此没有承受过高温高压的环境，这种煤有的也可以追溯到石炭纪，但大部分褐煤的时间都没那么久远，而是由第三纪（6 500万年前）时期的植物材料转变而来的。质量最差的褐煤颜色较浅且很容易碎裂，能量密度甚至还不及木材，因为水分和灰占据了其大部分的质量。在元素组成上，质量最差的褐煤的碳含量不到50%，无烟煤的碳含量则超过90%，烟煤的碳含量大都在70%～75%，这意味着最常用的烟煤的能量密度大约比风干的木材高50%。

一方面，以煤的形式存储的能量所占空间更少，因此人们也不需要频繁地向炉灶中补充燃料，而且在无人照料时也能维持更长时间的燃烧。另一方面，采煤的缺点也很明显，地下挖煤成本很高，而且非常危险。同时，采煤还会产生大量的烟尘，烟煤通常还有 10% 左右的不可燃物，主要是铁的氧化物、二氧化硅和碱金属化合物。另外，采煤过程中对环境污染最严重的方面是挖出的硫所产生的影响。在火炉和小型熔炉中，在炉箅上燃烧块状煤时会产生必须清除的底灰；而在大型发电站和工厂锅炉中燃烧的是碾磨得颗粒细如面粉的煤，而这个过程会产生粉煤灰，如果不用静电除尘器将这些粉煤灰吸走，那么它们就会慢慢沉降下来，化为覆盖周围区域和下风区的尘土。

木材中的硫含量非常低，但烟煤中的硫含量相对较高，通常在 2% 左右。其中有的是远古植物蛋白质中的有机硫，在长时间的压力下和热能中浓缩汇聚，不过烟煤中含有的硫通常是硫酸盐硫和硫铁矿硫。其中硫铁矿硫通常以大块闪亮的金色晶体的形式嵌在煤基块中，使其看起来像黄金，因此这种煤也被称为“愚人金”。不管来源如何，硫燃烧时都会产生二氧化硫（SO_2），这是一种化学反应能力很强的气体，很容易被大气氧化而生成硫酸盐，这是酸雨的主要成分。由于大多数煤的碳含量都很高，因此相比于其他化石燃料，煤燃烧时，每释放一单位能量所产生的二氧化碳会更多，也就是说煤燃烧所产生的温室气体在人类活动所排放的温室气体总量中所占比例较大。

由于有一些煤层裸露在地表上或仅覆盖着浅浅的一层沉积物，因此人类在古代就已经知道并开始使用煤了。不过古代仅有

少量地区使用煤来加热、制陶和冶金，且规模较小，比如 2 000 年前的中国汉朝时期和 800 多年前在现在美国北亚利桑那州的霍皮斯部落。欧洲最古老的工业烧煤记录出自 12 世纪初的比利时以及 13 世纪初的英国，但从生物质燃料到化石燃料的划时代转变是直到木材资源严重枯竭之后才发生的。英国首先迎来这一转变，这不仅是由于人们对木炭的需求越来越高，尤其是高炉炼铁方面的需求，还因为人们需要越来越多的优质木料建造房屋和船舶。到 17 世纪中叶的克伦威尔时代，为之后英国的工业化提供能量的所有煤田几乎都已开始运作，到 1700 年，英国一年的煤产量已达 3×10^6 t。

一个世纪之后，英国每年的煤产量已升至 1×10^7 t，这时的煤已经不只是一种用于直接提供热量的能源了，也是制作焦炭的原料并用于驱动刚发明不久的蒸汽机。煤燃烧时，火焰温度可达 1 650 ℃；相对而言，煤热解过程需要逐渐提高温度，最高可达 1 100 ℃，这个热分解过程是在无氧条件下进行的，产物包括气体、液体和焦炭。焦炭是一种多孔而质硬的碳，其最终替代木炭成了高炉的燃料。制备焦炭的先驱是亚伯拉罕·达比（Abraham Darby），他在 1709 年就开始了这项工作，只不过那时的工艺比较浪费资源，直到 1750 年之后，资源浪费的情况才有所改善，人们才开始广泛制备焦炭。焦炭让炼铁工业摆脱了对木炭的依赖，并能烧熔更重的矿石和石灰石原料，从而让更大型的高炉成为可能，同时焦炭能以更高的温度熔化铁，从而让人类得以制造出更优质的金属铸件。

直到高效率的蒸汽机出现之后，煤的消耗量才真正开始暴增。第一款商用蒸汽机诞生于18世纪的头十年，设计者是英国工程师托马斯·纽科门（Thomas Newcomen），但由于这种蒸汽机是将蒸汽凝聚到活塞底部，使得每次冲程都要对活塞进行冷却，因此效率非常低，仅能将煤的化学能中的0.5%转化为往复运动的机械能。后来，詹姆斯·瓦特对蒸汽机进行了改进，并于1769年获得了这项著名改进的专利。瓦特的设计包含一个分离式的蒸汽冷凝器、一套围绕汽缸的隔热蒸汽套管和一个维持真空的抽气泵（见图4–2）。另外，瓦特不仅设计了一种双动蒸汽机，其活塞具有向下的冲程，而且还设计了一种离心调速器，可以在负载变化时维持恒定的速度。

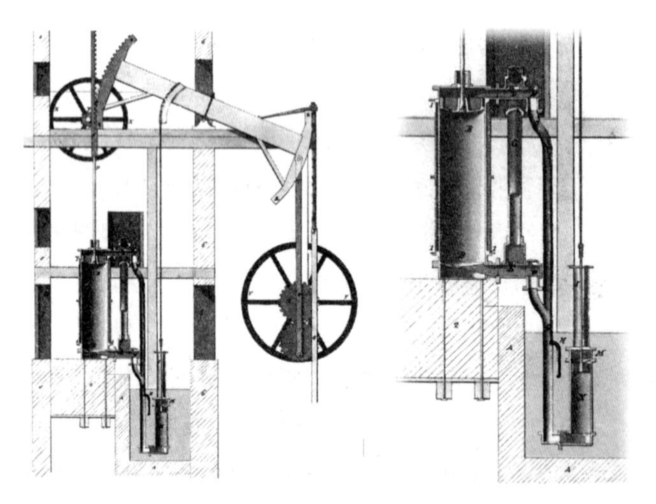

图4–2　詹姆斯·瓦特改良的蒸汽机（左）和分离式冷凝器的结构细节（右）

瓦特蒸汽机的典型功率大约为25马力，即大约20 kW，而他与马修·博尔顿（Matthew Boulton）合作建造的最大蒸汽机的功率是这一数值的5倍，与当时最大的水车的功率相当，而蒸汽机的效率比水车的效率要高5%。这些更高效的蒸汽机不仅在采煤行业中被用于泵水、操作卷扬和通风机械，而且也逐渐被越来越多的其他行业所采用。这些行业之前受流水与稳定的风的限制，而蒸汽机打破了这些限制，比如炼铁行业就受益显著，因为这个行业可使用蒸汽机来驱动高炉风箱。在制造行业，大型车间或工厂可用一台蒸汽机来驱动一个转轴，然后用这个转轴来带动大量皮带，这些皮带可将动力传递给各种机器，比如织机、磨床、钻机和抛光机。

在位置固定的工业应用中，蒸汽机原本的巨大体型并不是什么大问题，但为了能在移动应用中使用蒸汽机，就必须减小它们的体积，也就是说必须提升其操作压力。由于瓦特拒绝进行高压蒸汽机实验，因此高压蒸汽机的开发直到1800年瓦特的新专利过期之后才得以进行，正因如此，这位著名的发明家拖累了蒸汽机的发展进程。瓦特蒸汽机的专利到期后不久，英国的理查德·特里维西克（Richard Trevithick）和美国的奥利弗·埃文斯（Oliver Evans）制造出了高压锅炉，并首先在蒸汽船上进行了测试。当时蒸汽船与蒸汽动力火车齐头并进，共同发展，很快就在商业上得以成功应用，之后不过一代人的时间，这些交通运输方式就已经大范围普及开来。到了19世纪30年代，已经在河船上得到证明的桨轮设计被复制到了大型远洋船舶上。1838年，首款可靠的螺旋桨面世，同年，蒸汽动力船舶首次完成了向西横穿大西洋的旅程。

之后，大型蒸汽船快速取代了不可靠的帆船。这个替代过程首先发生在北大西洋航线上，并最终将航行时间从 2 周以上削减到了 6 天以内，之后其他洲际航线也开始了这个替代过程。1877 年之后，出现了更大型的蒸汽机，而且船体结构开始使用钢材，豪华客轮也因此应运而生。在 1850 年到 1914 年，离开欧洲的 5 000 万移民中大部分都是乘坐蒸汽船离开的，同时蒸汽动力的海军战舰也为欧洲殖民者带来了投射力量的新方法。陆地交通运输也因蒸汽机而发生了同样快速且彻底的转变。1830 年，第一条从利物浦到曼彻斯特的公共铁路开通，而之后不久乔治·斯蒂芬森（George Stephenson）发明的第一辆机车“火箭号”（Rocket）的速度就显得慢了很多，到 1850 年，最快的机车的速度已超过 100 km/h。同时铁路也在不停地延伸，很快就遍布欧洲与北美。大量新型机车的设计带来了更高效、更高速的机器。到 19 世纪末，速度超过 100 km/h 的机车已很普遍，此时机车蒸汽机的能量转化效率已超过 12%。

煤不仅能提供焦炭、热量以及固定和移动的动力，而且还变成了城市照明的主要能量来源，因为煤的汽化可以产生低能量的煤气，即民用燃气，这是第一种非生物质的光源，其最早于 1805 年出现在英国的棉纺厂中，1812 年，伦敦开始向家庭供应煤气。煤气是一种非常低效的光源，其燃烧过程仅能将煤中能量的 0.05% 转化为可见光辐射出来，因为这个过程还会产生大量的热能、水蒸气和碳酸。但在 19 世纪 80 年代以前，煤气灯主导着城市的室内和室外照明，此后，煤气灯开始被白炽灯所取代。

进入 19 世纪以后，煤的需求量不断上涨，为了满足这样的需求，需要很多先进技术的支持，但是地下煤的挖掘情况却变化不大，还是依赖具有风险的重体力劳动。人们可以用马将煤运到煤井井口底部，用蒸汽机为起重机和通风机提供动力，而其他任务全部都由矿工完成。矿工将煤从煤层里挖出来，但他们往往需要行走几公里才能到达工作地点，然后当他们在狭窄的空间中挥动镐和槌时，他们需要或蹲或躺地工作几个小时，在这里，他们不仅会吸入大量煤灰和岩粉，而且还会一直处于煤井可能垮塌的危险中。另外，如果煤井中的甲烷含量较高，那么还会导致致命的爆炸。将煤从工作点移到装载点的工作常常由妇女和女孩完成，男孩则会被安排其他繁重的体力活。也许，对这些几乎让人难以忍受、费力且危险的工作条件最深刻的刻画莫过于埃米尔·佐拉（Emil Zola）的小说《萌芽》（*Germinal*），其中如实描绘了 19 世纪 60 年代法国北部煤矿中的惨象，而这种惨象又见之于 19 世纪的所有采煤大国，最多也只有一些细微差异罢了。

在燃料方面，全世界煤的使用量最终超过了木材和农作物残渣的使用量，这场转变最有可能发生在 19 世纪 90 年代。英国在进入 19 世纪之后就已经成了一个以煤为主导的经济体，1800 年其煤产量占世界总产量的 80%，而且其领先地位一直维持到了 19 世纪 70 年代，之后被美国超越。西欧和中欧的大部分地区都在 1870 年之前完成了向煤主导型经济体的转变，美国则在 19 世纪 80 年代初期取得从煤中获得比木材更多能量的成就，而日本和俄罗斯的木材主导型经济一直延续到第一次世界大战之后才得以实现。煤推动了传统手工型经济向现代大规模制造经济的转变，并使蒸汽机成了这次工业革命中最重要的原动机，但是，蒸汽机依然体积庞大、效率低下，而且功率也很有限。其庞大的体积和低下的效率使其并不适合成为高速的道路载具，而其有限的功率对规模越来越大的发电站来说则不是一个适宜的选择。前一个缺点随着内燃机的出现得到了解决，而后一个缺点的解决则要归功于查尔斯·帕森斯（Charles Parsons）发明的蒸汽涡轮机——简称“汽轮机”。

帕森斯汽轮机

帕森斯汽轮机是首款并非基于实用主义的技术改进，而是由于热力学原理表明这种机器可能存在而全新设计出的重要机器。帕森斯并不是第一位设计汽轮机的工程师，因发明了离心式奶油分离器（在此之前所有黄油都必须人工搅拌）而闻名的卡尔·古斯塔夫·帕特里克·德·拉瓦尔（Carl Gustaf Patrick de Laval）在 1882 年展示了其设计的脉冲式汽轮机。但拉瓦尔的概念并不容易转化成实用的机器，因为他设计的涡轮机会将蒸汽从一个喇叭形的喷嘴喷到转子斜置的叶片上，这样的脉冲会导致转子旋转速度过快——超过 40 000 转 / 分钟（rpm），并会产生很大的离心力，而那时候没有任何一种材料可以承受这样的速度和力。

相对而言，帕森斯明白适当的旋转速度就足够了，这仍然可让汽轮机成为一种实用且被广泛采用的原动机。汽轮机发展速度很快，帕森斯在 1884 年 4 月 23 日申请了英国专利，一年之后就造出了第一台微型汽轮机，功率为 7.5 kW，转速为 18 000 rpm，但是其能量转化效率低得令人难以接受——仅有 1.6%。1890 年 1 月，第一台商用汽轮机（75 kW，4 800 rpm）在英国的泰恩河畔纽卡斯尔开始用于发电，其效率大约为 5%。1900 年时，就已经出现了功率为 1 MW 的汽轮机（见图 4-3）。到 1910 年时，相比于第一台商用汽轮机，汽轮机的效率提升了 300 多倍，效率也提升了 5 倍，在第一次世界大战之前，帕森斯设计的最大型机器是为芝加哥设计的 25 MW 机组，此时的大型汽轮机可将 25% 的蒸汽能量转化为电能。那时，即使是最好的蒸汽机，功率也比汽轮机小很多，而且热效率大约为 15%，很显然，蒸汽机时代已经成为过去。

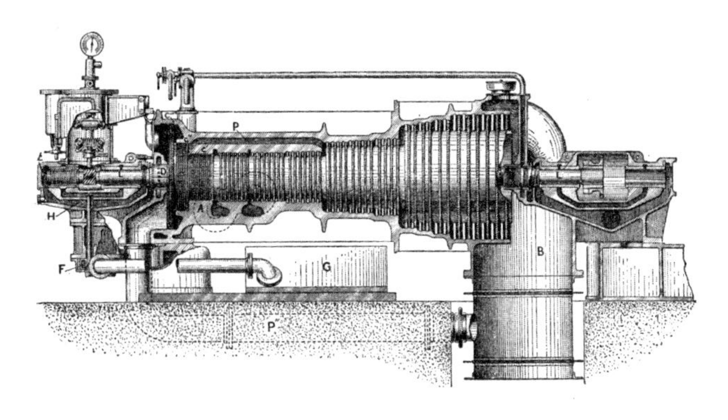

图 4-3　帕森斯设计的 1 MW 汽轮机的剖面图

在两次世界大战之间，汽轮机的功率增长出现了停滞，但在 20 世纪 40 年代后期又再次恢复增长。最终，最大的汽轮机的功率超过了 1 GW，差不多是帕森斯设计的首款可用型号的汽轮机的 20 万倍，而且它们的能量转化效率接近甚至略超过了 40%。汽轮机也变成了交通运输领域最强劲的可持续运转的固定式原动机。帕森斯亲自展示了它们的优势：他设计了一艘长 30 米的实验性快船“透平尼亚号”（Turbinia），其配备了 715 kW 的汽轮机，并于 1897 年 6 月 26 日在斯彼德海德的盛大观舰式上跑赢了所有军舰。6 年之后，英国为大约 40 艘军舰装配了汽轮机，之后不久，几艘汽轮机船成了跨大西洋航行黄金时代[①]的标志，它们分别是：“毛里塔尼亚号”（Mauretania）、“卢西塔尼亚号”（Lusitania）、“奥林匹克号”（Olympic）以及命运悲惨的“泰坦尼克号”（Titanic）。后来，柴油发动机以及更晚出现的燃气涡轮机主导了海洋船舶推进动力的市场，不过从美国尼米兹级核动力航空母舰到运输液化天然气的油轮等船舶都在应用汽轮机，因此，汽轮机仍然很常用。另外，工业离心泵和压缩机也会使用较小型的固定式汽轮机来提供动力。

1900 年，煤在全球商业能源总用量中的总份额已达 95%，

① 跨大西洋航行黄金时代的时间范围大约为 1900—1914 年，在此期间欧洲每年都有超过 100 万人跨过大西洋移民到北美洲。——译者注

直到 20 世纪 60 年代早期才下降到 50% 以下，但尽管煤的重要性相对下降了，在 1900—1989 年，煤的绝对产量却增长了大约 7 倍。然而，从能量角度来看，增幅却并没有那么高，因为开采的煤的平均质量下降了 20% 左右。苏联的解体导致其所有加盟国的采煤量全都陡然下降，而在 20 世纪 90 年代，古老的英国采煤业也基本走向终结。但到了 2003 年，全球烟煤（硬煤）的产量再次突破 4×10^9 t，而较劣质的褐煤产量约增加了 9×10^8 t。如果从占全球总能量消耗比例的角度来看，煤仅能满足略多于 23% 的全球主要能源需求。

2004 年，中国的煤产量达到 1.6×10^9 t，远远超过美国的 9×10^8 t，成为世界上最大的硬煤生产国，再加上印度（3.7×10^8 t）以及澳大利亚和南非（均超过 2×10^8 t），这世界前五大硬煤生产国的煤产量约占全球总产量的 80%。德国和俄罗斯依然是褐煤的主要生产国，其他年煤产量超过 2.5×10^7 t 的国家只有 11 个，但英国不在其中，英国目前剩余的 17 个私营矿场中雇员的数量不到 10 000 人，年产煤量不到 2×10^7 t。相比之下，1920 年采煤产业劳动力达到了 1.25 亿人的峰值，煤产量也在 1913 年达到了 2.87×10^8 t 的峰值！事实上，英国和德国都已成为世界上主要的煤进口国之一，这两个国家在 2004 年分别进口了超过 3×10^7 t 煤。因此，相比于原油生产，采煤的国家更少一些，而且除欧洲和北美之外的大多数国家都不使用煤。

现代煤产业在各个方面都与第一次世界大战之前的通行做法不一样，其中许多工艺都是在 1950 年之后重新发明的。现代采煤已经转变成完全机械化的切割和装载，为了满足特定的市场需求，挖掘作业和处理规模大幅提升。由于机械化装卸以及专用列车和更大型货轮的应用，交通运输也已变得更为经济实惠。除了少数国家之外，煤现在仅有 3 个主要市场：发电、焦炭生产和水泥生产。地下采煤的机械化发展极大地提升了生产力——在最好的煤矿中，1900 年时一人一轮班生产的煤低于 1 t，而现在的产量超过 3 t。同时，机械化的应用基本上杜绝了传统的房柱式采煤法，并降低了对劳动力的需求，也极大减少了采煤过程中的死亡事故：美国的采煤死亡事故自 1930 年以来减少了 90%，不过在一些国家的深矿井中，死亡事故依然很常见。

房柱式采煤法在采煤过程中会创造出通道和支撑性的煤柱，这样至少会留下一半的煤层，但在煤层的厚度和布局适合的情况下，这种采煤法已被长壁采煤法所取代。长壁采煤法使用了由可移动钢支柱保护的机器，可产生采煤的前进式工作面，并可从所采煤层中回收超过 90% 的煤。

这些优势在露天采煤中甚至还更加明显，这种采煤方法是在移除相对浅层的覆盖岩石之后采挖露天煤矿中的煤层。露天采煤更加安全，且生产效率也要高得多，并在除少数几个采煤国家之外的所有国家都已变得普遍。露天采煤现在已在美国的煤生产中以占总产量 65% 的优势占据了主导地位，另外俄罗斯一半的煤产量也来自露天煤矿。中国是唯一一个露天采煤产量份额很低（大约为 10%）的煤炭超级大国。在 20 世纪初，浅层露天煤矿的覆盖层与煤层比仅为 1 ： 2，到 20 世纪末，许多煤场挖开的覆盖地层的厚度是底下煤层的 4 ～ 5 倍，完成这样的工作需要巨型推土机的帮助。很多露天煤矿每年可产煤 1×10^7 t 以上，平均每个工人可生产 30 t 以上。

煤在燃烧前需要进行一些处理，这个过程被称为“选煤”。高度机械化的选煤包括按种类分选、按尺寸分选（筛分）和清洗等。煤在被开采出来之后，通常会被转移到相距不远的矿口发电厂中，这些临近的发电厂通常都有一个合适的名字。有些采煤场远离煤的主要市场，这时候采出的煤会通过运煤专列进行运输，运煤专列一般有容量高达 100 t 的车厢，而且通常是上百节车厢连在一起，这些车厢会一直被动力强劲的机车牵引着，在煤矿与发电厂之间不停地循环往复。另外，人们还会在主要河流上使用大型运煤驳船①来运煤。有的国家也会通过跨海运输的方式出口煤炭，其中中国、澳大利亚、印度尼西亚和南非是主要的煤出口国。跨海运煤需要用到大型散装货船，其中有些货船的载重量超过 1×10^5 t。中国和印度的部分地区仍存在家庭用煤的现象，而在北美和欧洲，家庭用煤市场基本已经消失，曾经规模非常大的铁路和水运以及工业产热用煤的规模现在也已缩小了许多。

此外，煤还有其他 3 个主要市场，其中最小但增长最快的是水泥生产。生产 1 t 水泥大约需要 0.1 t 煤，而 2000 年全球水泥产量大约为 1.5×10^8 t，其中中国以高产量占据主导地位。高炉

① 驳船是指本身无自航能力，需拖船或顶推船拖带的货船，其特点为设备简单、吃水浅、载货量大。——编者注

焦炭制备仍然是第二大用煤市场，2000 年，全球所有被开采的硬煤中约 17% 都被用于制备焦炭，但事实上炼铁行业现在每生产 1 t 铁水所消耗的焦炭量比 1900 年减少了 60% 以上。随着钢铁回收更大规模的推广以及直接将煤粉注入高炉的工艺的应用，炼铁行业对焦炭的需求还会进一步下降。

发电是用煤市场中唯一一个还在稳定增长的市场。现在，全球将近 40% 的电力都来自燃煤发电厂，而主要产煤国的这一比例更高：波兰将近 95%，南非为 82%，中国和澳大利亚均为 77%，而美国和德国略超过 50%。最早的小型、低效的燃煤发电站位于市区，第一次世界大战之后，它们被移到了郊区，到第二次世界大战之后，大多数大型燃煤发电厂都建造在露天煤矿或大型地下煤矿附近。自 20 世纪 50 年代以来，随着静电除尘器的引入，颗粒物排放这种燃煤发电厂最明显的环境问题得以消除。静电除尘器是一种简单的机电设备，其可以对飘尘粒子进行充电，然后将它们收集到大型金属盘上以便处理。这种设备可捕获多达 99.99% 的灰尘。事实证明，控制二氧化硫排放的难度更大，仅有一种方法能以可接受的成本有效地去除二氧化硫，即 20 世纪 70 年代期间商业化的工艺“烟道气脱硫法”，这种方法是通过干法或湿法，使用磨细的石灰或石灰石与二氧化硫反应生成硫酸钙来捕获二氧化硫。另外，高温导致大气中的氮气发生分解和氧化反应（煤自身含氮量非常低），煤燃烧时还会生成二氧化氮，而减少二氧化氮的排放的成本要高得多。

目前来看，煤燃烧所导致的最棘手的长期难题是二氧化碳的大量排放，这是人类活动产生的最主要的温室气体。燃烧硬煤时每释放一单位能量所产生的二氧化碳大约比燃烧成品油多 30%，比燃烧天然气要多 80% 左右。煤的未来仍不明确，但毫无疑问的是其将极大地取决于未来气候变化的过程，几乎可以肯定，全球快速变暖的进程将会加快全球弃用煤的速度，当然，除非我们能成功开发出新的高级清洁燃烧方法或可行的碳封存[①]方法。

20 世纪 60 年代早期，原油成了世界上最重要的化石燃料，而天然气用量的增长速度比石油的消耗速度快。我们现在所生活的能源时代必然很短暂，而主导这个能源时代的是廉价的液态碳氢化合物——长链有机分子的混合物，其中包含大约 85% 的碳，其余的还有氢以及微量的硫、氮和重金属。

原油，开启内燃机时代

和煤一样，原油自古以来就为人所知。有很多地方存在石油渗出地表、形成石油池塘或沥青池塘的现象，尤其是在中东地区，这说明地下存在石油。历史上最早使用石油的记录是罗马帝国后期小亚细亚地区的浴场。现代原油开采受到了寻找更便宜光源的激励，这是为了替代成本高昂而且越来越少的提炼自抹香鲸

① 碳封存是指收集从点源污染（如火力发电厂）产生的二氧化碳，并将它们运输至与空气隔离的储存地点并长期存储的技术过程。此项技术的主要目的是防止发电等行业在使用化石燃料时将大量二氧化碳释放到大气中，这有望减缓化石燃料燃烧时释放的二氧化碳所造成的全球变暖和海洋酸化等问题。——译者注

鲸脂的油，这种危险的追求已被永久记录在了赫尔曼·梅尔维尔（Herman Melville）的杰作《白鲸记》（*Moby Dick*）中。最终，在 150 ℃～ 275 ℃温度范围内从原油中分离出来的无色且高度可燃的液体煤油满足了这些需求，也使得世界上一种大型的哺乳动物免于灭绝。现如今，经过加工的更清洁的煤油已成为主要的航空燃料。

关于原油工业的开端有着明确的记录——始于美国著名的第一口油井是在 1859 年 8 月 27 日由埃德温·德雷克（Edwin Drake）上校在宾夕法尼亚州石油溪（Oil Creek）完工的。德雷克及其后面几代石油勘探者都采用了起源于中国汉朝的冲击钻井法。这种做法是将非常重的铁钻头固定在钻塔上，然后用牵引装置将钻头拉高，再使其落到井中击裂岩石。在中国汉朝，这种绳索用竹子制成，然后由人在杠杆上跳上跳下来实现升降。而在美国，牵引结构是用马尼拉麻制成的绳索，并使用蒸汽机提供拉升的动力。1835 年，中国清朝时期的人用冲击钻法钻成的最深的井深达 1 km，而德雷克钻的井仅在 21 m 深处就发现了石油。在德雷克发现石油的几十年后，所有大陆上均有人在勘探石油。在第一次世界大战之前发现的重要油田分别位于美国得克萨斯州、加利福尼亚州，墨西哥，委内瑞拉，罗马尼亚，俄罗斯（现位于阿塞拜疆的巴库），荷兰的东印度群岛（现位于印度尼西亚的苏门答腊）。中东地区的第一次重大勘探发现发生于 1908 年的伊朗，后来在此建成的马斯吉德苏莱曼油田至今仍在产油。

美国的绳索钻机最终建成了深度超过 2 km 的油井，但第一次世界大战后随着改进型旋转钻机的应用，这项技术也寿终正寝了。这些钻机使用了一个中间插有钻杆的重型旋转圆台，其动力最初来自蒸汽机，后来来自柴油发动机或电力发动机。随着油井深度的增加，带有螺纹的钻杆因为磨损会导致截面越来越大，但因为钻井的工作方式如此，所以为了更换钻头，必须撤回整个钻杆组件。早期的旋转钻机使用的是鱼尾形和球齿形钻头，但它们仅能有效应用于松软的地质。1908 年，霍华德・休斯（Howard R. Hughes）发明了旋转锥形钻头，并由此革新了整个行业。后来，他的公司又推出了许多改进型设计，包括工作更平稳的三锥钻头。一个多世纪后的今天，休斯工具公司（Hughes Tool）依然是主要的钻凿设备制造商。旋转钻井时，会通过高压将钻井液（可以是水、油或人工合成的液体）沿钻柱向下泵送，钻井液在流过钻头时会对其进行冷却，同时移除钻屑并向井壁施加压力以防止井眼塌陷，之后，会通过套管和水泥浇筑的方式对井眼进行固定。

原油的品种和成分

相比于煤，原油有很多优点，其中最重要的是原油具有很高的能量密度。所有碳氢化合物的固有能量密度都比煤高，因为碳氢化合物燃烧时不仅会氧化碳，还会氧化氢，而氢燃烧（生成水）时释放的能量大约为碳燃烧时释放的能量的 3 倍。原油含氢量为 11% ～ 14%，纯甲烷（CH_4）含氢量为 25%。原油的总体能量含量与煤差不多，平均为 42 GJ/t，波动范围不超过 5%，大约比优质烟煤高 45%，差不多是优质褐煤的 2 倍。

但不同原油的密度、倾点[①]和硫含量有很大差异，而这些属性又决定了原油的市场价值。原油密度产生差异的原因是石蜡和芳香烃含量的差异：尼日利亚和阿尔及利亚的原油密度最小，为 0.8 g/cm^3，而许多中东国家，如沙特和伊朗的原油的密度可高达 0.9 g/cm^3。最轻的原油几乎不含石蜡，倾点也是最低的，甚至在 −30 ℃以下也能流动，而某些石蜡含量较高的原油需要加热到 30 ℃以上才能在管道中流动。原油中的硫含量也差别巨大，包括从硫含量可忽略不计的“甜”原油到硫含量超过 3% 的“酸”原油。与煤相比，原油的运输、存储和装载过程都要简单得多，比如可通过专用卡车、驳船、远洋油轮或管道等进行运输，且可使用地上油罐或地下空洞进行存储，还可通过管道将其轻松泵送到载具或油罐中来进行装载。第二次世界大战后，随着全球原油运输量的增长，油轮的容量也随之猛增，从 1945 年到 20 世纪 70 年代早期，一般油轮的载重量从不到 2×10^4 t 提升到了 3×10^5 t 以上。

与煤不同的是，原油通常不会在自然状态下燃烧，而是会通

① 倾点是衡量油品低温流动性的常规指标，指的是油品在规定的试验条件下，被冷却时能够流动的最低温度。——译者注

过精炼来生产出各种各样的特种燃料和非燃料材料。最初，精炼的方式是简单的热蒸馏，这种方法可根据原油中各种成分的沸点将它们分离出来，并得到不同的馏分物：石油气的沸点低于40 ℃，石脑油和汽油的沸点是40 ℃～200 ℃，之后煤油（航空燃料）、柴油、润滑油和重油的沸点越来越高。剩下的固体馏分物包括石油焦、沥青、焦油和蜡。遗憾的是，世界上大多数原油的密度都比较大，直接精炼产生的大都是中等燃料油和重燃料油，而不是价值更高的汽油和煤油。

1913年，威廉·伯顿（William Burton）开发出了原油热裂解技术，这种技术通过组合性地使用热与高压，可将更重的、链长的碳氢化合物分解成更轻的馏分物。

原油精炼产品迟早会占领许多之前使用煤的市场，比如家庭和商业加热、发电，但最重要的用途是随着内燃机的发明而出现的。内燃机为乘用车和卡车创造了全新的大众市场，并在铁路和水路交通运输中取代了蒸汽机。1866年，尼古劳斯·奥托（Nicolaus Otto）设计出了一款又大又重的石油气动力的二冲程内燃机，内燃机也自此开始了真正的发展。10年之后，奥托申请了卧式四冲程压缩发动机的专利，但这款发动机仍然相当笨重且效率低下（约17%），因此仅适用于那些面积小而无法放下蒸汽机的车间，但是，其基本工作原理与之后数以百万计的汽车和飞机发动机全都一样。1886年，奥托式内燃机衍生出了多种更轻型、更高效的汽油发动机设计，这些设计在当年就被用到了德国的实验性客车上，其中卡尔·本茨（Karl Benz）同年7月份在曼海姆设计了一种用在小型三轮底盘上的卧式发动机，戈特利布·戴姆勒（Gottlieb Daimler）与威廉·迈巴赫（Wilhelm Maybach）于当年秋季在斯图加特设计了一种安装在标准轿车底盘上的单缸立式发动机。1891 年，法国设计师埃米尔·勒瓦索尔（Emile Levassor）将发动机从座位下面移到了驾驶员前面，首款现代的公路汽车配置就此诞生，这种设计可以让汽车安装更大型、更强劲的发动机，并由此催生了汽车保护顶盖以及不久之后的空气动力学设计。19 世纪 90 年代的很多技术创新组合到一起，带来了更加强劲、更加高效也更加安全的发动机。点火装置设计方面就有一个重大进展：危险的明火热管点火首先被低压永磁打火装置替代，然后又被罗伯特·博施（Robert Bosch）于 1901 年设计的新型火花塞代替。但是，那时在小车间中通过人工方法生产的汽车仍然非常昂贵而且很不可靠，因此总数很少，美国 1900 年时仅有 8 000 辆汽车，就算在 5 年之后也仅有 78 000 辆。

亨利·福特（Henry Ford）的伟大创新改变了这一切。1908 年 10 月 1 日，福特推出了他的 T 型车，这款车经过专门的设计制造和定价，目标是创造一个新的大众市场。福特 T 型车使用了经过热处理的钒钢，配备了首款水冷式四缸发动机和宽敞的空间，不仅能在未铺好的或泥泞的道路上行驶，甚至还能在刚耕犁过的田地里行驶，而且任何收入到达当时平均工资水平的人都能买得起。因此，这款车集合了材料质量高、设计实用和价格合理等多种优势。1913 年，随着福特推出了著名的组装流水线，这款车的价格进一步降低。这种新型生产方法是将一项工作细分为大量重复性的任务，后来这种生产方法由于呆板枯燥和缺乏人性化而受到了广泛的谴责和批评，但其优越性是有目共睹的，而且被其他汽车制造商及各行各业效仿和改进。不可否认的是，流水线生产确实能为生产力带来巨大的提升。到1914年时，福特已能为其工人发放双倍工资并削减他们的工作时间。1908年推出的T型车售价为850美元，第一次世界大战后这款车的售价降到了265美元，到1927年这款车停产时，美国的汽车大众普及趋势已经势不可挡，并逐渐蔓延到了全世界。

随着这种新型客运模式的成形，鲁道夫·狄塞耳（Rudolf Diesel）推出了一种不同的内燃机——柴油发动机[①]，并在1892年获得了这项发明的专利。柴油发动机无须火花塞，因为注入汽缸中的燃料会因高压缩比（14～24）所导致的高温而自燃。早期的柴油发动机比奥托循环发动机重得多，也慢得多，但固有效率更高，可将燃料中40%以上的能量转化为动能，此外，它们燃烧的是更重、更便宜且能量密度更高的燃料。柴油发动机最早的应用领域是船舶推进，1930年之后，它们也越来越多地被应用在了机车、卡车和汽车中。到了20世纪90年代，世界上大部分卡车都采用了柴油动力，而且在现在欧洲所有新注册的乘用车中，柴油车占到了40%。需要指出的是，当今所有速度最快的列车都是由电力驱动的。

汽油发动机之所以取得了如此的成功，是因为解决了限制奥

① “diesel”（柴油）一词即得名于鲁道夫·狄塞耳的姓氏。——译者注

托燃烧循环的性能的问题：燃料 – 空气混合物自燃时会产生压力波，该压力波的方向与火焰蔓延的方向相反并会导致特征性且具有破坏力的“爆震[①]”。在早期的发动机中，防止爆震的唯一方法是保持较低的压缩比（低于 4.3），但这也降低了发动机的效率。1921 年出现了一种廉价的但最终让人遗憾的解决方案，当时托马斯·米奇利（Thomas Midgley）发现四乙基铅是一种高效的抗爆添加剂，仅需添加相当于汽油体积 1‰的量就能有效防止爆震，并使压缩比最终上升到了 8 ～ 10.5。此外，这种添加剂还让人可以制造出运行速度更快且更强劲的航空发动机。四乙基铅抗爆剂推出半个世纪之后，由于其会导致铅中毒（尤其是会造成儿童残疾）等健康问题，以及铅还会毒化催化转化器[②]中使用的铂催化剂，所以含铅汽油开始退出市场。

内燃机还让人类实现了一个长久以待的梦想：造出了比空气重的飞行器。1903 年，奥维尔·莱特（Orville Wright）和威尔伯·莱特（Wilbur Wrigh）制造了他们自己的四缸发动机，来为他们的实验性飞行器“飞行者号”（Flyer）提供动力，并最终于 12 月 17 日在北卡罗来纳州的海滩上成功完成了首次短暂的试

① 爆震，也称“爆燃”或“敲缸”，是发动机不正常工作方式的一种，其具体表现为：点燃式内燃机（一般为汽油发动机）中混合气体自燃而不遵循正常的火焰传播过程，从而导致燃烧过程不可控，发动机发出高频率的金属敲击声。爆震会导致发动机工作情况变差，严重时会损坏发动机零件。——译者注

② 催化转化器可以减少汽车排放的一氧化碳、氮氧化物和未燃烧的碳氢化合物，后来变成了汽车上必须强制安装的设备。——译者注

飞。值得一提的是，莱特兄弟都不是专业的工程师或科学家，而是经验丰富的自行车修理工。航空发动机和飞机的发展速度比汽车快得多。1909 年，飞机飞越了英吉利海峡，1914 年，经由冰岛飞越大西洋的计划已经就绪。虽然战争打乱了这些设计的发展进程，但却促进了用于新型战斗机和轰炸机的发动机和飞机结构的开发。20 世纪 20 年代早期，商业航空开始发展，而在这之前，1919 年，飞机已首次飞越了大西洋，之后不过 20 年时间，泛美航空公司的豪华客机“飞剪号”（Clipper）[①] 就开始了旧金山至香港的跨太平洋航行。

石油与天然气，主导这个时代的碳氢化合物

在第二次世界大战之前，美国是唯一一个碳氢化合物在一次能源供应中占据较大份额的工业化国家——在 1940 年，该国总能源中 40% 是石油和天然气。第二次世界大战之后，煤在欧洲的主导地位一直持续到了 20 世纪 50 年代，但欧洲大陆之后很快就转变为石油和天然气经济体。由于西欧没有重要的碳氢化合物来源，因此变成了从北非和中东进口原油的主要地区。日本的石油资源甚至更加稀缺，20 世纪 60 年代日本的高经济增长率使其成为当时世界上最大的石油输入国。巨型的荷兰格罗宁根气田的发现、北海油气田的开发（第一口有产出的井钻形成于 20 世纪 60 年代）以及中欧和西欧从西伯利亚进口天然气（始于 20 世纪 80 年代早期）都加速了欧洲大陆的经济向碳氢化合物经济的转

① 这是一架波音 314 客机，带有餐厅和床铺。

型，并最终导致了一些国家采煤行业的彻底消失或大幅削减，前者比如荷兰，后者比如法国、英国和德国。亚洲和拉丁美洲的大多数新兴工业化经济体完全跳过了以煤为核心资源的阶段，直接基于本地出产或进口的石油来发展经济，甚至那些煤炭储量很可观的国家也是如此。

如果没有广泛的甚至惊人的技术创新，人们对石油的不断增长的需求将无法得到满足。第二次世界大战之后，三维计算机地球物理勘探、更好的精炼方法以及新的天然气运输模式等新技术的发展推动了碳氢化合物的生产。过去，石油采收率不到油井中所有液体的 1/3，20 世纪 80 年代推出的水平钻井技术实现了石油采收率的大幅提升。水平钻井可以相互交叠并抽空其中多个裂缝，还能穿透大量含油岩石：如果钻的是同一油田，那么水平钻井的产油量可达竖直井或稍微倾斜的井的 2 ～ 5 倍。到 1990 年时，最长的水平井长达 4 km，而竖直井现在通常在 5 km 深度之下开钻。

第二次世界大战之后，另一大关键创新是人们开发了一套全新的海上钻井生产技术。1947 年，路易斯安那州沿海完工了第一口陆地视野之外的油井，50 年后，海上油井产油量已接近全球石油产量的 1/3。用于海上钻井的套件包括固定式（桩脚式）钻探平台、水下和半水下平台以及钻井船，有的钻井船可在海面 2 km 之下作业。建造于大型海底油田之上的海上生产平台，无论在哪里都堪称最引人注目的建筑结构：有的钻井平台与核动力航空母舰一样重，高出海平面百米以上。

1936年，尤金·霍德里（Eugène Houdry）推出了一种新型的催化裂解工艺，原油精炼也由此开始了重大变革，而且之后的改进时机也刚好，为第二次世界大战期间的车辆和飞机提供了大量所需的汽油。第二次世界大战之后，石油精炼方面最大的改进是合成沸石（一种结晶铝硅酸盐）催化剂，以及催化与加氢组合技术的应用，其中合成沸石催化剂将汽油产率提升了15%，催化与加氢组合技术更进一步提高了汽油产率。不同国家对精炼石油产品的需求也不一样：美国和加拿大的汽油需求量很高，几乎占全球总需求量的一半，而日本的最终需求中有一半是用于工业和家庭加热的中间馏分油和燃油。非燃料的馏分物如润滑油和铺路材料大约占原油初始质量的12%。

全球的碳氢化合物勘探成果已经极大改变了已探明油气储量的分布状况。1938年，中东地区发现了首个超巨型油田——科威特的布尔干油田，该油田的原油储量至今仍为世界第二。世界第一大油田是沙特阿拉伯的加瓦尔油田，该油田于1948年被钻探发现，其原油储量约占全球已探明原油总储量的7%。1960年，沙特阿拉伯、伊朗、伊拉克、科威特和委内瑞拉联合成立了石油输出国组织（OPEC），后来扩大为13个成员国。1973年10月至1974年4月，OPEC决定将原油价格提升至原来的5倍。此时，中东地区油田的原油储量已占全球已探明原油总储量的70%左右，而且这些油田主要位于沙特阿拉伯、伊朗、伊拉克、科威特和迪拜这几个波斯湾国家或地区。1979年和1980年间，由于伊朗巴列维王朝垮台和宗教激进主义的毛拉政权接管政府，OPEC的勒索性定价才在第二轮猛然提价之后最终被打破。

除了短期的波动之外，1985—2003年，世界石油价格总体一直稳定地保持在较低的水平。由于富裕国家需求的增长以及中国发展成为世界第三大石油进口国，石油价格在2004年末提升至每桶50美元以上，并在2005年多次突破这一价位，但即使考虑了通货膨胀和美元贬值（所有原油都以美元计价）等因素，这样的价位依然显著低于1980年和1981年的创纪录价格。与此同时，全球已探明碳氢化合物储量的分布情况却并未发生实质性的变化，原油高度集中于波斯湾地区这一现状意味着OPEC在全球石油定价方面依然保持着最强势的地位，甚至可以说OPEC就是世界石油价格的独裁者。要知道，这样的价格上涨并不一定意味着全球石油产量即将迎来高峰，并会在之后下降。

从1900年的约2×10^{7} t到1950年的5×10^{8} t，再到2000年的3.2×10^{9} t，尽管石油开采量大幅提升，但相比于半个世纪之前，过去10年中全球原油储备量与生产量的比值变得更高了。现在，石油开采比煤炭开采更为广泛：重要的产油国有将近30个，排名前5位的沙特阿拉伯、俄罗斯、美国、伊朗和墨西哥的开采量占全球总开采量的45%。原油大约占商用能源的40%，并为全球超过90%的交通运输方式提供燃料，而且所有飞机使用的能量都来自原油。如果没有那些造就了更轻便、更可靠和能量更高效的内燃机的许多技术进步，没有发明全新的原动机——燃气涡轮机，交通运输的能量需求还会高得多。

燃气涡轮机

燃气涡轮机简称“燃气轮机”，这种非凡的机器是在 20 世纪 30 年代由英国的弗兰克·惠特尔（Frank Whittle）和德国的汉斯·帕布斯特·冯·奥海因（Hans Pabst von Ohain）各自独立发明的，其最早应用于第二次世界大战结束前的军用飞机。燃气涡轮机的发展速度很快，1947 年 10 月 14 日便首次让飞机达到了超音速的飞行速度，之后不久便被用于以略低于音速的巡航速度（约 900 km/h）飞行的客机。1952 年，英国开创性地推出了“彗星型喷气式客机”，但由于机身设计错误，彗星型喷气式客机出现了多起死亡事故，并因此退出市场。但当这款客机重新推出时，却早已被 1956 年苏联推出的图 -104 客机和 1958 年美国推出的波音 707 客机所超越。1969年，宽体客机波音 747 完成首飞，后来这款飞机引发了洲际旅行的彻底变革，如今仍有数百架次的波音 747 飞机在服役，其中大都是改进过的波音 747–400。波音最成功的机型是其最新的波音 737 系列。波音 737 自 1967 年完成首飞以来，已经造出了大约 5 500 架，是目前为止最受欢迎的飞机。相较而言，英国和法国于 1969 年联合推出的不切实际的超音速协和式飞机却一点也不经济，而且噪声很大，仅限于少数航线使用。要展现第二次世界大战后商业飞行的扩展速度，最好的数据莫过于每年的全球旅客里程（p-km）总数：1950 年，全球旅客里程总数为 4×10^{10} km，到 2000 年时则已经超过了 3×10^{12} km，增长了 74 倍。

燃气涡轮机也有很多不同类型的固定式应用：它们是大型离心压缩机的首要动力选择，可用于推动管道中的天然气以及提供很多化学和冶金工艺所需的压力，并且燃气涡轮机还越来越多地在相对较小的分散设施中用于发电。随着技术的进步，这些机器的效率提升到了 40% 以上，而使用联合循环（使用已有的热气加热水来驱动更小型的汽轮机）时，燃气涡轮机是首类效率超过 60% 的能量转化设备。

---

21 世纪初，有关全球石油生产即将见顶和石油时代即将结束的观点很普遍，但这些观点往往过于悲观。尽管发现新的超巨型油田的可能性已经变得非常低，但中东、西伯利亚、中亚、非洲的部分地区以及墨西哥湾的更深水域还依然有发现储量较小但累积总量很大的油田的巨大潜力。此外，有的地方还沉积着大量非传统的石油，其中一些已经得到了商业开发，比如加拿大阿尔伯塔省的焦油砂和委内瑞拉的重油。因此，在未来几十年的时间里，全球文明的发展还会继续依靠原油，同时又会继续越来越多地使用天然气，因为天然气是所有碳氢化合物中最简单、最清洁的，也因此在许多方面都是最理想的能源选择。

在工业化时代之前的社会，历史文献中仅有一个使用天然气的记录：在中国内陆的四川省，人们燃烧天然气来蒸发盐水，这种做法在公元前200年左右的汉朝初期便已开始。天然气的主要成分是甲烷，此外还含有少量乙烷、丙烷、硫化氢和氮气，且通常与原油混合在同一油田中。在石油工业发展的最初几十年里，还没有长距离的高压管道，如果当地没有使用这种所谓的“伴生气”[①]的地方，那就只能白白烧掉。在非洲和中东一些生产碳氢化合物的地区，这种非常浪费的做法依然很常见；在夜间的卫星图像上，可以看到这些位置上有巨大明亮的光点，甚至与某些大城市发出的光一样明亮。

在整个西方世界，随着长距离天然气管道的发展，浪费这种宝贵资源的现象基本上已经消失了，天然气也已变成空间供热和很多工业过程的首要选择。通过管道泵送压缩天然气所消耗的能量比转移同等质量的原油所消耗的能量多，但天然气的质量之高足以证明长距离管道甚至某些成本高昂但相对较短的海底管道的合理性。美国是首个拥有广泛的天然气管道网络的国家，这些管道大都源自得克萨斯州、俄克拉何马州和墨西哥湾，但现在美国的天然气供应已经开始短缺，并开始从加拿大进口天然气以及从海外进口液化天然气。

现如今天然气在全世界商业一次能源的占比已近1/4。现有的最准确的数据表明：天然气的储量所含的能量仅略低于原油储

① 伴生气是指与石油共生的天然气。——编者注

量的能量。2005 年时，已探明原油储量的油当量[①]为 1.4×10^{11} t，而天然气的油当量为 1.3×10^{11} t，尽管从 1975 年到 2005 年天然气的开采量提升了 2 倍，但天然气的全球储产比[②]仍超过 60 年，而石油的储产比仅略多于 40 年。俄罗斯的天然气储量大约占全球已探明储量的 1/3，伊朗、卡塔尔和沙特阿拉伯紧随其后；中东地区的天然气储量全部加起来才能与俄罗斯媲美。因此，未来几十年我们将见证天然气在全球初级能源供应中份额的增长，而且也不可避免地会出现更多大型管道和天然气出口项目。

电能，清洁能源的首选

即使你不具备能够辨别不同能源的知识也能知道本节标题的正确性。只需按下或拨动一个开关，你就能让这种最便捷、最灵活且最有用的能量流动起来。电能无须存储，无须像液体一样倒入储存罐，无须像固体一样堆叠和铲入地下仓库或库房工棚，也无须点燃、添加燃料或照看、除灰或清洁管道。不仅如此，这种让人惊叹的能量形式不仅可用于空间内部的制热、制冷和照明，还能驱动电动机执行各种各样的任务。例如，电可让早产保温箱保护早产婴儿存活，也能让特殊机器在心脏搭桥手术中驱动血液循环，又能通过离心运动分离牛奶中的奶油，还能将列车的时速提高到 300 km/h 以上。

---

① 油当量是按标准油的热当量值计算各种能源量时所用的综合换算指标，也称“标准油”，1 kg 油当量的热值为 41.86 MJ。——译者注

② 储产比是指不可再生资源的剩余量，用时间表示。——译者注

电的优点还有很多：电在使用时没有噪音，而且是无菌级的清洁（但下面很快就会介绍大型发电站带来的污染），可以即开即用；技术发展已让电力成本下降到了只占普通人收入的很少一部分；我们可以通过无可比拟的精度控制电流以满足各种工业、运输和家庭使用过程的需要。电能不仅可以转化为热能和动能（前者的效率可达100%，后者的效率在使用大型电动机时可超过90%），还能转化为光能和化学能。在现代经济中，唯一一个没有使用电能的主要行业是航空运输，不过2001年时已经出现了一架电力驱动的小型实验性飞机，其螺旋桨在光伏电力驱动下飞到了29 km的高度，打破了飞行物体飞行高度的世界纪录。另外，由于电可以产生超过任何燃料燃烧的温度，因此非常适合冶金和其他高温工艺过程。

要证明电的重要性，最好的方法莫过于两个简单的思想实验：列出你需要依靠电才能完成的日常任务和行动，或写下如果没有电，现代社会就不会有的物体、工具、机器、服务或工艺。即使仅限于房屋之内，经过第二个思想实验之后，就只剩下了因为没有电灯而糟糕的房间照明（点着不断流蜡的蜡烛、难闻的煤油或煤气）、因为不易冷藏而变质的食物、因为没有电梯而只能选择费力地步行上楼；只能用手来费劲地洗衣服和熨衣服。当然，也没有电话与其他任何电子产品，如收音机、立体声音响、电视或DVD播放器，也没有互联网。如果你在奶牛场工作，你将面临无休止的体力劳动，比如叉干草、切碎和磨碎饲料、抽水并将水倒入饮水槽中，以及给奶牛挤奶。在应用电之前的蒸汽驱动的工厂里，你工作地方的头顶上将塞满铁制或钢制的主传动轴，它们通过皮带与平行的副传动轴相连，进而为各台机器提供动力。这样的动力配送路径非常复杂，一旦有任何地方出错，比如锅炉泄漏、传动轴损坏、皮带打滑，都会使整套装置停摆。而且很不方便的是，就算只需要少数几台机器，也需要将整套装置运行起来。这套装置有如此之多的皮带传动装置，因此绝不可能实现精准的速度调节，还会发出嘈杂的噪声，而且非常危险。电动机可以替代传动轴和皮带来驱动各台机器，这能带来精准的控制，也无须再运行整套装置，而且天花板可以保持干净整洁——既可以让自然光透进来，也可以使用电力照明。

1882年，爱迪生在伦敦霍尔邦高架桥附近和纽约珍珠街靠近该城市金融区的地方，建成了世界上最早的两个小型燃煤发电厂。随着蒸汽涡轮机、变压器、直流电与交流电转化技术和高压输电等几项关键发明的组合，以及持续不断的创新和效率的提升，发电厂的装机容量得到迅速增长。现在，使用化石燃料生产的电量占全球总电量的63%，整个发电过程的最高效率约为40%。

热力发电厂①

不管使用何种燃料，热力发电厂一般都使用了锅炉和

① 热力发电厂也常被称为“火力发电厂”，但这种称谓并不准确，因为其也包括核能发电厂，而核能发电使用的是裂变而非燃烧来获取发电所需的热能。——译者注

涡轮发电机的配置。锅炉是一种大型舱室，内壁上排布着钢管，而这些钢管中充满了已去除矿物质并加压的水，这些水经燃料燃烧加热后注入舱室，然后与经过预热的空气混合。燃烧所释放的热能中，大约 10% 会通过一根高大的烟囱散失掉，同时不可燃的颗粒物（灰）和燃烧生成的气体（主要是水蒸气、二氧化碳、硫氧化物和氮氧化物）也会被带走（见图 4-4）。锅炉产生的蒸汽的温度超过 550 ℃，这些蒸汽会被引导至一个涡轮机，然后气体膨胀后推动涡轮机叶片旋转，带动发电机在磁场中转动而产生交流电。1900 年，使用化石燃料作为能量来源的涡轮发电机的容量为 1 MW，20 世纪 70 年代增长到了 1.5 GW，但之后这类涡轮发电机的容量就停止增长了。

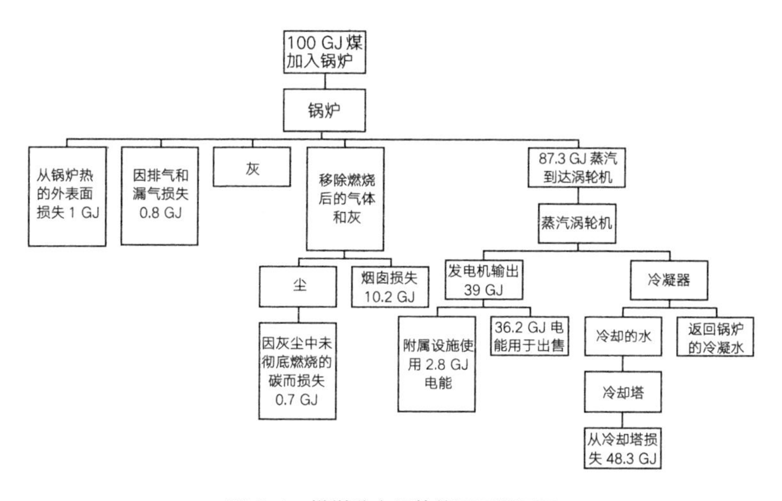

图 4-4　燃煤发电厂的能量平衡图示

蒸汽会在离开涡轮机最后一个（低压）阶段之前在冷凝器的真空舱中冷凝，这是发电过程中热能损失最多的一个步骤，差不多是从烟囱损失的热能的 5 倍。冷凝的水经过预热后会回到锅炉，在冷凝蒸汽时被加热的水会被释放到一条河流或其他水体中，同时新的冷水会被泵入进来，但由于这样放水会导致下游水温升高，进而威胁某些水生生物，但也会使一些水生生物受益，因此现在即使位于水资源充足地区的发电厂也会将冷凝器释放的水冷却后再回收使用。除了高大的烟囱，让你能够在远处辨认出热力发电厂的标志就是由混凝土构成的巨型冷却塔。

燃煤发电厂还必须有较大的现场燃料储备、将煤粉碎成直径小于 0.3 mm 的颗粒的磨粉机（以便将煤粉吹入锅炉）以及连接在烟囱上的笨重的能够清除绝大多数最细小的颗粒物的粉煤灰除尘器。很多燃煤发电厂还有脱硫装置、相关的石灰石制备设施和硫酸盐浆存储池。这些设施通常会消耗发电站发电量的 2% ~ 4%，如此种种导致发电厂的最终热效率仅有 40%。

电能的两大源头

全球电力中有略多于 1/3 的电力不是来自燃烧化石燃料，这些电能的转化来源各有不同，其中最主要的是下落的水的动能和最重的稳定元素的同位素裂变产生的热能。

第一种发电方式分布很广泛，包含数以千计的水坝和水力发电厂。2005 年，全球大约 18% 的电能来自水力发电。而核能发电厂就要少得多了，全球仅有大约 30 个国家拥有核能发电厂，共拥有大约 450 座核反应堆，但它们生产的电能总和占全球总发电量的 16% 左右。虽然由地热能、风能和光伏能源转化而来的电力占全球总发电量的比例很低，但其在这些发电厂所在地却都很重要，其中来自后两种能源的电能增长速度非常快。相较而言，潮汐和海浪发电等一些经过实验测试的新型发电方式以及太空光伏发电甚至月面光伏发电等前瞻性的发电技术，在未来几十年内都不太可能提供太多的电能。

利用水体下落来发电的历史在 19 世纪 80 年代初便已开始，几乎和蒸汽发电的历史一样久远。20 世纪 30 年代，由国家支持的大型水电站建设开始兴起，美国和苏联都有重大项目。在苏联，水电站的发展建设得益于列宁的名言：“共产主义等于苏维埃政权加全国电气化。”美国的标志性项目包括靠近拉斯维加斯的科罗拉多州胡佛水坝，该水坝竣工于 1936 年，以及哥伦比亚河上的大古力水坝，这是北美大陆上最大的水电站，其装机容量为 6.81 GW，自 1941 年开始全面投入运营。因为欧洲和北美可建造大型水电项目的位置已经用尽，所以水坝建造已经转向了亚洲、拉丁美洲和非洲。21 世纪初期，还没有任何水电项目的就只有那些位于亚热带最干旱地区的国家了。世界上接近 70 个国家超过一半的电能都来自水力发电。中国、加拿大、美国、巴西、俄罗斯和挪威的水电生产量超过全球水电生产总量的一半。

水电大坝建造纪录包括：高度纪录为 335 m（塔吉克斯坦瓦赫什河上的罗贡坝），水域面积的纪录为 8 730 km^2（加纳伏尔塔河上的阿科松博大坝，面积几乎和黎巴嫩国土面积一样大），装机容量的纪录为 12.6 GW（巴西和巴拉圭之间巴拉那河上的伊泰普大坝）。

核能发电的起源是第二次世界大战前物理学的发展以及战争时期对裂变炸弹的研究。1938 年 12 月，德国的奥托·哈恩（Otto Hahn）和弗里茨·斯特拉斯曼（Fritz Strassman）使用慢速中子对铀进行辐照，然后发现之前实验形成的是铀的其他同位素而非超铀元素[①]，核裂变的可能性也由此首次得到了证明。1942 年 12 月 2 日，芝加哥大学发现了首个持续性链式反应。1945 年 7 月 16 日，首个裂变炸弹在美国新墨西哥州阿拉莫戈多沙漠完成测试。1945 年 8 月 6 日和 9 日，美国向日本投下的两颗原子弹，一颗 12 500 t TNT 当量的铀弹和一颗 22 000 t TNT 当量的钚弹，分别摧毁了广岛和长崎这两座城市，并分别直接造成约 11.9 万和 7 万人死亡。

第二次世界大战后，海曼·里科弗（Hyman Rickover）开始坚定地推动核动力潜艇的建造，也由此开启了核能发电之路。1954 年 1 月，美国首艘核动力潜艇“鹦鹉螺号”（Nautilus）下水，成为美国三位一体核战略的首个关键组成部分，另外两个分

① 超铀元素是指原子序数在 92（铀）以上的重元素，皆具有放射性。——译者注

别是长距离轰炸机和陆基导弹。两年之后，在宾夕法尼亚州希平港，一个几乎完全一样的压水反应堆（PWR）在美国第一座核能发电站开始投入运营。压水反应堆会间接地产生蒸汽，并使用两个回路来尽可能地减少释放放射性物质的可能性。反应堆的整个堆芯都要浸没在高压容器内的水中，在第一个回路中，加压的水会流过反应堆的堆芯，将热能从燃料棒上带走——这种燃料棒是由抗腐蚀的锆钢制成的管子，其填充物为浓缩的二氧化铀颗粒。这些热能会被带至一组蒸汽发生器，这基本上就是一组热交换器，相当于利用火力发电的锅炉。在第二个回路中，产生的蒸汽会被引导至涡轮发电机，然后经过冷凝的水又会回到蒸汽发生器。使用超过 13 兆帕的高压可以设计出紧凑型的反应堆，并可将反应堆和蒸汽发生器都封闭在坚固的安全壳结构内。

相比之下，于 1956 年 10 月投入使用的世界上首个商业核电站卡德霍尔核电站拉开了英国核反应堆的建造大幕。这种反应堆采用了加压的二氧化碳进行冷却，而且其燃料棒用镁合金进行包裹，因此被称为“镁诺克斯型反应堆”。加拿大则采用了另一种反应堆设计：燃料是自然铀，冷却剂是重水（氧化氘）。核电站起步较慢，但在之后的 1965—1975 年，20 多个国家陆续建造了许多新的核电站，当时，人们普遍预期核聚变将在 20 世纪末之前主导世界电力供应。

在 1973—1974 年 OPEC 首轮提升油价之后，这些预期得到了进一步的强化，但核电站的缺点也很快显露出来：成本超支、施工延误、安全问题（1979 年美国宾夕法尼亚州的三哩岛核泄漏事故更是加剧了这一担忧）、缺乏永久存储放射性废料的方法（所有国家都是将其存储在临时设施中）。另外，1975 年之后，人们对新电能的需求下降了。这些因素组合起来，先是减缓了西方世界进一步发展核能的进程，后来甚至直接终止了核能在西方世界的发展，只有法国是唯一的例外。1999 年，法国最后一座核电站在西沃建成，其雄心勃勃的核电发展计划基于西屋电气公司的压水反应堆设计，并且具备多种标准尺寸型号。如今，法国大约 77% 的电能都来自核电站。

西方国家的核反应堆外面都包裹着安全壳并且都有非常严格的操作流程，即使发生事故，泄漏的辐射也比不上乌克兰那无安全壳且管理不慎的切尔诺贝利核反应堆①。1986 年 4 月 26 日，切尔诺贝利核反应堆的堆芯熔毁，后来严重影响了乌克兰和白俄罗斯大片地区的环境和居民的健康，这一事件使得将裂变发展成未来的一大主要能源的愿景化为泡影。即便如此，自 20 世纪 60 年代后期以来建成的核电站为很多发达国家供应了大量的电能：在世界主要经济体中，日本仅次于法国，其电力供应中大约 26% 来自裂变反应堆，英国和美国的这一份额分别为 24% 和 20%。当然，还存在其他一些发电形式，但到目前为止其他方式产生的电能所占比重还非常小。

① 这个说法有点绝对。切尔诺贝利核电厂事故是首起在国际核事件分级中被评定为 7 级的特大事故，2011 年 3 月 11 日发生于日本福岛县的福岛第一核电站事故则是又一起 7 级特大事故。——译者注

地热发电、风力发电和光伏发电

很多国家曾利用过地热田。意大利的拉德瑞罗在1902年建成了首个地热发电站，新西兰的怀拉基地热发电站自1958年以来就一直在运营，美国加利福尼亚州的盖瑟尔斯地热发电站也在1960年开始运营，墨西哥、印度尼西亚和菲律宾也有地热发电站。美国的地热发电站装机容量最高，其次是菲律宾和意大利，但全球总装机容量甚至还没达到10 GW。

尽管地热发电站的装机容量增长速度缓慢，但自20世纪90年代中期以来，风力发电的装机容量实现了指数级的增长：1999年全球总装机容量为14 GW，到2005年时已经达到了70 GW以上（见图4-5）。

一些欧洲国家尤其是丹麦、德国和西班牙是这一快速增长的引领者——这些国家为风电采用了保证性的固定定价，并采用了改进型的涡轮机设计（带有针对低风速优化过的叶片）以及更大尺寸的涡轮机：最大型的风力涡轮机的容量已从20世纪80年代早期的50 kW增长到了2000年的1 MW以上，且高达5 MW的风力涡轮机正在开发当中。

欧洲最新近的创新是在浅海水域建造大型海上风电场。此外，许多欧洲国家都制订了雄心勃勃的计划，要大力提升风电产能。

美国的风力发电大都集中在加利福尼亚州沿海多风的地区，不过目前来看，美国从得克萨斯州到北达科他州的大平原才是最有发展风电潜力的地区。

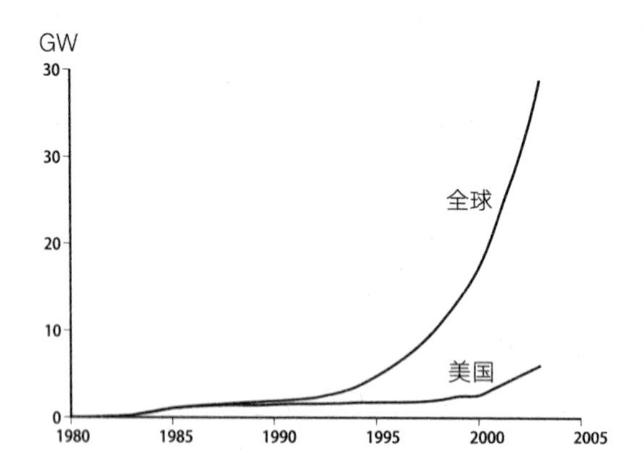

图 4-5　全球和美国的风力发电装机容量增长曲线

光伏发电是使用光伏发电设备直接将太阳辐射转化为电能，但相比于风力发电和地热发电，光伏发电的装机容量仍然微不足道，全球光伏电池在最佳条件下用最大生产率计算得到的峰值容量甚至还不足 1 GW（见图 4-6）。

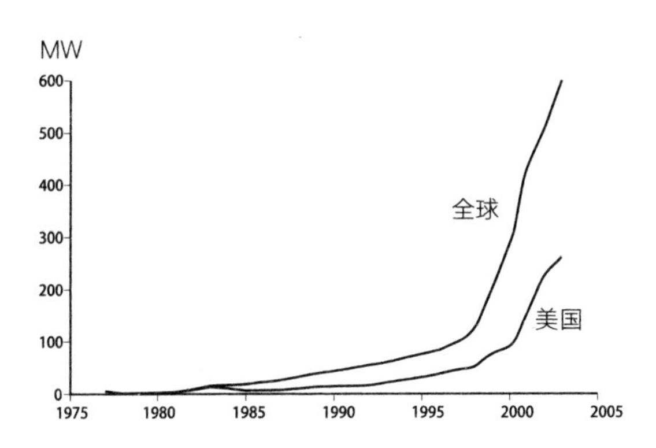

图 4-6 全球和美国出货的光伏电池的容量增长曲线

能量与环境

化石燃料的开采、运输、加工和燃烧以及发电和输电都对环境产生了巨大的影响，这些影响既有局部的，也有全球的；既有短期内的环境恶化，也有长期持续的不利影响。地下和露天采煤以及碳氢化合物的运输和加工会造成局部环境恶化，比如破坏地下水位，引起地面沉降，排放煤矿的酸性污水，原油从油轮、管道和储油罐中漏出，炼油厂发生事故等。这些环境恶化可能导致非常严重而且有时持续时间很长的影响。但是 20 世纪后半叶，由于全球对化石燃料的需求的不断增长，一类更令人担忧的环境问题出现了，这不仅影响了整座城市和工业区（比如光化学烟雾），甚至还影响了大片大陆（比如欧洲中西部与北美洲东部的酸雨），乃至对全球都产生了深远影响，其中，最明显的例子莫过于全球变暖。

不受控制地燃烧化石燃料会释放出空气污染物，其中包括微小的碳颗粒和不可燃物质以及有毒气体。著名的英国伦敦烟雾便是由颗粒物和二氧化硫结合到一起形成的，在 1952 年 12 月最严重的时候，甚至有超过 4 000 人因此而死亡。在所有西方国家，家庭用煤已完全被更清洁的能源所替代，静电除尘器也已在工业用煤方面得到了广泛的使用，加上使用低硫燃料以及逐步采用烟道气脱硫流程，已经不再有雾霾了。相反，现在全世界范围内的主要城市经常会出现光化学烟雾，这是由氮氧化物、碳氢化合物和一氧化碳在大气中发生链式化学反应所产生的。

主要空气污染物

颗粒物（PM）包括所有直径小于 500 μm 的固体或液体气溶胶。肉眼可分辨的直径较大的颗粒物包括粉煤灰、金属碎屑、灰尘和烟灰，它们来自家用炉灶、工业和发电厂锅炉的不受控制的燃烧。因为这些颗粒物直径较大，因此会很快沉降下来，通常不会被人吸入体内。相比之下，直径低于 10 μm 的气溶胶可被吸入体内，而那些直径为 2.5 μm 或更小的气溶胶（细颗粒物，也称 PM2.5）甚至可被吸入肺的深处，这是慢性呼吸道疾病高发的原因。细颗粒物可以在空中悬浮很长时间，甚至可以漂洋过海。1991 年 2 月，伊拉克轰炸了科威特的油井，仅仅一周之后，大火产生的颗粒物就飘到了夏威夷。

二氧化硫（SO_2）是一种无色有刺激性气味的有毒气体，是由燃料中含有的硫氧化而生成的，其中煤和原油的硫含量通常为总质量的 1% ~ 2%，汽油和天然气中的硫相对较少。在燃煤发电厂和内燃机中燃烧时，在温度很高的地方大气中的氮气分子（N_2）会发生分解，生成的氮原子会与氧气结合生成氮氧化物（NO 和 NO_2，通常记为 NO_x）。当燃料没有完全燃烧或部分燃料挥发出来时，会排放出碳氢化合物，这种问题在石油产品的加工、分配运送和销售过程中是比较常见的。

燃料燃烧不充分时还会产生一氧化碳，这种气体无色无味，会在汽车以及割草机和链锯等各种机器的内燃机以及焖烧的煤层或垃圾堆中产生。在阳光的照射下，氮氧化物、碳氢化合物和一氧化碳组合到一起时会引发一系列反应，进而产生光化学烟雾。光化学烟雾的首要特征是使能见度显著下降。最终，这些反应会生成高浓度的臭氧和其他化学活性较强的气体，进而引发各种健康问题，比如眼睛刺痛、过敏和呼吸道疾病恶化。另外，这些气体还会损害农作物、树木和某些材料，比如橡胶、塑料、纺织品。

化石燃料燃烧产生的硫氧化物和氮氧化物会逐渐被氧化，然后生成大气硫酸盐和硝酸盐，这会使得降水的酸度降至正常水

平[1]以下，形成酸雨和酸雾。如果这些污染物是由房屋和低矮烟囱在近地面排放的，那么酸雨就只会影响当地的环境。然而，大型燃煤发电厂则大都带有非常高的烟囱，特别是在20世纪50年代以后，大型燃煤发电厂迅速增多，它们排放的污染物可被风带到1 000km之外，酸雨也因此开始影响离排放源很远的地区。自20世纪60年代末以来，包括斯堪的纳维亚南部、荷兰、德国、波兰和捷克共和国在内的欧洲部分地区经历了多次的酸雨事件。自20世纪70年代末以来，美国东部1/3的地区及相邻的加拿大地区也常发生酸雨事件。酸雨会危害敏感的鱼类和两栖类动物、滤出土壤中的碱性元素、将铝和重金属从土壤中释放出来、对针叶林的生长产生急性和慢性影响。此外，酸雨还会腐蚀裸露的钢结构以及损坏石材（尤其是石灰石）、油漆和塑料。

幸运的是，由于使用了更清洁的燃料如天然气和低硫煤，以及许多大型燃煤发电厂应用商业脱硫工艺，人们之前对酸雨可能导致环境不断恶化的担忧并没有成为现实。这些措施造成的结果是：在20世纪的最后20年里，欧洲、美国、加拿大和日本的硫氧化物排放量已经降低了；另一项成功的重大控制措施是为汽车发动机引入了三元催化转化器[2]，从而极大减少了汽车尾气中

---

① 降水的正常pH值为5.6，呈弱酸性，这是由大气中一直存在的二氧化碳所决定的。

② 三元催化转化器是安装在汽车排气系统中最重要的机外净化装置，含有铂、钯及铑等贵金属催化剂，可将汽车尾气排出的一氧化碳、碳氢化合物和氮氧化物等有害气体通过氧化和还原作用转变为无害的二氧化碳、水和氮气。——译者注

的光化学烟雾的三种前体反应物的含量。三元催化转化器最早于 20 世纪 70 年代早期在美国得到应用。相比于控制之前的水平，这些装置可将碳氢化合物和一氧化碳的比排放量（specific emission）[1] 降低 95% 以上，可将氮氧化物的比排放量降低约 90%，而且这些装置还会得到进一步提升。

与世界能源需求直接或间接相关的其他环境问题还有很多，其中有些问题已经通过技术手段得到解决，比如亚洲和非洲的一些农村地区会在不通风或通风不足的室内燃烧木材和农作物废料，进而导致严重呼吸系统疾病的发病率提高，而通过使用更好的炉灶以及采用现代燃料，这样的问题可以得到解决。然而有些问题却没有很好的解决方案，比如，水库过度淤塞而阻挡了用于发电的水。有些问题则听起来幽默滑稽，比如，有人反对建造大型风力发电机组的原因是它们有碍观瞻。还有一些问题并不是因为缺乏技术手段而导致的，而是由于公共决策过程越来越无力提出及时且有效的政策，比如，所有具备大量核能发电能力的国家都一直没能力提出安全的长期（数千年时间）存放放射性废料的解决方案，但实际上我们具备存储这些废料的技术。

但是，这些难题都还比不上由人类活动引起的温室气体排放的持续增长而导致的全球快速变暖问题。解决这个问题不仅技术难度更大，而且潜在成本也非常高。这个棘手问题产生的原因不

① 比排放量是指每单位交通运输量所对应的污染物排放量，单位为 g/km。——译者注

只是能源消耗，还因为化石燃料燃烧是二氧化碳的最大来源，这是目前人类活动引起的温室气体排放中最主要的部分。1910 年之前，由人类活动所导致的二氧化碳的主要来源是人为改变土地用途，其中最主要的是将森林和草原开垦为农田，破坏植被以建造新的城市、工厂、交通运输线路或水库，以及采挖新的矿场。到 21 世纪初，这些人为的土地用途改变（其中最突出的是砍伐热带森林）每年都会持续释放大约 5×10^9 t 二氧化碳，但化石燃料燃烧所释放的二氧化碳是这一数字的 5 倍，由此导致的后果是，21 世纪初大气中的二氧化碳浓度大约比工业化时代前高 40%。到 21 世纪末，大气中二氧化碳浓度水平还可能再增高 40% ～ 50%。

二氧化碳浓度与其他温室气体

我们可以非常精确地重建过去近 100 万年的大气中的二氧化碳浓度水平数据，但这需要用到一种精妙的技术：通过钻入南极和格陵兰冰川的冰层深处，分析其中保存的微小气泡。分析结果表明，在工业文明之前的 5 000 年时间里，大气中的二氧化碳浓度都只是在 250 ～ 290 ppm[①] 的狭窄范围内波动。1850 年，大气中的二氧化碳浓度为 280 ppm，到 1958 年时，大气中的二氧化碳浓度已增至

① ppm 是指百万分比（parts per million），即在 100 万份单位中所占的比例。250 ～ 290 ppm 就等于 0.025% ～ 0.029%。——译者注

320 ppm——在这一年，美国在夏威夷莫纳罗亚岛和南极点的两个观测站首次系统性地测定了大气中的二氧化碳浓度（见图 4-7）。2004 年，作为地球上不断上升的二氧化碳浓度水平的标准指示数据，莫纳罗亚观测站的读数首次超过了 380 ppm[①]。

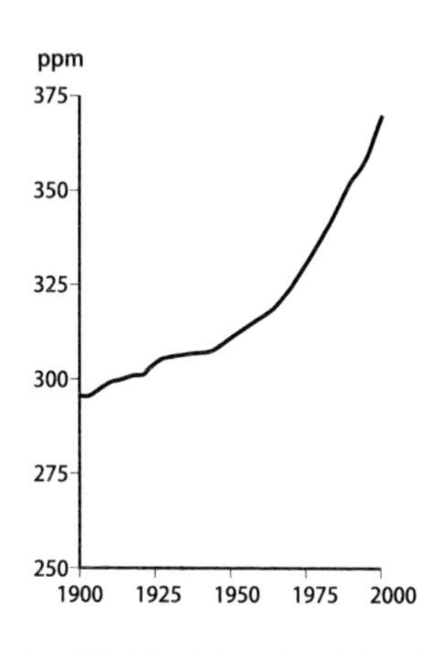

图 4-7 20 世纪大气中的二氧化碳浓度的变化趋势

尽管二氧化碳依然是人类活动所产生的温室气体中最主要的一员，但其对可能的全球变暖的影响却一直在下降，同时人类活动产生的其他温室气体对环境的影响则在上升。甲烷（CH_4）的来源包括天然气井、管道和煤矿泄漏，垃圾填埋场和稻田释放以及反刍动物消化饲料时产生

① 2019 年 10 月，该观测站的大气中的二氧化碳浓度读数已接近 412 ppm，并且还在继续上升。——译者注

（量相当大）。一氧化二氮（N_2O）会从细菌介导的氮肥转化，也会在工业以及化石燃料燃烧过程中产生。臭氧是光化学烟雾的一大主要成分，氟氯烃（CFC）在 20 世纪 80 年代后期在国际协议禁用之前已经从冰箱、空调和工业过程中逸出了许多。所有这些气体在大气中的浓度都远低于二氧化碳，但它们吸收向外射出的红外辐射的能力相对却要强得多。由此导致的后果是，这些气体现在所导致的变暖效应差不多刚好占全球变暖总效应的一半——接近 3 W/m^2。

换算过来，这些温室气体导致的变暖效应所占比例不到抵达地球表面的太阳辐射的 2%，而且在 2100 年之前，温室气体水平的持续增长还将把全球平均地表温度提升 1.4 ℃～5.8 ℃，具体情况取决于未来化石燃料消耗的速度，其他温室气体的产生情况以及大气、海洋和生物圈的复杂反馈。这样的升温速度超过过去 100 万年的生物圈演化过程中所历经过的任何温度上升。这一问题可能会对环境、人类的健康、经济和政治产生很多影响，对这些影响的最详尽的调查研究可见于政府间气候变化专门委员会（IPCC）发布于 1990 年、1995 年和 2001 年的报告。

更高的大气二氧化碳浓度水平可以提升农业使用水的效率、提升很多常见农作物的产量，并让某些气候区变得更加宜居；由于全球变暖的影响在空间上的分布并不均匀——高纬度地区所感

受到的变暖效果会显著得多，因此，一些国家和地区在整体上会从中获益，另一些国家则可能遭受严重影响。更高的平均温度将提升极端高温天气的强度和持续时间，随之而来的是健康问题、火灾风险以及对空调的更高需求，长远来看，这会导致生态系统边界（更高纬度地区将可能长出森林）和某些热带疾病显著地向两极方向转移。更高的平均温度还将加快水循环的速度，这会导致整体降水量增长，但在某些地方迎来更加无规律的降雨的同时，另一些地方却将变得更加干旱。山地冰川的融化将影响河流的流量、供水和水力发电，而且即使平均海平面仅略微提高一点（主要由水体的热膨胀所致，但到 2100 年也不会超过 50 cm），也会危及低海拔的沿海地区，进而使很多太平洋岛屿变得不再适宜居住。

减少国家能源消耗或广泛提升能量转化效率都可以大幅降低未来温室气体排放的增长速度，只是希望不大，因此，人们对二氧化碳封存技术的兴趣日益增长，而且一些实验项目已经证明了某些方法的可行性，尤其是将二氧化碳泵送到废弃的石油或天然气储层中。2019 年，全球化石燃料燃烧产生的二氧化碳年排放量为 3.68×10^{10} t，但其中仅有非常少的一部分来自燃煤发电厂和精炼厂，而这些发电厂和精炼厂一般位于油气田、废弃的深井煤矿或其他适合安置二氧化碳的地下深层结构附近。即使用这种方法仅封存一半新产生的二氧化碳，运输和封存成本从理论上算也非常高，显然难以使用这种方法来收集汽车等移动式来源释放的二氧化碳。

另一种封存二氧化碳的方法更加不现实，即将铁元素投放到海水中来刺激浮游植物生长，当植物体死亡并沉入海底之后，大气中的碳便被移除了。尽管这种方法已经小规模地在外海经过了测试，但绝不应被视为一种现实的长期解决方案。毫无疑问，铁元素的富集所带来的肥化作用的持续时间必然很短，因为散播的铁元素很快就会下沉到阳光无法触及的深海中，那里根本不可能发生光合作用。此外，这种方案必须借助船队跨越大片海域去播散这种微量元素，而且在世界很多海域中，限制浮游植物光合作用的其实是氮或磷，而不是铁。

ENERGY

5

日常生活中的能量：从膳食到电子邮件

我们的日常生活中唯一必需的能量输入是什么？

家庭的能量来源是什么？商品有能量吗？

现代交通运输模式的能量需求是什么？

膳食是我们日常生活中唯一必需的能量输入。有些人的食物需求仅略高于最低限度，这些需求由他们的 BMR（基础代谢率）和维持个人卫生所需的少量能量组成，居家的老人和冥想的印度苦行僧就是很好的例子。而一般人进食的能量则远远超过基本代谢和必要活动所需的量，如果人们进食的能量刚好只够进行必要的活动并且没有明显的剩余，那么他们就会营养不良。只要人们进食的能量超过了维持身体生计的基本需求，膳食结构就会向多样化转变，并且转变的趋势有一些惊人的一致性。我们将在本章的第一节介绍这些转变以及它们所导致的一些后果。

第二节我们将讨论在家庭中使用的能源：我们是如何通过燃烧燃料来保持温暖或凉爽，又是如何使用电力来延长白天的时间、为家用电器供能以及驱动仍在不断增多的电子设备的，比如从加热食物到存储和播放音乐等各种各样用途的设备。在全球范围内，家庭能耗在全球总体能耗中所占的比例越来越高，同时几乎所有这些不同设备的能量转化效率都在稳步提升，这当然是人们喜闻乐见的趋势。我将详细介绍其中一些令人瞩目的成就，然后通过简单说明新型电子设备的电力需求的方式来结束这一节。

第三节会介绍现代交通运输模式的能量需求。现代文明最明显的特征之一是移动出行能力的大幅提升，有很多指标能说明人们的整体生活水平提高了，其中最明显的表现莫过于拥有汽车。在一些新兴国家，拥有汽车早已不再是少数人的特权，而且很多发展中国家购买汽车的速度超过发达国家在同等经济发展水平时的情况。因此，乘用车的能量使用量值得特别关注，但更具革命性的发展是飞行，这种曾经非同寻常的体验已经变成了人们习以为常的生活方式。飞行极大地增强了人们的出行能力，几乎每一个可以接收大型商业客机的机场现在都可以发出在不到 24 小时的飞行时间之内抵达全世界任意其他同等规模机场的飞机，其中许多可以直接抵达，有些则需要中转换机：由于抵达和起飞之间的时间差以及有些机场之间没有航班连接，换机所需的时间可能会相对较长。值得注意的是，相比于许多现代的驾驶模式，速度接近音速的洲际航行的能量成本其实相对较低。

第四节我们将谈谈日常生活中会遇到的能量和现实情况。一方面，从在电视上观看卡纳维拉尔角的火箭发射，到观看沿城市高速公路行驶的多车道车流，再到走过灯火通明的房屋……无论是壮观恢宏还是稀松平常，我们很多的日常体验都涉及不断流动的大规模能量。另一方面，当人们购买一个塑料篮子、丢弃一片铝箔或安装新楼梯时，很少有人会想到能量的流动，但我们周围的物体不仅有质量，还有独特的外形、功能或情感价值，它们的生产过程还需要燃料和电的能量转化，因此它们都含有一定量的能量。如果你是一位细心的购物者，你就能从它们的价格大致了解生产它们所需的能量，我也将介绍一些商品的能量成本。

最后一节要介绍的也是隐藏在日常生活背后或至少在很大程度上被我们忽视的现实，当你为房屋供暖、启动汽车或乘飞机去度假时，你所依赖的能量不仅是来自另一个国家，更是来自另一个大洲。类似地，当你拨动电灯开关、演奏莫扎特协奏曲或发送电子邮件时，执行这些任务的电子系统很有可能位于另一个国家，你使用的电很有可能来自进口燃料的燃烧。我们也许并不需要从亚洲进口烤面包机或玩具，但全世界的大多数人的日常生活都离不开错综复杂且越来越国际化的能源贸易。

食物摄入：能量的延续与转变

人类能量学的基本原理受限于异养代谢机制的必然特性，我们必须为我们的机体提供足够的能量，另外我们还需要食物能量来生长和修复组织，不仅如此，为了过上健康的生活，我们还需要有体力活动或娱乐活动，根据这些活动的持续时间和强度，我们的日常膳食可能需要少量补充，也可能需要大量补充。除了这些必然特性之外，几乎一切都已改变，不仅不同于工业时代之前传统的大规模农业环境，而且也与现代的工业化城市世界早期不同。膳食结构的转变已经极大地改变了我们日常饮食的组成，机械化和农用化学品的应用极大提升了食物产量，面向大众市场的社会经济变迁和食物加工也带来了新的膳食习惯。

在向现代社会、工业社会和后工业社会转变的城市社会中，所有人群都出现了膳食结构转变的现象，例如，图 5-1 中所示的中国人的膳食结构变迁。这些转变具有一些共同的特征，在零售层面上反映食物供应情况的国家食物平衡表①能够说明这种转变的程度。一般而言，随着收入提高，人均可获得食物量也会提升，在全世界营养不良最严重的人群中，每人的日均能量摄入不足 2 000 kcal；在仅有少量食物安全余量的社会中，每人的日均能量摄入约为 2 500 kcal；欧洲、北美和澳大利亚的数据则远高于 3 000 kcal。值得注意的是，欧洲的最高能量摄入水平超过每天 3 600 kcal，而这不仅见于丹麦和比利时等发达的欧洲北部国家，希腊的情况也是如此，而英国、西班牙和法国的平均能量摄入水平大约为每天 3 300 kcal。在发达国家中，唯一一个低于平均水平的国家是日本，大约为人均摄入能量每天 2 800 kcal。

但要搞清楚人们究竟吃下了多少食物却没那么容易，通过膳食回顾调查或家庭食物开支调查都无法得到准确的结果。为了测试膳食回顾法的可靠性，你可以试着列出过去 3 天内你吃过的所有食物及其大概的量，然后将这些量换算为相对准确的能量值。除非你能够非常详细地记录，否则家庭在食物方面的开支无法提

① 食物平衡表反映了一定时期一个国家食物供给的综合情况，它显示出一种食物的供给来源和使用情况，这些食物包括初级农产品和许多可被人类用来消费的加工品。——译者注

供任何有关所购食物的实际成分、厨房垃圾的成分或家庭进食食物量的有用信息，更别说总体能量含量了。

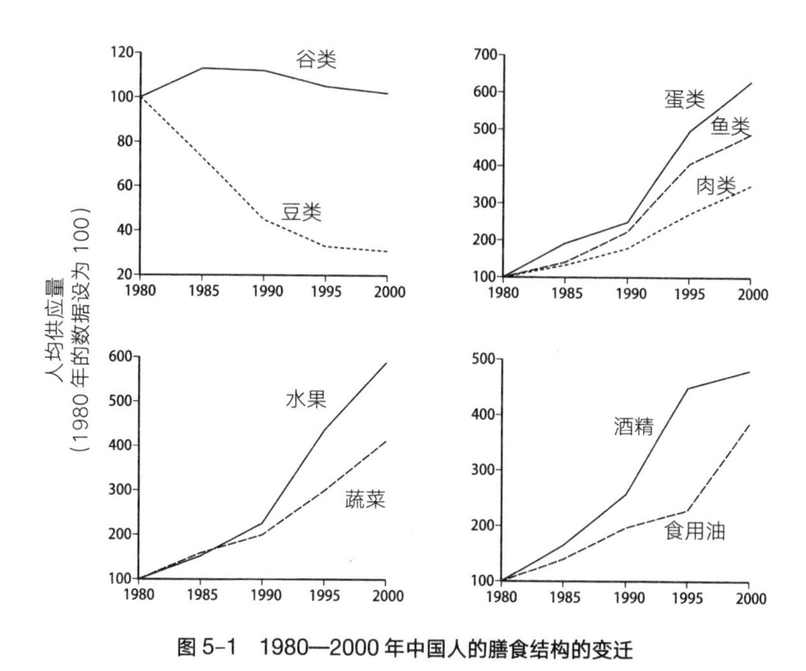

图 5-1　1980—2000 年中国人的膳食结构的变迁

来自各种不同的食物消费量调查中最好的证据表明，发达国家每人每天的实际能量摄入量约为 2 000 kcal，其中成年女性的平均值低至每日 1 700 kcal，成年男性的每日平均值大约为 2 500 kcal。如果这些数据是正确的，那就意味着这些国家每人每天都会浪费 1 000 kcal ～ 1 600 kcal，差不多是他们每日食物能量供应量的 40% ～ 50%。但是所报告的食物摄入量可能低估了真实的进食量，富裕国家的肥胖率高得离奇并且还在不断升高，尤其是北美地区，1/3 的人身体肥胖，另外还有 1/3 的人体重超重。能解释这种肥胖率畸高的原因只能是能量需求与能量供应的持续失衡，当然运动量不足也是一大主要原因。膳食结构转变的第二个关键特征是基本常量营养素的相对贡献和绝对贡献都发生了重大转变。

膳食结构的变迁

膳食结构变化主要体现在碳水化合物主食占比的普遍下降，比如包括大米、小麦、玉米和小米在内的谷物以及包括白薯、甘薯和木薯在内的块茎。在发达国家，人们现在的碳水化合物摄入量平均仅占每日能量总摄入量的 20% ～ 30%，仅为传统水平的 1/3 或 1/2。在欧洲，这一趋势表现为欧洲大陆传统的主食面包消费量的下降，例如，法国每日人均面包摄入量从 1880 年的 600 g 降到了 20 世纪 90 年代末的 160 g，降幅为 75%。在亚洲，日本的大米消费量在第二次世界大战之后的两代人时间里降低了一半以上，到 2000 年时已降至每人年均 60 kg 以下，使其变成了一种可选食物而非主食。在韩国和 20 世纪 80 年代中期之后的中国，人们的大米摄入量都发生过类似的快速下降的情况，这种数量上的下降伴随着谷物摄入的质变——从全谷粒变成了精磨谷物制品（白面粉）。1950 年之后，所有发达国家的块茎类食物摄入量也显著下降，相比于第二次世界大战之前的水平下降了 50% ～ 70%。

伴随着淀粉类主食的下降，高蛋白豆类（菜豆、豌豆、鹰嘴豆、小扁豆和大豆）的摄入量也在显著下降。豆类是传统膳食结构中的重要组成部分，因为它们的蛋白质含量非常高，如大多数豆类含有 20% ~ 25% 的蛋白质，大豆的蛋白质含量大约为 40%。人们通常都将豆类与淀粉类主食组合食用以获取必需的膳食氨基酸，而大多数组合膳食仅含有 2% ~ 10% 的蛋白质。随着动物蛋白质的价格越来越低，欧洲的传统豆类摄入量降到了 1 kg 左右；北美和日本的年均豆类摄入量低于 3 kg；人口更加稠密的巴西是膳食豆类人均摄入量最高的国家，其每人年均豆类摄入量超过 15 kg，大都是黑龟豆。在碳水化合物摄入方面还有一个关键性的变化，即精制糖类（蔗糖）的摄入量不断增多。在传统社会中，蔗糖还是几乎不为人知的糖类，那时候的甜味主要来自水果和蜂蜜。在某些西方国家，每年的人均摄糖量增加了 60 kg 以上，高于所有食物能量的 20%，这主要是由过甜的碳酸饮料、糖果和烘焙食物以及冰激凌所致。

淀粉类食物摄入量下滑所造成的能量缺口，主要由更高的脂质和动物蛋白摄入量所填补。相比于传统的膳食结构，现代膳食结构中包含更多的植物油，既有健康的多不饱和油（花生油、菜籽油和玉米油）和单不饱和油（橄榄油），也有不太理想的饱和油（椰子油和棕榈油）。在许多传统社会中，肉类、动物脂肪、鱼类、蛋类和乳制品仅能提供食物能量的 10%，但在现代发达国家，这些食物的能量大约占 30%。肉类已经从偶尔一食变成了日常食物，年人均消费量高达 120 kg（含骨重）。摄入的高蛋白肉类和乳制品（多达 60% 的蛋白质来自动物性食物）显著提升了人们的平均身高和体重，并让发达国家的农业发展方向从粮食作物生产转向了动物饲料作物生产。

膳食结构的变迁已经从根本上改变了某些传统的饮食习惯，最能说明这一点的大概就是地中海饮食了。几十年来，这种饮食习惯已被人们称颂为健康饮食的典范，之所以说对心血管有很大的益处，主要是因为这一地区的人拥有相对较长的寿命。但是，在第二次世界大战之后的两代人中，这一地区的饮食结构也在逐渐发生转变，肉类、鱼类、黄油和奶酪的摄入量增多，面包、水果、马铃薯和橄榄油的摄入量减少。例如，在意大利，橄榄油提供的脂质不到 40%，而西班牙人均食肉量比德国人多 45%（仅比美国人少 5%）。

家用能量：热、光、运动和电子设备

现代房屋不仅是住所，还包含了越来越多的能量转化设备，这些设备一方面能让我们的生活更舒适，简化日常家务活，另一方面为我们提供信息和娱乐。在气候寒冷的地区，取暖通常占到了家用能量的最大份额，第二次世界大战之后，欧洲和北美的供暖能量形式大规模地转变成了更方便且更高效的形式。设计优良的固态燃料（煤、木材或多种燃料）炉具的效率可超过

30%，但是与非常浪费的传统炉具一样，它们仍然需要费力地搬运燃料，准备点火，开始燃烧，照看以及弃置灰烬。因此，使用燃油供热在便捷性方面是一大优势，因为燃油可以从运输卡车泵入储油罐，并根据需要流入燃烧设备，但现在燃油已被天然气所替代。

现代室内取暖和制冷

在北美，家用采暖炉可以加热空气，然后这些空气会被电动机驱动的风扇吹入金属管道，再通过地面出风口（每个房间通常有 2 ～ 4 个）升入室内。目前，最好的天然气采暖炉的效率大约为 97%，因此配备了这种采暖炉的房屋根本不需要烟囱。在欧洲占主导地位的采暖方式是热水系统，即使用燃油或天然气加热水，再让热水循环流过房屋内的暖气设备。

很多美国人坚持将自家的恒温器升至会触发空调系统的夏季水平（约 25 ℃），而在大多数国家，室内温度一般为 18 ℃～ 21 ℃。在日本，即使他们的工业成就堪称技术现代化的典范，但很多日本家庭并未安装中央供暖系统，他们在取暖时会围聚在被炉旁，被炉之中是一片下陷空间，过去这里会放一个木炭火盆，后来被煤油加热器取代，再后来则采用了电加热器。

在表示每年供暖需求时，工程师常用“采暖度日数”（HDD）来表示，即每日平均室外温度每低于指定室内温度水平一度，就增加一天。美国的数据是按 20 ℃的室内温度标准计算的，计算表明美国最冷的北达科他州的采暖度日数大约为最温暖的佛罗里达州的 2.6 倍，而加拿大的室内温度标准是 18 ℃，基于此计算表明，温哥华每年的采暖度日数低于 3 000，而温尼伯的则接近 6 000。

随着电的价格越来越低，房屋制冷开始由南向北普及，起先是适用于单个房间的空调机，之后变成了中央空调系统。空调的广泛使用改变了电力消耗的高峰模式，之前的用电高峰出现在最寒冷、最昏暗的冬季月份，但空调设备的广泛使用让 7 月和 8 月处于夏季的地区也出现了短期的用电高峰，从几小时到数周时间不等。虽然空调在欧洲仍然很少见，但是在发达的热带和亚热带地区如新加坡、马来西亚、文莱等地却实现了普及，而且还扩散到了亚洲季风气候地区（从巴基斯坦到菲律宾）和潮湿的拉丁美洲的城市中产家庭。很显然，取暖和制冷的相对成本取决于当地的气候和所需的室内温度。

几十年来，主导房屋设计的一直都是经济适用性和美学，直到 1973 ～ 1974 年 OPEC 首轮油价上涨之后，能耗才成为房屋设计的一个重要因素。总体而言，被动式太阳能设计（让大窗户朝向西南方，以便在冬季太阳位置较低时让阳光射入室内）、超

绝热的墙壁和天花板以及安装至少双层玻璃窗，气候严寒的地区可以安装 3 层玻璃窗，房屋累积可节省大量能量。玻璃纤维隔热棉的隔热能力大约比同等空间尺寸的空气高 11 倍，比砖高 3 倍以上，因此，北美地区用 4 in（英寸）[①] × 6 in（2 in × 4 in 是标准型尺寸）木质板材建造的房屋如果填充上粉红色的玻璃纤维，内部覆盖上石膏板（干墙），外面再加上木质覆板并涂上灰泥涂料的话，则其隔热值大约比由 10 cm 厚的砖和灰泥构成的更坚实的欧洲墙高 4 倍，覆有低发射率涂层（可将紫外线保留在房屋内）的 3 层玻璃的隔热值大约为单层玻璃的 4 倍。当气候炎热时，暗色的屋顶的温度可能会比气温高 50 ℃，如果屋顶具有较高的反射率（涂上白色或用浅色材料建成），那么其温度只会比气温高 10 ℃。这是降低空调电能需求的最佳被动式方法，降低量多达 50%。另一种减少夏季能量需求的有效方法是创造出更好的微气候，比如，围绕房屋种树，进而借助蒸腾作用进行制冷。

但现代房屋与传统房屋的真正区别在于，仍有不断增多的用电场景，这需要复杂的配电网络才能保证可靠且安全的电力供应，而且还必需配备变压器才能有效工作。

发电时输出的电压为 12.5 ～ 25 kV，但是如第一章所讲的那样，对于长距离传输而言，组合使用低电流和高电压是更可取的方案。因此，发电时产生的低电流首先会被变压（升压）到 138 ～ 764 kV，然后才会被输送到遥远的用电市场，在这

① 1 in=2.54 cm。——编者注

里又会再次进行变压，即降压至更安全、更低的电压（通常为 12 kV），以便在城市内配送，到输送给家庭使用时，电压还会进一步下降至 110 ～ 250V, 关于这一点不同国家的标准不一样。变压器几乎可以没有能量损失地降低或提升电压，而且整个过程非常可靠且安静，其工作过程基于电磁感应原理，载有交流电的电线回路（变压器的初级线圈[①]）会产生波动的磁场，这会在放置于该磁场的另一个回路（次级线圈）中感应出电压，反之亦然。回路中感应生成的总电压与线圈的匝数成正比：如果次级线圈的匝数是初级线圈的两倍，则电压会加倍。变压器种类繁多，既有带有大型冷却风扇的大型变压器，也有安装在房屋前电线杆上类似水桶大小的小型变压器。

家庭用电始于 19 世纪 80 年代，当时的用途是低功率照明，到 1920 年时已经扩展用于一小部分厨房电器。接下来出现了电冰箱和收音机；在 1950 年以后，西方发达国家创造了形形色色的靠电力驱动的设备，其中有的可用于厨房和工厂，有的则是为了消遣和娱乐。然而，在现代能源使用的其他领域中，没有哪一个领域像电力照明一样，在效率成本以及可负担性方面有如此大的改进。在普及家庭用电的早期，一般情况是每个房间的照明灯为一个低功率的白炽灯（40 W 或 60 W），因此一个典型家庭的照明功率仅有 200 ～ 300 W。而现如今，北美地区一套新的三居室房屋会装 25 ～ 35 盏照明灯（每组 2 ～ 6 盏），总功率可达 1 500 ～ 2 000 W。但是，如果据此就得出结论说这套房屋获

① 初级线圈也称初级绕组，次级线圈也称次级绕组。——译者注

得的照明是前一套房屋的 7 倍，那可就错了，实际的数字会高很多，此外，大量安装的新型照明灯其实价格非常低。

19 世纪 80 年代早期，爱迪生发明的第一款碳灯丝灯泡只能将 0.15% 的电能转化为可见光辐射，即使后来经过两次设计改进，它的效率仍然仅有 0.6%。到了 1910 年开始使用钨来制作灯丝，这是第一种实用的金属灯丝，安装在灯泡内的真空中。钨丝灯泡的效率提升到了 1.5%。1913 年，通过向这种灯泡内充入氮气和氩气的混合气体，将普通灯泡的效率提升到了 1.8% 左右。白炽灯的发展一直都非常保守，因此如今能买到的灯丝灯泡基本上与 100 年前的灯丝灯泡是一样的。尽管白炽灯的效率很低且易损性强，但更好的替代品直到第二次世界大战之后才变得广泛可用，因此白炽灯在北美地区照明市场的主导地位一直持续到了 20 世纪末。

放电灯在第二次世界大战之前便已出现，但这种更加高效也更为便宜的光源直到 20 世纪 30 年代才进入零售市场。低压钠灯首次出现在 1932 年，其次出现了低压汞蒸气灯，通常被称为“荧光灯”。这些灯的工作原理与白炽灯完全不同。荧光灯内部充满了低压汞蒸气，其内表面涂有磷化合物涂层，汞蒸气在被电激发时会释放紫外线，这些紫外线在被磷光剂吸收后会以可见光的形式将这些能量再释放出来，而且这些光的波长接近可见光。如今，最好的室内荧光灯可将大约 15% 的电能转化为可见光辐射，是最好的白炽灯的 3 倍多，而且荧光灯的使用寿命也比白炽灯长大约 25 倍（见图 5-2）。

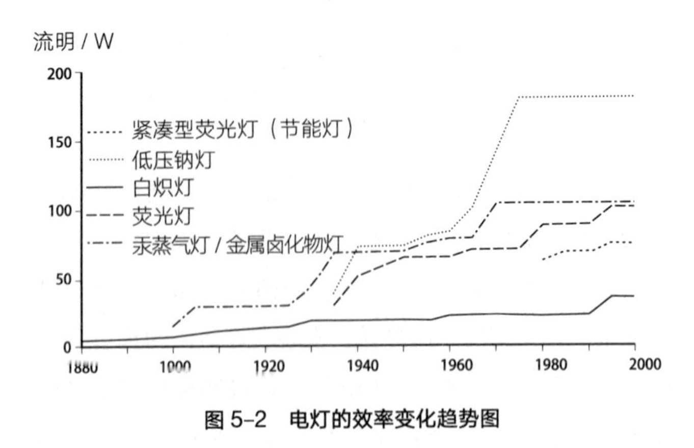

图 5-2 电灯的效率变化趋势图

20 世纪 60 年代初期出现了金属卤化物灯，其色温比早期荧光灯标志性的蓝绿色灯光（冷光）更暖，而且效率也提高 10% 左右。另一个重要进步是将放电灯做成了紧凑型，搭配标准灯头，使得紧凑型荧光灯无须任何特殊的固定装置就能在各种家用应用中替代白炽灯。最初，这些紧凑型荧光灯的价格相当昂贵，但现在的价格已被大规模生产拉低。现在我们不需要 100 W 的白炽灯了，只需 23 W 的紧凑型荧光灯就能发出同等的光亮，而且它还能持续使用 10 000 小时，差不多相当于连续照明 14 个月。

当这些技术进步与更低的电价和更高的实际工资相结合时，电灯已经变得极其廉价。在美国，平均用电成本[①]已从 1900 年的每千瓦时（kW · h）325 美分降至 2000 年的 6 美分，而制造

① 根据通货膨胀率进行了调整，已换算成 2000 年的值；其后的制造业平均时薪也进行了同样的换算。——译者注

业平均时薪则从 1900 年的 4 美元升至 2000 年的 13.9 美元。再算上效率的提升情况，2000 年时美国一流明电灯照明的成本比 1900 年时低 3 个数量级——1900 年电灯照明的成本大约是 2000 年的 4 700 倍，能超过这种性能提升和成本下降幅度的仅有 1970 年之后微处理器那更为惊人的发展过程。

第二常见的家用电器是电加热器，它可让电流通过高电阻的导线来产生热能。耗电量最高的是电炉（带有烤箱，通常带有 4 个炉面加热元件，总功率高达 4 kW）和大小相近（或甚至功率更高一些）的电热水器和干衣机。随处可见的两片式烤面包机的功率为 750 ～ 1 000 W，电烧烤架、咖啡机（在北美非常受欢迎）、电饭锅和电热水壶等小型家电的功率范围为 500 ～ 800 W。很多北方国家会使用小型的电取暖器来让寒冷的室内不那么冷，但全世界仅有加拿大（尤其是魁北克和曼尼托巴）和挪威（约 60% 的家庭依靠电力采暖）这两个全球水电生产领先世界的国家普遍采用全电采暖。

在常见的家庭用电设备中，小型电动机是第三重要的类型。在加拿大的冬季，最重要的电动机（额定功率为 400 ～ 600 W）位于吹热气的鼓风机中，这种鼓风机可将地下室天然气暖炉加热后的空气吹送到各个房间。但最常用到的则是电冰箱中压缩工作液体的尺寸相近的电动机（400 ～ 800 W）。厨房或家庭工坊中也有一些小型电动机，它们可将电能转化为机械能（旋转），用以完成很多之前需要手动完成的家务活。最常见的电动机是尼古拉·特斯拉（Nikola Tesla）于 1888 年获得专利的单相感应电动机，其标志性的特征是鼠笼型转子。这些结实的设备可以在无须任何维护的情况下运行多年，为各种各样的电动设备提供动力，从锋利的食品加工机和面团搅拌机（500 W 左右）到落地扇、台式扇和吊扇（100 ～ 400 W）。

最后，还有一个主要且多样化的电力转换器：电子设备。收音机、微波炉和录像机已经变得非常普遍，而且不仅是在富裕国家，亚洲和拉丁美洲越来越壮大的中产阶级也拥有它们。广义上的个人计算机（尤其是造型优美的笔记本电脑）、DVD 播放器和平板电视是最新的必备电子产品。这些新型电子产品设备对功率需求较小：平板电视的功率低于 100 W，工作中的台式计算机的中央处理器的功率约为 100 W，显示器功率高达 150 W，笔记本电脑的功率约为 50 W。这意味着，人们就算 24 小时不停歇地发送电子邮件，耗电量也仅有约 1.2 kW · h，差不多相当于一台普通干衣机工作 10 分钟的耗电量。但由于现在家庭所拥有的计算机以及打印机、传真机、复印机和扫描仪等的数量数以亿计，因此互联网基础设施（服务器、路由器、中继器、信号放大器）已成为全世界发达国家最新的国内用电市场，其所需的能量总和已经占据了世界各国总电力需求的相当大的一部分。

现代的家庭都会持续用电，主要原因就是这些电子设备在待机状态时也在耗电。所有远程控制设备（电视、录像机、音响系统）以及安防系统、电话答录机、传真机和车库门开启器均会持续不断地少量耗电，有时功率超过 10 W，但通常都低于 5 W。在 20 世纪 90 年代后期的美国，每个家庭中这样的待机功耗总和大约为 50 W，在美国全国范围内，在这方面消耗的电量比香港或新加坡的总耗电量还高。我们可以通过安装控制装置，将漏电量控制在每个设备 0.1 W 以内，从而减少这些能量损耗。

交通运输的能量：道路汽车和火车

随着个体经济富裕程度的提升，人口数量与车辆的平均比值也正趋近于最高水平——略高于 2，而有些国家离这一水平还差很远。得益于设计成本合理的家用汽车的大规模生产，汽车保有量才得以实现增长。福特在 1908—1927 年推出的 T 型车总共售出了约 1 500 万辆，创造了购买汽车的潮流，而最成功的汽车则要数大众公司的甲壳虫，其产量总计 2 150 万辆，这款车于 1945—1977 年在德国生产，之后转移到了巴西，直到 2003 年停产。法国的畅销车型是雷诺 4CV，意大利的畅销车型是菲亚特 Topolino，英国的畅销车型是奥斯汀 7 型车。随着人们生活水平的提升，更加强劲的高性能汽车也应运而生，20 世纪 80 年代，美国开始销售更大的家用汽车，他们还给这种车起了一个荒谬可笑的名字：运动型多功能车（SUV）。开去上班或购物中心算哪门子运动？

21 世纪初，在美国乘用车与人口数量的平均比值是每辆车对应 2.1 人，在加拿大和欧洲为 2.2 人，在日本为 2.5 人。而中国虽然正在快速现代化，但每辆车对应的人口数量仍超过 300 人。2000 年，全球乘用车总数已超过 5 亿辆，其中欧洲的乘用车保有量超过美国和加拿大（见图 5-3）。另外全球还有 2 亿辆商用车，从政府所有的厢式客车到重型卡车。近期，汽车的年净增长量已超过 3 000 万辆。另外，大规模汽车生产企业还在持续整合，2005 年，通用汽车、丰田、福特、戴姆勒·克莱斯勒这四大车企组装的汽车数量占到了全球总数的一半。不同汽车的使用情况差异很大，在某些拥挤的亚洲城市，汽车平均年里程数不到 5 000 km，欧洲主要国家的数据略高于 10 000 km，并且长期以来一直相当稳定，而美国的数据大约为 19 000 km，且仍在缓慢增长。

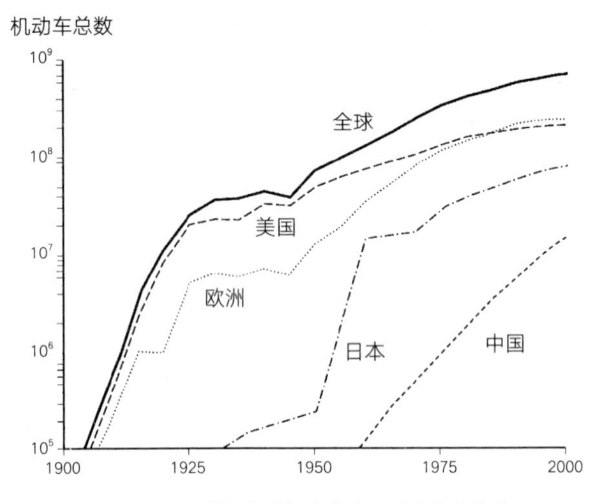

图 5-3　20 世纪全球机动车注册量的变化趋势

炼油厂的统计数据显示，目前全球的汽油产量接近 8×10^8 t，柴油产量超过 5×10^8 t，但使用汽油的还有一些小型飞机以及数以千万计的小型船舶、雪地摩托、割草机和其他小型发动机，而大多数柴油都会被卡车、火车和轮船消耗。对乘用车燃油消耗量最准确的估计数据约为 8×10^8 t，超过全世界原油开采量的 1/5。2000 年的近似计算数据表明汽车的全球旅客里程（p-km）大约为 1.5×10^{13} km，接近全世界交通运输活动的一半。然而，机动车每年也造成 126 万人意外死亡，重伤人数更是超过这一数字 10 倍。机动车排放的尾气是光化学烟雾的主要原因，现在几乎所有大城市及周边地区都会季节性地或持续地受其影响，导致越来越高发的呼吸系统问题以及对农作物越来越大的损害。

内燃机是现在全世界最丰富的机械原动机，道路车辆内燃机的总功率超过全世界所有蒸汽涡轮发电机的总功率的 20 倍以上，但内燃机的基本原理已经超过一个世纪没有改变了，其包含一个四冲程的循环——进气、压缩、燃烧、排气，使用汽油和火花点火以及把活塞的往复运动转化为曲轴的旋转运动。持续不断的技术改进使得现代发动机和变速器的质量更轻、更耐用且更可靠，也让车辆变得更加便宜。微处理器也在汽车中得到了广泛的应用，美国的汽车现在配备的微处理器数量多达 50 个，且总功率超过 1969 年的阿波罗 11 号月面着陆模块的处理器，这些微处理器所执行的任务包括控制自动变速器、防抱死制动系统、催化转化器和安全气囊，它们将现代的汽车变得更加安全可靠，也将它们转变成了复杂的机电一体化机器。

尽管内燃机取得了这些进步，但这种原动机的效率仍然相当低，将汽油的化学能转化为移动客车的动能的整个过程是非常浪费的。一台得到良好维护的现代四冲程汽油发动机仅能将燃油中 20% 的化学能转化为往复运动，其余的能量包括尾气中排放的废热（38%）、冷却水（36%）以及发动机摩擦产生的热能（6%）。世界大部分车都是在城镇或城市中使用，在这些地方，初始能量输入中至少有 5% 会耗费在等交通信号灯期间，在交通繁忙的城市，因此造成的能量损失可轻松达到 10%。最后，汽车中的辅助功能还会用掉 2% ～ 3% 的能量，比如动力转向和空调，这意味着所购买的汽油中仅有 13%（而且可能低至 7%）的能量会进入变速器，在这里能量还会因摩擦而进一步损失 5%，最终汽油中的能量仅有 2% ～ 8% 能真正地转化为车辆行驶的动能。

汽车的能量效率

即使是一辆高效的小型车每公里也需要近 2 MJ 的燃油，换算过来差不多是 0.06 L / km。当仅有一个重约 70 kg 的乘客时，由于乘客质量大约为车辆总质量的 5%，因此行驶 1 km 时体重对应的比能为 30 kJ/kg。一个成年人快步行走同样距离需要 250 kJ，比能为 3.5 kJ/kg，比乘车低一个数量级，只要我们想想驱动车辆巨大的质量会造成的巨大能量浪费，那么这样的差异就不会令人惊讶。实际上即使最小型的欧洲汽车的质量也一直在稳定增长，从 1970 年的约 0.8 t 增长到了 2003 年的 1.2 t，美国车辆的平均重量现在已经超过 1.8 t。

真正让人惊讶的是，即使最节能的汽车每旅客每里程的能量成本也只比最新型的客机好一点点，对许多汽车来说，成本要比飞行高得多。欧洲和日本征收的高燃油税让当地车辆的体积一直比北美地区的小，在 OPEC 两轮油价大幅上涨后，北美地区才被迫进行了效率提升改进。从 1973 年到 1987 年，公司平均燃油经济性（CAFE）标准将车辆的平均效能提升了一倍，增至 0.086 L / km，在此期间主要的改进包括更好的发动机和变速器、更轻但更坚固的车身以及减少空气阻力的设计。在生产高效、可靠和平价的汽车方面，日本汽车行业的创新尤为重要。

20 世纪 90 年代，丰田（基本款丰田雄鹰和高端款丰田凯美瑞）和本田（思域和雅阁）汽车成为美国最畅销的汽车，到 20 世纪末，这些车其实大部分都是在美国和加拿大生产的。不幸的是，1985 年之后原油价格下跌，公司平均燃油经济性未能再进一步增长，而且随着厢式客车、皮卡车和 SUV 的日渐流行（到 2000 年，这三类大型车占到了汽车总销量的一半），所有车辆的整体效能实际上还下降了。在 2005 年上市的几款 SUV 新车中，包括通用汽车育空、雪佛兰 Tahoe、福特探险者在内的几款车的燃油效率仅有 0.255 L / km，因此在搭乘一位驾驶员和一位乘客的情况下，这些耗能怪兽的耗能速度为 3.3 MJ/p-km。相较而言，第一代客机的耗能速度为 5 MJ/p-km，波音 747-400 客机的耗能速度仅有 2 MJ/p-km，波音 777 客机的耗能速度更是只有 1.5 MJ/p-km。在汽车效率谱的另一端，能效最高的车是丰田普锐斯，这款混合动力汽车在城市内行驶的效能为 1.2 MJ/p-km。值得注意的是，丰田普锐斯在城市交通中比在高速公路上表现更好，因为在走走停停的城市交通中，这款车的再生发电制动系统可以回收很多已消耗的能量，不过这款车的能量效率依然比最高效的客机低 20%。

燃油经济性标准等级是在模拟城市和高速公路驾驶的受控环境中测定的，日常生活中驾驶的实际表现很少能有那么好，我们可以做些什么来改善这一点吗？轮胎充气不足可能是最常见的损失能量的原因，轮胎的伸缩会吸收能量，与地面更大的接触面积会增大滚动摩擦并使轮胎发热，不过好在这个问题也很容易避免。快速变速或空转发动机等待超过 1 分钟以上等不良的驾驶和挂空挡习惯会浪费更多燃油。至于燃油的选择，使用优质（高辛烷值）汽油在效率、清洁度和速度方面其实并无优势。燃油的辛烷值更高时，说明燃油的抗爆震能力更好，所有新车都可以很好地使用常规汽油（辛烷值为 87）。无论车辆的品牌或类型如何，驾驶效率都遵循一个明显的驼峰形曲线：速度在 45 ～ 55 km/h 时效率最高，在速度更低时效率降低 10% ～ 20%，而速度超过 100 km/h 时效率会比最高时低 40%。有人建议将车辆的最大速度限定在 110 km/h，其中一个关键论点就是效率问题，另一个关键论点是这能显著减少致命交通事故的发生概率。

相比之下，如今速度最快的高速城际列车（城际高铁）速度可达 300 km/h，而且每列列车都配备了客机风格的舒适座椅，一次可运载超过 1 000 名乘客。列车的事故率比汽车低近一个数量级，而且它们是每旅客里程能量成本最低的陆地交通运输方式（基本总是低于 1 MJ）。全球第一列高速列车（高铁）是 1964 年 10 月 1 日开始提供服务的日本新干线，其与法国高速列车（TGV）运送乘客的能量消耗速度都低于 0.4 MJ/p-km。它们在正常运行时的最大短期速度约为 300 km/h，而在少数城际班列线路中，它们的最高速度大约为 260 km/h。

所有高速列车的动力源都是电动机，而这些电动机的能量则是通过受电弓从列车上方的铜线或铜包钢线中取得。新干线列车首创了这种无机车的高速列车设计，取而代之的设计是每节车厢配备 4 台电动机，目前，最新的新干线 700 系动车组总共配备了 64 台电动机，总功率为 13.2 MW。这种设计可让列车更加轻松地在距离相对较短的车站之间加速和减速。此外，这些电动机还可用作动态制动器，在制动时这些电动机可变成发电机。这种列车及其轨道设计出色且非常可靠，最好的证据是到 2004 年底，整个新干线系统，现包含连接日本本州和九州两个主岛之间的 7条线路，其运载的旅客量已近 60 亿人次，这期间没有出现任何死亡事故。

TGV 的首条线路在 1981 年开始运营，也使用了其同步电动机在高速时进行动态制动，但不同于新干线，TGV 的每组列车都有两个功率为 4.4 MW 的机车。几个欧洲国家一直在努力追赶法国的成就，1991 年，西班牙有了第一列 TGV 列车［马德里 – 塞维利亚 AVE（西班牙高速铁路）］。英国、德国和瑞典的列车的行驶速度可达 190 ～ 200 km/h，而意大利的 ETR500 可达

165 km/h 左右。相比之下，美国国家铁路客运公司（Amtrak）从纽约到华盛顿的阿西乐特快列车（Acela）的最高速度为 257 km/h，而且它仍是北美地区唯一一条高铁线路，产生这个奇特现象的原因是北美地区人口密度低且存在很有竞争力的公路和飞机航线。但北美、欧洲和日本的每个大城市都有几条主要线路，很多都有相当密集的地铁线路网，这些线路网由速度较慢的通过电力机车或柴油机车驱动的通勤列车构成。

高飞远举的强大能量：飞机

在 20 世纪 50 年代末，主导商业飞行的一直都是螺旋桨发动机，因此，那时的商业飞行不仅罕见且昂贵，还很不舒服。乘客必须忍受机舱内气压不足、螺旋桨噪声、四冲程发动机会导致机身震动以及湍流[①]很大等问题，而且还必须一直忍受很长时间的飞行。后来，螺旋桨飞机的速度逐渐提升，但即使是最好的飞机的速度也不超过 320 km/h，因此从纽约飞到洛杉矶需要 15.5 个小时，而且中途还需要 3 次停下来补充燃油，而从英格兰飞到日本则需要 80 个小时以上。此外，这些飞机的载客量也是很有限的，1935 年首飞的传奇飞机 DC-3 最多可容纳 36 人，而泛美航空公司的大型飞机“飞剪号”也只能乘坐 74 名乘客。

① 湍流是指当流速增加到很大时，流体的流线不再清楚可辨，流场中有许多小旋涡；对于巡航高度较低的小飞机而言，大气对流层的湍流会导致机身一直颠簸不止。——译者注

喷气式飞机的出现改变了一切，目前其最高飞行速度超过 900 km/h，在 6 小时之内就能横跨整个美洲；其巡航高度为 10 ～ 12 km，位于对流层湍流之上，而且容量也大得多，可搭载多达 500 名乘客。第一架现代喷气式客机源自第二次世界大战之后最大的军用飞机，其中最重要的是 B-47 同温层喷气轰炸机，这款飞机采用了后掠式机翼，发动机则悬挂在机翼下方的支架上，这两种设计特征经历了时间的考验，并被所有大型商业喷气式飞机采用。不过，光有喷气式飞机还不够，为了让飞机成为人们负担得起的常用旅行方式，还需要很多创新来提升飞机的性能以及降低它们的运营成本。必需的要素包括更坚固的铝合金、全新的复合材料、先进的空气动力学设计以及精巧的电子导航和着陆设备（其中最重要的是雷达），但贡献最大的还是更先进的发动机。

所有喷气式飞机前进的动力都来自发动机向后喷射气流时产生的反向作用力。20 世纪 50 年代的首批商用喷气式飞机采用了略经修改的军用涡轮喷气发动机，这些紧凑型的发动机首先会压缩从前面进气道进入的所有空气，早期设计的压缩比仅有 5 ：1，而现代设计的压缩比一般在 30 ：1 以上，然后压缩后的空气会被送入燃烧室，在这里，一股精细的燃油喷雾会被点燃并持续燃烧，产生的炙热气体首先会让驱动压风机的涡轮旋转起来，然后，当这些气体冲出后面的喷口时会产生推动飞机前进的推力。在降落之后，襟翼会展开成为推力反向器，迫使气体向前喷出（发动机本身不能逆转热气的流向），从而降低飞机速度。涡轮喷气发动机也可用于通过齿轮驱动另一个涡轮机，并用这个涡轮机带动一个螺旋桨旋转。这些涡轮螺旋桨现在只在小型通勤飞机中普遍使用，而所有大型飞机现在都使用涡轮风扇发动机，简称“涡扇发动机”。

涡轮风扇发动机

对民用航空而言，涡轮喷气发动机存在两个基本缺点：只有达到非常高的超音速速度时才能获得峰值推力，并且燃油消耗速度很快。这些缺点可以通过在发动机前面安装大直径风扇得到解决。

这个风扇由另一个涡轮机驱动，而这个涡轮机则安装在驱动压气机的主转子后面。这个风扇可将进入的空气加压至原有压强的 2 倍，因为这种压缩空气会绕过燃烧室，因此它会降低燃料消耗率，同时又能为排出的气体增加另一股较冷且相对慢速的气流，使得这股气流加入燃烧室排出的高速内涵道气流中，从而可以产生更大的推力。

通用电气公司 1995 年推出的 GE90 涡轮风扇发动机具有创纪录的高涵道比[①]——达 9.0（见图 5-4）。如今的涡扇发动机可在 20 秒之内让飞机升空，这能大大减少恐飞人士所经受的精神痛苦！

---

① 涵道比是指涡轮风扇发动机外涵道与内涵道空气流量的比值。——译者注

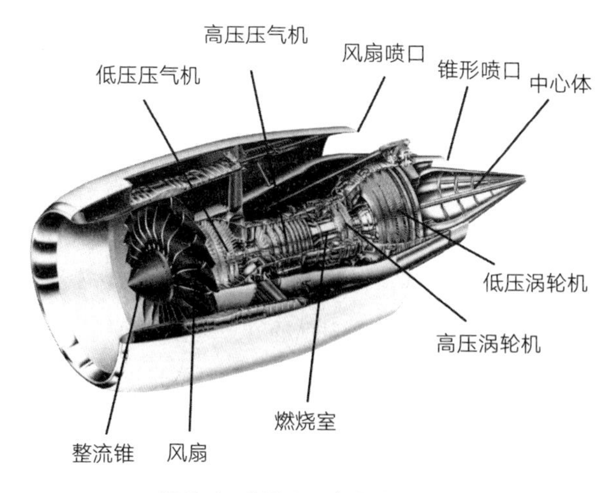

图 5-4　GE90 涡扇发动机的剖面图

由于涡扇发动机排出的高速内涵道气体被包围在速度更慢的外涵道空气中，因此其产生的噪音要小得多。最大型的涡扇发动机的直径接近 3.5 m，仅比波音 737 客机的机身内部直径小几个百分点。由于其燃烧气体的温度（约 1 500 ℃）超过旋转叶片的熔点，因此必须高效地冷却内部空气。尽管存在如此极端的运行条件，但只要维护得当，涡扇发动机可持续工作长达 20 000 小时，相当于 2 年零 3 个月不停地飞行。涡扇发动机也非常可靠，每百万次飞行的事故次数不到 2 起，相比而言，20 世纪 60 年代初的涡轮喷气发动机每百万次飞行的事故次数超过了 50 起。

我们已经掌控了如此强大的力量，但现在限制民用飞机体积的并不是涡扇发动机，而是研发新型设计的成本以及难以避免的基础设施限制，比如，跑道长度、装卸能力、航站楼机位数量，此外还考虑到安全方面的问题，做到能搭载 1 000 名乘客的程度的可能性很小。双层的空中客车 A380 客机如果分成 3 个舱位等级，可搭载 555 名乘客，仅比某些分成两个舱位等级的波音 747-400 客机版本略多一点。A380 的开发是成立于 1970 年的空中客车公司的一项战略性举措，因为该公司当时正在与波音公司争夺全球大型客机市场的主导地位。

2003 年，空中客车公司的大型客机年度订单总数首次略微超过了波音公司。空中客车最常见的机型是较小的 A319 和 A320（可搭载 125 ～ 150 名乘客）以及四发动机远程客机 A340（可搭载 300 ～ 370 名乘客）。但波音 737 依然是最畅销的客机，而波音 747（见图 5–5）也依然是最具革命性的，甚至可以说是最好的，大约售出了 1 400 架。波音也有其他一些成功的机型，包括波音 767 和波音 777，其中波音 767 现在主导着跨太平洋航班，而在 2005 年 3 月完成试飞的波音 777-200LR 是目前世界上航程最远的飞机（长达 17 445 km），可以从全世界任何一座机场直飞至另一座机场。波音公司希望凭借其波音 787（梦想客机）提振销量，这一机型采用了新型机舱设计，有更大的窗户和更好的空气质量，目标是成为全世界能效最高且最舒适的客机。

图 5-5 在洛杉矶国际机场拍摄到的波音 747-400 客机

相比于汽油，更适合喷气式发动机的燃油是煤油，煤油有更高的比密度——0.81 g/L，汽油的比密度是 0.71 g/L，因此煤油能量密度更高，为 35.1 MJ/L，汽油的能量密度是 31.0 MJ/L，所以同样大小的油箱可以装更多的能量。而且由于煤油是更重的精炼燃油，因此也更加便宜，其在高度较高时蒸发量更少，在地面装卸时起火的风险也更低，而且就算坠毁时起火，人们生还的可能性也更高。美国使用的 Jet A 航空煤油的最高凝固点为 -40 ℃，而大多数长途国际航班，尤其是冬季时北部和极地航线的航班则使用 Jet A-1 航空煤油，其凝固点为 -47 ℃。客机的燃油存储于机翼之中；有的客机还带有一个中央（机身）油箱和一个水平稳定器油箱。他们必须携带足够的燃油，以应对预计的飞行以及突发的天气情况，比如突然袭来的强劲逆向风和机场拥堵。

综上所述，对于长途客运而言，客机具有很高的能量效率，本质上就很高效的涡扇发动机以及相对舒适地运送数百名乘客的能力的提升，意味着当运送距离超过 500 km 时，客机平均运送一名乘客时所浪费的燃油比搭载两位乘客的汽车更少。长距离飞行的速度和便利度都是前所未有的，因此 2000 年的全球旅客里程总数超过了 3×10^{12} km，这无疑证明了喷气式飞机已在很大程度上改变了我们的工作方式、维持家庭联系和消磨空闲时间的方式。而且由于喷气发动机的效率更高了，燃油消耗的增长速度已经有所放缓，到 2000 年时增至每年 2 亿 t，大约相当于全世界精炼厂产量的 6%。在美国和加拿大起飞的飞机大约消耗了全球航空煤油的 40%。

隐含能量：商品的能量成本

在购买商品和服务时，人们常会问“多少钱”，但在 OPEC 首轮油价大幅提价之前，只有能源开支占到了总生产成本大部分的公司才会详细跟踪它们的能源支出情况，以便更好地管理或减少这些支出。随着能源价格上涨，许多计算产品能量成本的研究也随之出现，从大宗工业产品（基本金属①、建筑材料和化工产品）到消费类产品（如汽车、电脑），再到食物。这类信息没有改变普通西方消费者的消费方式，他们依然完全不清楚日常产品和服务的总体能量成本或相对能量成本，但这些信息对想要降低能量成本的生产商来说却非常有用，只有详细了解了各个工艺过程或产品组件的燃料和电力需求量，生产商才有寻找改进管理方式的机会以及进行技术改良的基础，进而尽可能地减少这些

① 基本金属是指国民经济和社会各方面使用量相对较多、使用范围较广的常用金属，一般包括铁、锰、铜、铝、铅、锌、锡。——译者注

开支。

只有当单一过程且仅有少数几个明显的直接能量输入（比如高炉生产生铁时的焦炭、碳氢化合物和电）时，能量成本分析才会简单，而当目标是分析乘用车等复杂的工业产品的总体能量成本时，分析过程将变得非常复杂，而且在分析范围的选择上还存在争议。完整的能量分析不仅应纳入汽车组装过程中使用的能量，而且还应包含隐含在结构材料（金属、塑料、橡胶、玻璃）以及汽车电子控件中的燃料能量和电能。第三级能量成本分析需要确定用于生产主要材料和建造生产设施的资本设备[①]的成本。下一步是分析实现所有这一切的能量成本，但这时候已经很清楚了，更高层级的能量输入在总体能量成本中的份额会迅速变小。一件产品的第一级和第二级能量成本通常就占到了总体能量成本的 80% ～ 90%。

无须惊讶，很多已公布的能量成本数据的数值都几乎一样，这说明很多先进的工业技术得到了广泛的应用或全世界都在用相同的工艺或产品。正如之前的章节提到的那样，目前全世界仅有两家大型客机制造商，而生产这些客机发动机的公司也仅有3家，分别为通用电气航空发动机公司、普拉特·惠特尼集团公司、罗尔斯·罗伊斯股份公司。比较不同国家的情况又可以发现，很多基本一样的产品的能量输入却大相径庭，这种差别源自工业基

① 资本设备是指企业用于提高生产率或者进行生产现代化改造的设备。——译者注

础设施和管理方面的差异。我会根据产品产出的总体情况而衡量的重要程度，谈谈少数最重要商品的能量成本，它们来自 4 个关键类别：大宗原材料、工业大批量生产、主要消费品、基本食品，并且我会把所有的数值表示成每吨最终产品的千克油当量（kgoe）或吨油当量（toe）①。

基本建筑材料的生产很简单，木材、沙和石材等材料可以直接获取，砖、水泥和玻璃等仅需热处理，尽管现代伐木工作几乎已经完全实现机械化，1 t 木材的能量成本仅有 0.1 toe 左右，最高效的砖、干墙②和水泥生产的能量成本也相差不多。制作混凝土时的总能量成本不超过 25 kgoe，但用钢筋加固它的能量成本接近其 3 倍。在房屋建造常用的材料中，耗能最高的保温材料和平板玻璃均超过每吨 0.5 toe。将这些输入整合到整个建筑物中，可以算出北美地区的普通三居室独座房屋的总能量成本在 12 toe 左右，每层 1 000 m^2 的百层摩天大楼的能量成本超过 2 万 toe。在商业建筑和高层住宅中，总能源成本最高的最常用材料是钢。

金属的能源成本

钢依然是现代文明的结构基础，它环绕在我们四周，

① 千克油当量记为 kgoe，指能量含量为 42 MJ/kg 的燃料。吨油当量记为 toe，指能量含量为 42 GJ/kg 的燃料。——译者注

② 北美地区常用的夹在纸板之间的石膏。——译者注

有的显露在外，比如在汽车、火车和船舶的机身上以及设备、桥梁、工厂、石油钻机和输电塔中；有的则隐藏在视线之外，比如在钢筋混凝土或高楼大厦的骨架中；有的我们每天都会触碰很多次，比如厨具、餐具、手术器械和工业工具；有的则埋藏在地下，比如管道、线缆和桩基。在全球范围内，目前大约 30% 的钢来自回收的废料，但大部分还是来自大型高炉。生铁的典型能量成本已随着技术的发展而显著降低，在 20 世纪 70 年代初就已经降到了每吨 0.6 toe 以下。现在效率最高的企业更是将生铁制备的能量成本降到了每吨 0.35 toe 以下，生铁是碳含量为 2% ～ 4.3% 的铁合金，而钢几乎不含碳或碳含量不超过 2%。这个数量看起来似乎差别不大，但材料的质量提升却非常明显，铸铁的拉伸强度和抗冲击性都很差，而且延展性也非常低。

钢的抗拉强度高，抗冲击性能力强，在比铁高两倍以上的温度下仍然保持结构完好。不管是生产不锈钢餐具还是制造巨型钻机，这种合金都必不可少。在之前近一个世纪的时间里，降低生铁的碳含量以及炼钢的方法是在平炉中用冷空气冲击熔融的铁，直到第二次世界大战之后，这种方法才被碱性氧气转炉和电弧炉取代。同时钢的加工工艺也实现了革新，之前的钢加工是首先生产钢锭，然后再把它们重新融化之后再制成板坯、方坯或棒料，而现在的工艺已经抛弃了生产钢锭的步骤，直接用钢水连续铸造钢材。这些创新极大地提升了生产力（高达 1 000 倍）并节省了大量能源。相比于“高炉→平炉→钢锭”得到半成品的老式的炼钢流程，使用“高炉→碱性氧气转炉→连续铸造”流程的现代工艺消耗的能量成本仅有前者的1/3 ～ 1/2。

相比于铁冶炼，从矿石还原有色金属[①]的能量成本要高得多。尽管 20 世纪铝土矿生产效率大幅提高，但从铝土矿提炼铝仍旧需要很高密度的能量成本，平均数值接近每吨 5 toe；而在航空工业中广泛应用的钛的能量成本更是其 4 倍。不过在某些应用场景中，金属是可以被替代的。在载具、机器和设备中，羟基塑料凭借其重量轻且耐腐蚀的特性已经取代了许多金属部件，但它们的能量成本相对较高，在每吨 1.5 ～ 3 toe 之间。机动车是消耗金属、塑料、橡胶（也是一种合成品）和玻璃的一大主力，其能量成本（包括组装）通常在每吨 3 toe 左右，但这么多能量仅占一辆车使用寿命内总能量成本的 20% 左右，其中占主导的是燃料、维修和道路维护的能量。

常见食物的能量成本范围较大，主要原因是生产模式和

① 有色金属，亦称非铁金属，是工业上对金属的一种分类，指除铁、铬、锰外，存在于自然界中的金属（不包括人工合成元素）。与有色金属相对的是黑色金属。常用的有色金属包括铜、铝、铅、锌、镍、锡、锑、汞、镁及钛，这 10 种金属在中国固定地称为“10 种有色金属”或“10 种常用有色金属”。——译者注

后续加工强度各不相同，比如在生产模式中存在施用肥料和农药的强度差异、雨养农业和灌溉农业的差异、人力收割和机械化收割的差异。小麦、玉米等主食和温带水果的收获成本大约为每吨 0.1 toe，而大米的收获成本至少为每吨 0.25 toe。在大型温室中种植的农产品的能量成本最高，辣椒和西红柿的能量成本高达每千克 1 kgoe。现代捕鱼业每千克渔获量的燃料成本也同样昂贵。这些比率可以换算为人们更感兴趣的输出 / 输入比。收获的小麦所含的能量接近小麦生产所用能量的 4 倍，但在温室中种植西红柿所消耗的能量可高出西红柿能量含量的 50 倍。

这些比值说明了现代农业越来越依赖外部的能量补充。正如著名生态学家霍华德·奥德姆（Howard Odum）在 1971 年说的那样："我们现在吃的土豆有一部分是石油做的。"但是，我们并不能直接简单地将农产品含有的能量视为能量效率指标，我们吃西红柿并不是为了获取能量，而是想要品尝它们的味道以及获取其含有的维生素 C 和番茄红素，而且我们也没法食用柴油（某些细菌可以）。此外，在所有发达国家中，食物的总能量成本主要由加工、包装、长途运输（通常包括冷藏或冰冻）、零售、购物行程、家庭冷藏、烹饪和清洗餐具所决定。这些活动的能量成本至少是农业生产的能量成本的 2 倍，而且很多时候甚至可达到 3 ~ 4 倍。

许多技术狂热者认为电子技术的发展将导致无纸化社会快速兴起，但实际情况恰恰相反。随着 1980 年后个人计算机的普及，人们对纸的需求也迅速增高。自 20 世纪 30 年代末，主导全球造纸业的一直是硫酸盐工艺，此过程首先是将碾碎的针叶木材和硫酸盐在加压环境中煮沸约 4 小时，得到高强度纸浆，这些纸浆既可以直接用于生产未漂白的纸，也可以在经过漂白等处理后生产质量更好的纸。未经漂白的包装纸的能量成本低于每吨 0.5 toe，标准书写纸和印刷纸的能量成本至少高出 40%。

最后我们来谈谈化石燃料和电力的能量成本，这也很重要，很显然，能源行业的净能量比①应该越高越好，这样才能尽可能地延长有限资源的使用寿命并降低其恢复成本和环境影响。鉴于煤的质量参差不齐，地下和露天开采也差异巨大（见第 4 章的相关论述），所以无须对某些煤的净能量成本超过 99% 而感到惊讶。而对于在较薄地层下的低质量煤，开采的能量成本高达其能量含量的 20%。而开采碳氢化合物的能量回报则非常高，尤其是在储量丰富的中东油气田，开采碳氢化合物的能量回报很少低于 95%，并且通常都超过 98%。不过将原油分离成多种成品油的精炼过程却需要更多的能量，因此汽油或取暖油的净能量回报通常在 85% ～ 90%，同时天然气因为现场燃烧和在管道运输时会损失一部分，使净能量收益也会减少差不多同等的份额。

之前已经介绍过，热发电的能量回报最多也只能达到 40% 左右，扣除高效的烟道气脱硫和处置所得到的硫酸盐污泥的能量成本，典型的数值可能接近 35%。建造发电厂和输电网络的

① 净能量比等于输入的能量与输出的能量的比值，因此可用百分比或百分数很方便地表示。——译者注

能量成本低于 5%，长距离输电时至少还有另外 7% 的损失。如果是使用从露天煤矿高效开采的烟煤在大型热发电厂中发电，那么在最好的情况下，产生的电能可超过燃料原本所含化学能的 30%，但更可能介于 20% ～ 25% 之间。由于核电站的建设成本较高，因此净能量回报也更低，但是我们还不能完全计算出核电的能量成本，因为目前还没有任何国家能很好地解决长期处理放射性废物的问题。

全球相互依存，能量的连锁关系

在前工业化时期，日常活动所需的燃料绝大多数都来自离定居点非常近的或者运输距离非常短的地方，比如，村庄燃烧的木柴来自附近的林地、树林或森林以及已收获田地的农作物剩余部分。过去也曾有一些更长距离运输木材或木炭的情况，但直到采煤变得非常广泛且采用了铁路和蒸汽动力运输之后，跨国燃料输送才变得普遍起来。从煤到原油和天然气的能量过渡以及电力重要性的增长都极大地改变了能量供应的模式。但是，在我们的日常生活中，又有谁想过这些了不起的长距离能量关系呢？

英格兰用来发电的煤可能是通过大型散装货轮从南非运来的；用于生产英国钢材的炼焦煤很可能船运自遥远的澳大利亚；纽约的汽车中燃烧的汽油可能源自 2 000 km 外墨西哥湾的海底泵出的原油，这些原油在得克萨斯州完成精炼，然后被沿海油轮运到新泽西；东京一户人家用于煮饭的天然气可能来自卡塔尔，通过天然气油轮跨越近 14 000 km 运来；而一家德国家庭的照明用电则可能源自挪威一座水电站中的水流。

在全球范围内，能量在国际贸易总值中所占的份额越来越高，2000 年时大约为 8%，而在 2003 年时已将近 11%，其中最主要的出口类别是高附加值的制成品。全球燃料贸易总额在 1999 年增至 4 000 亿美元，并在 2003 年时达到了 7 500 亿美元，超过食品出口约 40%。世界前 5 大能源出口国分别为沙特阿拉伯、加拿大、挪威、阿拉伯联合酋长国和俄罗斯，其出口总值占全球出口总值的比例不到 30%，这一事实说明全球能源出口分布情况相对分散。从质量上看，全球燃料贸易包含大约 1×10^{8} t 天然气、超过 5×10^{8} t 煤炭以及超过 2×10^{9} t 原油和精炼成品油，超过矿石、成品金属和农产品等其他任何大宗商品。不管是在年运输量上还是在货币价值上，原油都处于领先位置，21 世纪早期的年交易额均超过 5 000 亿美元。2005 年，全世界近 60% 的原油出口到 130 多个国家，沙特阿拉伯、伊朗、俄罗斯、挪威和科威特这 5 个排名最靠前的出口国售出了全球交易总量的一半，而中国、美国、日本、德国、韩国和意大利这 6 个最大的进口国进口了全球交易总量的 70%。

全球接近 80% 的原油出口量都是从中东、非洲、俄罗斯、拉丁美洲和东南亚的大型码头（沙特阿拉伯的拉斯坦努拉港是全球最大的码头），通过油轮运到位于西欧（鹿特丹港是欧洲最大的石油港口）、美国和日本的巨型储油库和精炼设施。世界其他原油出口则主要通过管道运输，这是最安全、最廉价的大规模陆地输油模式。在 20 世纪中叶之前，美国已经建造了越来越密集的石油管道网络，但主要的出口管道是1950年之后才建造的。世界上最长的石油管道从西西伯利亚的超巨型油田——萨莫特洛尔油田一直延伸到了俄罗斯的欧洲部分，之后更是进一步延长到了欧洲西部，这条20世纪70年代铺设建成的管道长度超过4 600 km，年输油量达9×10^7 t。

与原油的情况不同，21世纪初全球生产的天然气中用于出口的不到1/4，其中3/4都是通过管道输送的。俄罗斯、加拿大、挪威、荷兰和阿尔及利亚是最大的管道天然气出口国，美国、德国和意大利则是最大的天然气进口国。世界上最长（6 500 km）且直径最大（达1.4 m）的天然气管道将西西伯利亚超巨型油气田的天然气输送到了意大利和德国，并在这里与来自荷兰格罗宁根巨型油气田、北海油气田（通过海底管道首先抵达苏格兰）和阿尔及利亚（从突尼斯出发，跨过西西里海峡和墨西拿海峡到达意大利）的天然气网络相结合。

随着液化天然气油轮的出现，越洋运输天然气才得以实现。这种运输方式首先会用绝热钢罐装载–162 ℃的液化天然气，抵达终点后再重新汽化并通过管道输送。最早的船运液化天然气出现于1960年，将阿尔及利亚的天然气运到了法国和英国，40年之后，仅1/4的天然气出口是靠船运完成的。日本和美国是主要的天然气进口国，其中日本从中东、东南亚和阿拉斯加州买下了全世界超过一半的天然气供应量，而美国则主要从阿尔及利亚和特立尼达进口。韩国是亚洲地区主要的天然气进口国，之后不久，中国也成了一大主要进口国。

与化石燃料的大规模流动相比，国际电力贸易的重要性仅限于有限的销售或跨国交易。最值得提及的单向输电方案是那些连接大型水电站与远距离负载中心的方案，加拿大在这方面引领世界，该国每年都会将 12% 的水电从不列颠哥伦比亚省传输到太平洋西北地区，从马尼托巴省到美国明尼苏达州、达科他州和内布拉斯加州，从魁北克省到纽约州和新英格兰地区诸州。委内瑞拉和巴西、巴拉圭和巴西以及莫桑比克和南非之间也有一些值得注意的跨国水电贸易。大多数欧洲国家都参与了复杂的电力贸易，以充分利用斯堪的纳维亚和阿尔卑斯山国家季节性的高水电容量以及欧洲各国不同的用电高峰期。

ENERGY

6

未来的能量：趋势和不可预测的未知

全球年均耗能是多少？

到目前为止最大规模的可再生能源是什么？

6 未来的能量：趋势和不可预测的未知

这是本书最后一章，我不会给出任何预测，也没必要再更多地描述那些已经很多并且还在不断增多的容易过时的商品。回顾过往，有关能量的大多数长期（超过 10 ～ 15 年）的未来预测往往不过几年甚至几个月就会失效，不管是行业层面、国家层面或全球层面的预测，也不管是否涉及各种技术的发展进步、特定工艺的效率提升、整体的能量需求和供应或关键商品的价格水平。由于第二次世界大战后人们总是乐此不疲地预言长期的未来，因此要找几十个预言失败的案例实非难事，其中最臭名昭著以至于让人厌烦的预言是实现商业核聚变[①]还需要 50 年，这个预言也一直在延后。全球石油生产即将到达高峰也是一个常见的失败预言，另一组错得很明显的预言是对未来原油价格的预测，它们永远无法准确描述这种高度不稳定波动的趋势。

① 商业核聚变主要是想通过最轻元素的原子核的聚变来发电，核聚变正是为太阳燃烧提供能量的反应。——译者注

即使某些数字确实非常接近实际情况，但也往往没有正确预测出这些数字所在的全新环境。想象一下，在 1985 年原油价格暴跌及全球石油产量急剧下降之后，你准确地预测了 2005 年的全球石油产量，但有谁能在 1985 年预测到改变了 1990 年之后的世界的三大事件呢？

- 第一件是苏联和平解体，这首先导致了石油产量大幅下降，然后又迎来了强劲的回升。
- 第二件是中国崛起成为世界第二大经济体，并且很快就成了世界第二大石油进口国①。
- 第三件是发生于 2001 年 9 月 11 日的“9 · 11”事件，其对整个世界尤其是中东地区带来了多方面的后果和影响。

接下来，我们简要总结一些有望决定世界未来追求可靠廉价能源供应之路的关键因素，以及我们可在未来半个世纪中使用的主要资源和技术。在这段时间里，全球能源供应的基本性质并不会发生根本性的变化，世界仍将高度依赖化石燃料。与此同时，我们知道靠化石燃料驱动的文明注定是一个相对短暂的现象，未来 50 年我们将会看到向非化石能源的明显转变。20 世纪初，全球大约 60% 的能量都来自煤炭、原油和非常少的天然气。一个

① 2017 年，中国首次超过美国成为世界第一大石油进口国，当年中国全年的日均石油进口量升至 4.2 亿吨，超过美国的 3.95 亿吨。——译者注

世纪后，这 3 种化石燃料已经占到了全世界主要能源供应总量的 80% 左右，其余大约平均分配给主要电力（水电和核电）和植物质燃料。

即使可开采的化石燃料资源（尤其是原油和天然气）远高于如今最好的估计，但很显然它们并不够一个富裕起来的文明将其作为主导能量供应源而持续使用几个世纪。相反，需求的快速增长与燃料开采成本的逐步下降相结合，可能会让化石燃料时代仅限于 20 世纪和 21 世纪。同时，很明显，快速且显著的全球变暖与化石燃料燃烧联系紧密，这可能会迫使我们加速向非化石能源过渡。正如第 1 章所强调的那样，可再生能量流的总体规模是足够满足人类需求的。

自从人类学会用火以来，生物质能量就一直伴随着我们。亚洲、拉丁美洲以及整个撒哈拉以南的非洲地区数亿的农民和贫穷市民仍在使用木材、木炭、农作物剩余部分和粪便作为燃料来烹煮食物和取暖加热。由于大部分这类燃料都是由使用者自己收集或砍伐获取的，因此没有可靠的统计数据，但最好的估计值是，21 世纪初全世界使用的传统生物质能源的能量含量大约为 45 EJ（$1EJ=10^{18}J$），约占全球一次能源消耗总量的 10%。但如果与有用能量相比，传统生物质燃料的份额要降低很多，因为大部分生物质在原始炉灶中燃烧效率非常低。正如第 3 章指出的那样，这样的能量获取方式不仅很浪费，而且还会因为室内空气污染而产生严重的健康问题，而且由于森林砍伐以及有机物回收量减少，还可能导致严重的环境问题。如果采用现代的高效技术加以利用，生物质能量也能在不严重影响环境和社会的同时做出重要的贡献，但实现这一目标将是一个巨大的挑战。

水力能源是唯一一种通过现代技术便得以广泛利用的间接太阳能，除了在欧洲、北美和澳大利亚之外，还存在相当大的潜力有待开发。对于另一种主要的间接太阳能——风能，我们才刚刚开始收集利用之路，但我们还不清楚近来欧洲对大规模风力发电场的热情究竟能在多大程度上转化为对世界的持续性贡献。潜在的最有价值且到目前为止最大规模的可再生能源是直接的太阳辐射，其能以 170 W/m² 的效率为地球带来能量。但到目前为止，通过光伏发电将太阳能直接转化为电能的方式仅在一些可以忍受高成本的小规模利基市场取得了成功。另外，也有可能设计出本身更加安全和更经济的核能发电方式。我将总结所有这些主要非化石能量来源的优点和缺点，但在此之前，我必须强调未来能量需求规模巨大，并且伴随着巨大的耗能差距和长期的能源范式转变。

能量需求，差异、转变和局限

如果认识不到现有的耗能差距，就不可能理解未来全球能量需求的程度。美国和加拿大的年人均能量消耗量大约是欧洲和日本的 2 倍，超过中国 10 倍，约是印度的 20 倍，更是撒哈拉以南非洲最贫穷国家的近 50 倍。由于这种全球耗能模式是高度偏倚的（双曲线式），因此全球大约 1.4 toe（60 GJ）的年平均耗能量这个数据基本上没什么实际价值，仅有阿根廷、克罗地亚和葡萄牙 3 个国家的耗能速度接近这一数据，大多数国家的平均水平低于 0.5 toe，而高收入国家的平均水平则高于 3 toe。

现代能源获取权不平等

通过对比各个国家或地区的人口占全球人口的比例与这些国家在全世界一次能源消耗中的对应份额，可以最深刻地体会到能量获取方面所存在的巨大差异。人类中最贫穷的 1/4 人口，包括撒哈拉以南非洲大部分地区、尼泊尔、孟加拉国、印度等国的部分地区的一次能源消耗量不到全世界的 3%，而 30 多个发达经济体的人口总量占全球总人口的 1/5，其消耗的一次能源大约占世界的 70%（见图 6-1）。最惊人的对比是美国仅靠占世界不到 5% 的人口就使用了 27% 的一次商业能源。

比起非常低的婴儿死亡率、较长的平均预期寿命、丰足的食物、优质的住房或可享有各种层级教育的权利，人均平均能耗超过每年 2.5 toe 才是高质量生活的最好指标。因此，可以合理地得出结论，发达国家无须再提升自己本就已经非常高的人均能耗，比如欧洲和日本略高于 4 toe，美国和加拿大则超过 8 toe。同时，发展中国家国家仍有数亿人并不直接消耗任何化石燃料。

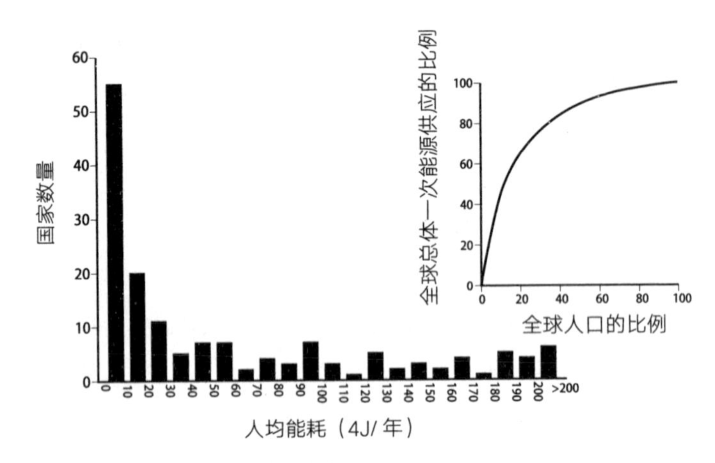

图 6–1　平均全国人均能耗的分布与全球商业能耗的洛伦茨曲线

由于 21 世纪上半叶几乎所有的人口增长都将出现在中低收入国家，同时除美国之外的所有发达国家都出现了人口增长停滞或下滑的现象，因此未来化石燃料和电力消耗的增长将出现在亚洲、拉丁美洲和非洲。但是我们却很难预测这些新需求有多大，因为其涉及人口增长和经济扩张、一次能源供应和最终能源使用情况不断变化、新发明和更高效创新的采用等许多复杂情况，比如能量密集型的重工业与轻工业和服务业的能量需求不同，荧光灯比白炽灯更高效，高效的天然气灶替代煤炭设备，驾驶次紧凑型车而非 SUV。

为了实现少量基本的经济安全，撒哈拉以南非洲的平均年人均能耗率至少应是现在的 3 倍，印度应该超过 2 倍，而目前低于

0.4 toe，中国也差不多应该翻 1 倍，现在大约为 1 toe。很显然，那些世界上人口最多且发展迅速的经济体的未来能源使用情况也将遵循发达国家已经发生过的能源转型模式，当然也会因各个国家的不同特点而存在差异。第 4 章已经提到过这种模式两大主要成分，煤炭在总体一次能源消耗中的比重下降以及石油和天然气的比重稳定上升，进而产生对石油和天然气进口的更高需求。不过中国的用煤比重还将继续保持相对高位，中国约 2/3 的能量都来自煤炭。

全世界能量使用情况转变的另一大关键成分是，电在最终用能中所占的比重一直在上升。1900 年，在发电技术诞生之后不到一代人的时间里，全球仅有略多于 1% 的化石燃料用来发电；到 1950 年时，全球这一份额上升到 10%；2000 年时则已经超过 30%。几乎所有地方的用电增速都比使用化石燃料的增速快，因为 20 世纪下半叶除了化石燃料发电之外，基于水能和核裂变的发电方式也得到了大力发展。

在缩小现有用能差距方面，持续快速提升中低收入经济体的平均人均用电量将是唯一的途径。美国现在的年人均平均耗电量超过 12 MW · h，日本接近 8 MW · h，欧洲的平均水平约为 7 MW · h。相对而言，中国的年人均耗电量约为 1.1 MW · h，印度为 0.5 MW · h，除南非以外的撒哈拉以南非洲地区这一数值一般都在 0.25 MW · h 以下。尽管电气化计划已经开展了数十年，但仍有近 20 亿人（主要在印度、东南亚和撒哈拉以南非洲）无电可用。因此，相比于一次能源消耗量，全球人均用电量的差距更大，对未来生产的需求也更加迫切。也许最能生动展现这一差距的莫过于卫星夜景合成图，灯火通明的发达国家与亚洲、非洲和拉丁美洲大部分地区的大片黑暗或最多星星点点的光照形成了鲜明的对比。

尽管中低收入国家的总体能量使用效率非常低，应该通过技术创新和更好的管理来实现巨大的提升，但未来的能量需求不能仅靠更高的效率来满足，因为这都不足以满足其中大部分，不过，积极向这个方向迈进是至关重要的。中国在 1980 年之后将每单位国内生产总值（GDP）的能量消耗减少了一半，其在此期间取得的成就，也展现了提升效率的重要性，如果不提升效率，中国每单位经济产值消耗的能量将达到实际情况的 2 倍。高效率的能量转化方式显然对经济和环境都有利，但它们仅能在个人或家庭层面上，或为单个公司尤其是工业中的公司或整个生产行业减少总体能量用量。

在国家和全球层面上，历史给出了完全相反的记录，毫无疑问，更高的能量转化效率带来了燃料和电力消耗量的稳定增长。英国著名经济学家斯坦利·杰文斯（Stanley Jevons）在 1865 年首次注意到了这一悖论，他说：“猜测更经济地使用燃料就相当于降低燃料的消耗量，这完全是概念的混淆，事实刚好相反。”杰文斯通过对比 18 世纪蒸汽机效率的极大提升——从托马斯·萨弗里和汤玛斯·纽科门的极其浪费的机器到瓦特的改进型设计与英国同期煤炭消耗量的巨大增长来阐释这一现象。

这也是现代能量消耗活动的常见现象，有两个例子可以说明这一点。第一，美国 2005 年的乘用车（包括 SUV）平均每公里油耗量比 1960 年时大约减少 40%，但由于更高的人均汽车拥有量（2005 年时为每两人拥有一辆车，1970 年时则是每 3 人拥有一辆车）和更高的年平均驾驶距离（2005 年时为 20 000 km，1960 年时为 15 000 km），平均人均油耗量增长了 30% 左右。第二，在 20 世纪，英国公共街道照明的效率大约提升了 20 倍，但由于照明强度（每千米道路的 MW · h）大约提升了 25 倍，同样超过效率所带来的增益。

因此，更高的效率并没有降低整体能量需求。尽管整体能量需求的增速如预期一样变慢了，但其增长也确实仍在持续，即使成熟的后工业化经济体也是如此。20 世纪 90 年代，尽管日本出现了严重的经济问题，而且 GDP 增长停滞不前，但该国的平均人均能量消耗还是增长了 15%。同期，能量消耗量原本就已经非常高的美国和加拿大增长率为 2.5%，而法国则增长了将近 10%。中国虽然在 1980—2000 年取得了单位经济能耗减半的令人瞩目的成就，但其人均能耗依然增长了 1 倍以上。未来几十年，不管在任何情况下都很难再出现相似的成就，但我们现在面临着全球可能快速变暖的新制约。

如果我们想尽可能降低人类活动，其中主要是由化石燃料燃烧增多所致的气候变化风险，并让大气中温室气体含量不升至工业时代之前的 3 倍以上，同时还能继续保持能量消耗增长，我们有 3 个选择：继续燃烧化石燃料但采用高效的方法来隔离所产生的温室气体，复兴核能，更多地使用可再生能源。这些选项目前还没有任何一个可供大规模商业采用，但它们也都不是单一的解决方案，而且每种方案也都存在各自不同程度的经济、社会和环境问题。

尽管有大量相关的理论研究，而且工业界和政府都表现出了浓厚的兴趣，但对二氧化碳封存的相关研究仍旧仅处于非常早期的实验阶段，我们仍不确定这种方法最终能为解决全球变暖挑战做出多大贡献。相比而言，我们已有超过半个世纪的大规模商业核能发电的经验，而且这些经验也已经向我们展示了应当避免什么以及应采用什么技术。专家的普遍共识是，核工业未来的任何发展都不能复制第一代核工业技术，为了尽可能减少或消除导致核电发展停滞甚至倒退的担忧，人们已经设计出了很多精巧的新方法。有几种所谓的“本质上安全的核反应堆设计”提供了被动式的无故障性能保证，甚至切尔诺贝利核事故那样的人为操作错误也不会导致堆芯融化。而且这种核电站设计可以灵活地调整大小，因此更容易被采用：一种氦冷式反应堆可以建造成功率低至 120 MW 的核电站模块，这个反应堆中装入了数十万个拳头大小的石墨球，而这些石墨球中填充了微小的氧化铀颗粒。

“9・11”事件之后，世界对发生恐怖袭击的可能性的担忧日益增长，因此这也成了反对大幅扩大核能发电的有力论据，但核电行业的未来并不主要依赖于更好的设计（20 世纪 80 年代中期以来就已经有了），也不会受对恐怖袭击的恐惧左右，毕竟全球已有数百个反应堆正在运作，而且还有许多其他很受关注的袭击目标。公众对核电的接受程度必须得到改变，核电虽然有潜在的风险，却是一种高回报的发电方式，而且我认为除非由世界上最大的经济体领导，否则不太可能出现世界性的核能发电复兴浪潮。但在2005年时，美国的核计划已不像1995年或1985年那样含混不清和不确定了，人们一直在谈论核工业对未来的重要性，这确实不可避免，但人们却并未为此采取实际行动，而且也没有任何迹象表明公众对核能发电的不信任有所减轻。正如美国对强辐射废料的永久存储位置和操作方式那无休止的争论所体现的那样，行政意图、立法拖延和法律上诉这些因素组合到一起，导致几十年过去了也没得到解决方案，而且我们也看不到任何一个国家批准核电方案以满足本国未来的电力需求。

情况可能会发生变化，但并不是因为公众最终认识到了各种发电选择的真实风险，毕竟人们在几十年前就已经熟知这些情况了。能够带来这种转变的情况有两种：一种是全球原油产量的下降速度超过预期，另一种是全球变暖变得异常迅速和明显。核能发电并不是不会产生温室气体，我们需要焦炭来生产发电站所需的许多钢组件，而且建造电站庞大的混凝土结构所需的水泥也来自燃烧化石燃料的窑，但与当今占主导地位的发电模式（燃煤发电）相比，核电站生产每单位电能所产生的二氧化碳至少要少95%。如果人类文明确实需要面临一场真正的全球变暖冲击，那么核电将会变得很有吸引力。因此，最合理的未来能量供应战略应是在提升能量转化效率（尤其是工业化经济体）的同时，减慢总体能量需求的增速（尤其是发达国家），应该在开发创新核反应堆原型的基础上灵活保留核能选择，还应在保证经济可行性和环境可接受度的同时，尽快提升非化石燃料所占的能源比重。但资本投资存在自己的考虑，而且基础设施也存在惯性，这意味着任何新能源或能量转化范式都需要数十年的时间才能占据显著的市场份额，我们应该积极地开发合适的可再生能源并使之商业化，不应再浪费任何时间。

可再生能源：生物质能、水能、风能、太阳能

只有在通过先进技术将精选作物和树木大规模集约化地转化为液态、气态燃料或电能之后，生物质能才能变成未来能源供应中的重要一员。但这一策略存在 3 大基本缺陷：

- 第一，正如第 2 章解释的那样，光合作用固有的能量密度非常低，因此如果要大规模地生产生物质燃料，需要占用大量耕地，而且还必须是耕地，这样才能维持高产量。

- 第二，通过收获粮食、饲料、木材、放牧以及故意焚烧草原和森林，人类已经占用了生物圈净初级能源生产中高达 40% 的份额，大规模燃料生产会进一步加重生物圈的负担，进而损害生物多样性并导致更严重的环境恶化。

- 第三，大规模生物质能源生产的总体成本非常高，不管是经济成本、能量成本还是环境成本。

此外，由于植物质的功率密度很低（见图 6–2），因此需要非常宽广的土地。例如，假设具有每 1 万平方米 15 t 的高产量

和很高的燃烧效率，就算只用人工种植的木质生物质替代全世界1/4的化石燃料，也需要将比欧洲和美国总森林面积还大的地方都种上树，这显然是不可能的。如果全美国的汽车都使用玉米生产的乙醇做燃料，那么就必须将该国所有的农田都用来种植这种能源作物，这显然也不可能。

对于人口密集的几十个国家，即使有限地种植生物质作物也是不合理的，因为这些国家已经很缺乏用以保证基本粮食供应的可耕地了，因此它们成了主要的粮食进口国。建立和种植新的生物质人工林会导致天然草原、湿地和低地热带森林进一步消失，仅有巴西和美国等少数几个国家可以将大份额的农田用来大规模种植燃料作物。

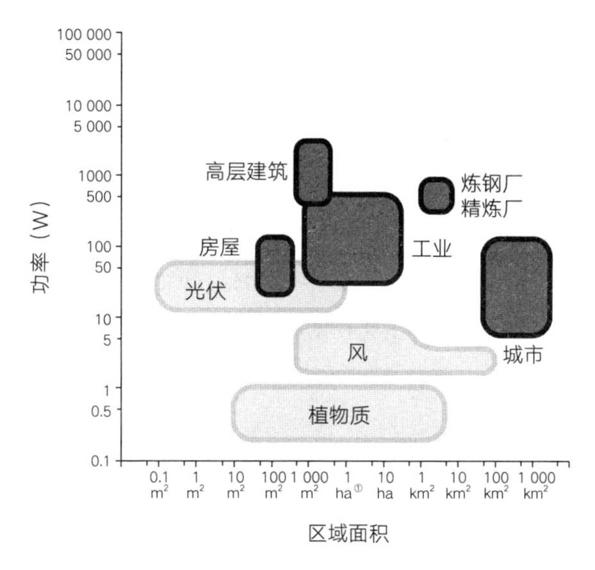

图 6-2　能量消耗和可再生能源生产的功率密度比较

注：1 ha（公顷）=10 000 m²。

此外，很多能量分析都表明，美国用玉米生产乙醇的过程会导致能量净损失，因为机械、化肥、灌溉和谷物发酵成乙醇的过程都会消耗能量。另一些分析则表明有较少的净能量收益，但如果能高效且低成本地对纤维素和半纤维素进行酶促转化，那我们不仅可以使用玉米粒的淀粉生产乙醇，还能使用玉米的秸秆和叶片来生产，那就可以极大地提升总体的能量平衡。相对而言，巴西的乙醇生产使用的是甘蔗，能获得正的能量回报，因为其发酵过程可由甘蔗渣即榨干甘蔗茎中的甜汁后留下的纤维残留物来提供燃料。但就算生物质作物及其处理过程有净能量收益，种植这些作物也会造成不良的环境影响，其中最显著的问题包括日益加重的土壤侵蚀、土壤致密化以及从肥料中流失的氮和磷对地下水和地表水的污染（这会导致水体富营养化[①]）。

未来我们也许会对微生物进行生物工程改造，使其可将非淀粉植物质转化为价格合理的液体燃料。但在此之前，我们应该继续有效利用所有的生物质废料，包括伐木厂和木材厂的木屑、无须用来保护土壤免遭侵蚀或回收营养物质的农作物残留物，并将基于生物质的液体燃料生产限定于农田富余国家的热带甘蔗。在生长条件优良或有很多可用荒坡的地区，可以扩大家用薪材林或用于获取商业木材的速生树种的种植范围。尤其是在荒地上植树造林时，不仅可以改善该地区的燃料供应，还能减少土壤侵蚀。

① 水体富营养化是指湖泊、河流、水库等水体中氮、磷等植物营养物质含量过多所引起的水质污染现象。由于水体中氮、磷营养物质的富集，引起藻类及其他浮游生物的过度繁殖，会使水体溶解氧含量下降，破坏原有的生态系统，导致植物、水生物和鱼类衰亡甚至绝迹。——译者注

但是，为了可靠的粮食供应以及控制环境问题，任何期待用生物质燃料驱动现代城市化文明的梦想都该止步于此。

水力发电是现代最大规模的非化石燃料一次能源，成本较低，具有适应高峰用电需求的高适应性，而且大多数大型水库都有多种用途，比如，可用作灌溉和饮用水水源、防止下游洪水灾害的保护措施还可用作娱乐场所和水产养殖场所。这些因素综合起来，足以使水力发电成为远离化石燃料的一种最理想的选择。不仅如此，事实上从全球范围来看，这种清洁的可再生能源大部分都未得到开发，国际大坝委员会（ICOLD）估算认为，全球经济可行的潜在项目每年可产生略高于 8 PW · h 的电能，差不多是当前年发电量的 3 倍。可以想象，剩下的水电项目潜力其实分布不均。欧洲、北美、澳大利亚和日本已经尽其所能开发了大规模的水力发电容量（但还有建造微型电站的潜力），但拉丁美洲的开发量还不到 25%，亚洲低于 15%，非洲甚至仅开发了 5% 的水电潜能。

由于这几个洲未来对能量的需求最高，因此这些尚未开发的潜能似乎应该备受欢迎才对，但现在出现的情况是这些地区的水电开发并不如 20 年前人们预测的那样快速和全面，这是因为水能在人们的认知观念中发生了重要的转变：从一种清洁的、可再生的且对环境友好的资源变成了一种更具争议性的资源，人们开始担忧其对社会和环境造成的破坏，并质疑其经济可行性。其结果是国际和国内对装机容量达数吉瓦的电站等超大型工程的反对声音日益高涨，政府和国际贷款机构为此类开发项目提供资金的意愿也明显下降。瑞典已经禁止在该国的大部分河流上再兴建水电站，挪威也已搁置所有计划，美国在1998年之后，其大型水坝的退役速度已经超过建造速度，而亚洲和拉丁美洲的许多国家已经出现了公众强烈抗议新项目的情况，其中具有代表性的是印度。

对大型水坝的担忧

2000年，世界水坝委员会（WCD）发布了一份报告，其中强调：除了重视传统上占主导地位的发电（以及灌溉或供水）的经济效益，还应同等重视对社会和环境造成的影响。尽管近来的一些批评完全出自意识形态方面的目的并且显然有些过度，但毫无疑问大型水利工程确实会造成许多严重的社会和环境方面的问题。建造大型水库时需要重新安置很多人，许多水库积淤严重，河水流动的平均时间变长，而且水库事实上也是温室气体排放源（很像化石燃料），因为被淹没和腐烂的乔木与灌木会释放二氧化碳和甲烷。

新的担忧已经出现，因为我们看到越来越多时间久远的水坝出现了不可避免的退化，而当这些水坝退役并被拆除时，又会导致额外的成本，这些问题在水坝建造时没有得到重视或没有得到足够的重视。我们只能推测这样的大型结构的最终寿命，也没有通过制定更好的策略来解决过度淤积和水库泥沙过早填充的问题，这会缩减水库的使用寿命。在亚洲部分季风气候地区，受严重的森林砍伐的影响，某些水库的预期使用年限被削减了一半之多，所有这些原因综合到一起使得剩余的水电潜能不可能再像 20 世纪那样得到积极开发。

但就算水电站的建造不会遇到任何阻碍，新的水电容量也只能满足部分预期需求，而且还必须侵占广阔的河谷、森林、草原、定居点和农田。现有水电站的平均功率密度[①]大约等于 1.7 W/m^2，占用了大约 175 000 km^2 的土地。如果在 21 世纪上半叶将所有剩余的水电潜能都利用起来，那么新的水库将占据大约 500 000 km^2 土地，面积相当于西班牙的国土面积。但我们也能以更小的规模收集水能，而且很多亚洲、非洲和拉丁美洲国家在建设容量小于 10 ~ 15 MW 的小型水电站方面都有很好的潜力，这样的电力水平自然无法为一个人口稠密的国家提供全国性的供电，但却足以保障一个偏远地区或岛屿的用电。

---

20 世纪 80 年代，风能出现了一波小爆发，但最终失败了。之后过了不到 10 年时间，通过高效的大型涡轮机收集风能的技术崛起成为可再生能源领域一大领先的分支，这主要得益于许多

① 这里计算的是实际发电量而非装机容量，这样的调整是必需的，因为很多水坝在干旱年份的发电量都会受到限制。——译者注

西欧国家的大力推广和采用。设计更好、尺寸更大的风机起到了很大的作用，额定功率从 20 世纪 80 年代初的 40 ～ 50 kW 增长到了 20 世纪 90 年代末的 500 ～ 750 kW，这时候第一台容量超过 1 MW 的涡轮机开始并网发电。丹麦的设计一直处于领先地位，该国的人均风电容量也同样领先，但德国由于为风电保证了较高的固定价格，也因此变成了风电总容量最高的国家，西班牙紧随其后。全球已安装的风力涡轮机容量中超过 70% 都位于欧洲，丹麦约占 20%，德国和西班牙超过 5% 的电力来自风能，但风电要在全球范围内发展成为主力能源还有很长的路要走。到 2004 年底，风力发电量仅略高于全世界发电总量的 1%。

为避免冲突，未来会建成很多大型的海上风电场，而且现在丹麦、瑞典、荷兰和英国已经运营了一些大型海上风电场，另外，一些旧的风电场也会更新换代，采用更大型的涡轮机。在未来几年里，风力发电仍将是可再生能源发电中增长最快的部分，但最终将发展到何种程度还未可知。风能是一种巨大资源，即使把合适的风速与选址限制综合起来保守估计，全球潜在可用的风能也多达 6 TW，大约比 2005 年全球发电总量还高 50%。但这个巨大的总量实际上无关紧要，因为我们无法依靠风电来满足现代社会所需的高基底负载[①]，也无法用风电来满足高峰的用电需求。

① 基底负载简称“基载”，是指电网系统中一定时间段内持续的最低基本电功率需求。一般而言，大型输电网络中都有专门供应基载能源的发电厂设置。——译者注

风电能力不足的原因是风速总在变化，不管是从天还是从年的时间尺度上来看，我们都很难预测这种变化，而且最佳风量出现的时机与电能需求最高的时段没有很好的关联。同时，我们既不想长时间无风，也不想遇到强风，因为为了避免结构损坏，现代风力涡轮机在风速超过 25 m/s（90 km/h）时会自动停止工作。欧洲的研究表明，装机功率中最多有 20% 可成功整合到全国的电力供应中，尤其是当相对较小的国家与周边国家的电网密切相连时（比如丹麦），但仅靠风电来提供基底负载所需的电能是不现实的，即便在风力资源远超出实际用电需求的地区也不行。

不仅如此，如果大规模地依赖风力涡轮机，还会遇到其他复杂情况，包括因为夏季昆虫群聚集在叶片前端而导致功率突然大幅下降 10% ~ 20%，飓风和龙卷风此等可能损坏风机的塔筒和叶片。其在环境方面引起的担忧包括对候鸟的威胁（已有数据记录）以及影响美观，这两个问题针对的都是大规模安装于大型陆上风电场中的涡轮机以及非常巨大的风电机组，其中最大的机器差不多比自由女神像高 1 倍，与其他主要的工程系统一样，现在评估这项技术的整体可靠性还为时过早。我们必须通过非常多的风力涡轮机来积累运营经验，这样才能准确评估这种设备的长期可用性和可靠性，例如，海上风电场如何挺过飓风袭击？严重结冰会对这些机器产生什么影响？光滑的叶片表面被空气中的磨蚀性颗粒物侵蚀的程度如何？

目前，全球风力发电的年增量为 5 GW ~ 8 GW，2005 年的总装机容量超过 50 GW[①]。相比之下，光伏发电仍显得微不足道。2005 年其全球容量低于 3 GW，其中日本、德国和美国 3 国的总装机容量就占到全球的 80% 以上。此外，光伏发电设备的额定功率并不能与其他发电模式直接相比，因为其是在高辐照度（1 000 W/m²，相当于晴天正午的日照）下测得的峰值功率，而非每日的平均性能。直接将太阳辐射转化为电能的光伏发电却是所有可再生能源中最具吸引力的，这有 3 大基本原因：太阳能资源的规模无与伦比、具有较高的功率密度、转化技术有固有的优势。其优势主要体现在没有活动部件、能在常温常压下安静地运行、设备很容易模块化等方面。

尽管如此，光伏发电的商业渗透率依然非常有限，这主要是因为两大关键原因：一是光电转化的效率相对较低，二是设备成本很高。20 世纪 60 年代，光伏电池首次在卫星上得到了应用，那时候的转化效率还不到 5%；而现在的高纯硅晶体光电池可在实验室环境中达到近 25% 的转化效率，但实际现场应用中的转化效率仍低于 15%，并最终会劣化至 10% 以下。由非晶硅或砷化镓、碲化镉以及铜铟硒制成的光伏薄膜电池在实验室环境中的效率可达 17%，但实际现场应用的效率远低于 10%。尽管技术方面的进步已经降低了光伏电池的单位成本，但光伏发电模块仍过于昂贵，在价格方面完全竞争不过化石燃料发电。不过光伏发

① 据全球风能协会（GWEC）统计，2016 年全球新增风电装机容量 55.6 GW，使 2016 年底的全球风电装机总容量达到了创纪录的 486.8 GW。——译者注

电的市场营销方向最终从专用的低功率应用转向了更大规模的并网发电，而且全球销量也正在上涨，峰值容量从1990年的不到50 MW升至了2003年的700 MW以上[①]。

由于太阳能具有相当高的功率密度，因此具有竞争力的可靠的光伏发电技术将成为一项最受欢迎的突破性项目，当效率接近20%时，就能实现20～40 W/m^2的发电速度，这比生物质转化方法高两个数量级，也比大多数水电和风电项目高一个数量级。但太阳能也有难以克服的问题，除了总是阳光明媚的亚热带沙漠地区以外，太阳能资源存在自然的随机性，而在阴天用漫射光发电的效率比使用直射的太阳光低得多，而且目前还没有商业可用的大规模储电技术。因此，目前最好的方法是并网光伏发电，这不仅能满足相当大份额的总电力需求，还可在晴朗的时间段里降低对化石燃料发电的需求。但在许多技术突破得到商业化应用之前，光伏发电还难以成为主导的基底负载供电方式。

不可能的预测

大规模且成本低廉的电力存储方式是最好的选择，否则即使把低成本的风电和光电加起来，也不足以可靠地保证基底负载供应。但不要期望马上就会出现技术突破，抽水蓄能依然是大规模存储剩余电力的唯一有效方法。这会用到两个至少有几百米高度

① 在此之后，全球光伏发电的装机容量呈现指数增长的趋势，至2018年底，全球累积光伏发电装机容量已达512 GW左右。

落差的水库，电网不需要的剩余电力会被用于将低水库的水抽到高水库，然后在下一个用电高峰期，这些水又会被放出来用于发电。全球抽水蓄能的总容量接近 100 GW，其中最大型的设施超过 2 GW，但抽水蓄能成本高昂，水库还需要具备较高的相对高度落差，因此无法在人口稠密的低洼地区实现。电池也无法存储这么大规模的能量，因为电池不仅成本高，而且能量密度过低，还难以充电，使用寿命非常短。因此，如果将氢作为一种主要的能量载体，那么基于各种可再生能源的大规模发电方式都将受益。

作为能量载体的氢

与很多流行文学作品反复暗示的情况不同，氢其实无法成为一种重要的能量来源。与甲烷不同，地球地壳中并不存在大型的氢储层，而不管是用甲烷还是用水来制备氢，都需要输入能量。但氢具有一些独特的性质，使其非常适合作为能量载体。氢的主要优点包括：能量密度更高，液态氢的能量密度为 120 MJ/kg，而汽油的能量密度仅为 44.5 MJ/kg；氢的燃烧产物只有水；另外，氢还有可能被用在燃料电池中。

这种燃料电池是通过氢气和氧气的化合反应来产生电能的电化学装置，其主要优点包括没有活动部件、运行安静且效率很高（通常超过 60%）、容易模块化，既可以做成为笔记本电脑供能的小电池，也可以做成输出功率达数兆瓦的大电池，用于发电站发电。人们对燃料电池的研究兴趣浓厚，这也导致近来人们对其早期商业化的期望过高，但除了少数相对较小的利基市场，它们的成本依然高得吓人，要让它们真正成为廉价可靠的能量转化器还需要很多创新。此外，为氢建立分送供应系统也面临着很大的问题，除非这个问题得到妥善解决，否则汽车制造商是不会大规模生产氢动力汽车的。相比于为乘用车提供氢能，也许更好的做法是供应一些利基市场，比如公共汽车、出租车和送货卡车等，因为这些由组织机构运营的车队可以在城市的少数几个站点补充燃料。

另外，由于能量密集型的氢能需要安全的存储和装卸技术，这也会使向氢动力汽车的过渡变得更加复杂。如果不经压缩，每千克氢气的体积为 11 250 L；压缩到高压的钢罐中可以降至 56 L /kg，但这也更加危险，同时其含有的能量还不如 3 L 汽油多，无法支持一辆高效的紧凑型汽车行驶 50 km。液化氢每千克仅有 14.1 L，但必须将温度保持在 -241 ℃之下——将其用在小型汽车中的工程开发难度太大。将其吸附在具有大的表面积的特殊固体上或通过金属氢化物储氢似乎是最有发展潜力的选择。

氢气配送过程中的安全性也是不小的挑战。尽管这种很轻的气体会很快弥散、没有毒性，而且就算泄漏也比汽

> 油更容易让人忍受，但其最小点火能①仅有汽油的 1/10，而且可燃下限②也更低，可燃上限也更高。因此，相比于现在加油站所采用的预防措施，加氢站所采用的预防措施将会严格得多。

实现以氢为主导的能源体系，显然与现代能源供应的长期去碳化目标是一致的，但这个过程将是渐进发展的，我们不应期待在下一代人的时间里出现任何向氢能经济的大规模转型（见图6–3）。各个时代主导性燃料的氢碳比（H ∶ C）各不相同，木材的氢碳比为 0.1，煤的氢碳比为 1.0，原油的氢碳比为 2.0。沿着这样的趋势，首先可以看到氢碳比为 4 的天然气将发展成为全球初级能源的主导者，并最终出现一个以氢能为主导的世界，但几乎可以肯定的是这不会在 21 世纪上半叶发生。但是，社会和政治的激变可能导致未来的发展趋势脱离这一进程，也可能加速这一进程，或走入让人绝望的死胡同，只有那些变得非常牢靠且依靠成熟技术的能源范式，才更有可能得到持续发展应用并获得进一步的创新。而氢能和强势复兴的核能都不属于这一类别，因此任何对这些技术的未来里程碑式的或广泛应用的预测都只是猜想。

① 最小点火能是指将可燃物与空气或氧气的混合物点燃所需的最小能量。——译者注

② 可燃下限是指可燃物与空气或氧气的混合物在给定位温度和压力下可被点燃的浓度范围的下限。相应地，可燃上限是指可燃物与空气或氧气的混合物在给定位温度和压力下可被点燃的浓度范围的上限。——译者注

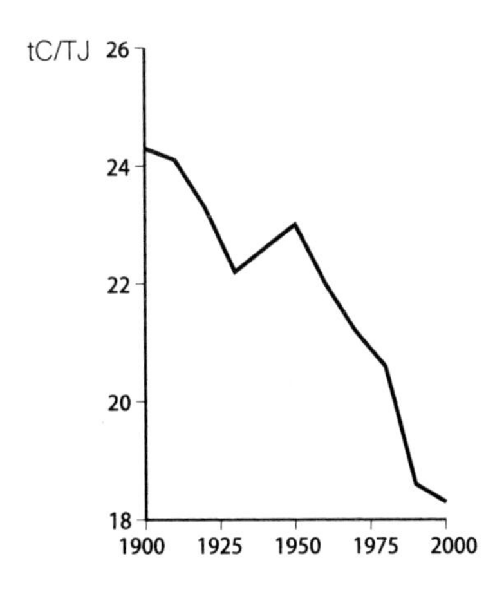

图 6-3 世界能源供应的去碳化图示

相对而言，燃烧化石燃料的能源范式无疑将在未来两代人的时间里主导全球能源供应，并且还会变得更高效、更清洁和更低碳。随着电能在世界范围内最终能源使用中所占份额的稳步上升，其已经具有的普遍较高的转化效率还将进一步提升。改进空间最大的是照明，并且发光二极管（LED）是最有前途的创新，这种技术其实已经存在很多年了，如电子设备上使用的红色或绿色的小指示灯，另外在汽车刹车灯、尾灯和转向信号灯以及交通信号灯中也很常用，尽管你可能认为这些地方用的是灯泡。一旦全光谱发光（类似日光）的 LED 灯设计投入商用，将会产生最大的影响[①]，因此，未来人们使用的灯的平均效率可能至少会比我们的高 50%。

① 这一说法已经在后续的发展中得到了验证。——译者注

另外，无须怀疑，在很长一段时间内我们还将继续依赖化石燃料，同时可再生能源首先将为我们提供补充能量，然后又会逐渐替代化石燃料。这些可再生能源包括亚洲和非洲的重大水电工程，以及各大洲都有的风力发电和光伏发电（见图 6-4）。而且历史已经清楚地表明，人类的创造力不会停歇。尽管重大发明常常不规则地扎堆出现，而不是有序地取得进展，但半个世纪的时间足以看到它们的诞生甚至得到实质性的推广应用，而且其中一些新发明的普及应用将会为 21 世纪后期人类文明的能源基础带来变革。这样的发展极有可能发生，但何时发生以及发展程度如何却完全无法预料。20 世纪后期就出现了重大发明变革人类生活方式的案例，由于科学家和工程师发明了燃气涡轮机和改进型的涡轮扇发动机，以及固态电子器件如晶体管、集成电路和微处理器，大规模航空旅行由此兴起。

图 6-4　澳大利亚的阿伯尼风力农场

在向基于非化石燃料能量的能源体系发展的道路上，我们目前还仅处于初级阶段。在某些方面，相比于从动物能量和生物质燃料向煤、碳氢化合物、发动机和电力过渡的上一轮转变，向非化石燃料的转变无论在技术问题还是社会问题上似乎都要更加困难。不过，考虑到我们具备的知识和资源，这样的难题应该是可控的，毕竟我们现在可用足够强大的科学和技术方法来提出新的解决方案，并且我们还具备前所未有的信息共享能力和国际合作机制。此外，我们还可以利用各种行政、经济和法律工具来促进必要的调整，比如为有前途的新技术规定更符合现实情况的定价以及提供合理的补贴，以帮助它们更快地达到一定的市场规模。

未来的任务是艰巨的，因为可以想象未来的能量需求会非常高，其中发达国家或至少已经相当富裕的国家（人口总数大约为10亿）的能量供应有持续改善的需求，包括在获取方式、可靠性和成本方面的改善，而且世界更贫困人口（大约50亿）的人均能量消耗量也必将得到显著提升。另外，在收集、分送和转化这么巨大的能量流的同时，还需要兼顾本地和全球环境质量长期维持或取得显著改善的目标。如此具有挑战性的根本性转变需要全人类共同创新，并提出解决方案以及实现有效适应。生物进化和人类历史已经表明，人类具有很好的适应变化的能力。尽管我们过往的创造、发明和创新并不能确保在未来几代人的时间里可以再次相当平稳地过渡到下一个能源时代，但基于此，我们可以相信如今的机会远胜于过去。

未来，属于终身学习者

我这辈子遇到的聪明人（来自各行各业的聪明人）没有不每天阅读的——没有，一个都没有。巴菲特读书之多，我读书之多，可能会让你感到吃惊。孩子们都笑话我。他们觉得我是一本长了两条腿的书。

——查理·芒格

互联网改变了信息连接的方式；指数型技术在迅速颠覆着现有的商业世界；人工智能已经开始抢占人类的工作岗位……

未来，到底需要什么样的人才？

改变命运唯一的策略是你要变成终身学习者。未来世界将不再需要单一的技能型人才，而是需要具备完善的知识结构、极强逻辑思考力和高感知力的复合型人才。优秀的人往往通过阅读建立足够强大的抽象思维能力，获得异于众人的思考和整合能力。未来，将属于终身学习者！而阅读必定和终身学习形影不离。

很多人读书，追求的是干货，寻求的是立刻行之有效的解决方案。其实这是一种留在舒适区的阅读方法。在这个充满不确定性的年代，答案不会简单地出现在书里，因为生活根本就没有标准确切的答案，你也不能期望过去的经验能解决未来的问题。

而真正的阅读，应该在书中与智者同行思考，借他们的视角看到世界的多元性，提出比答案更重要的好问题，在不确定的时代中领先起跑。

湛庐阅读 App：与最聪明的人共同进化

有人常常把成本支出的焦点放在书价上，把读完一本书当作阅读的终结。其实不然。

时间是读者付出的最大阅读成本

怎么读是读者面临的最大阅读障碍

“读书破万卷”不仅仅在“万”，更重要的是在“破”！

现在，我们构建了全新的“湛庐阅读”App。它将成为你“破万卷”的新居所。在这里：

- 不用考虑读什么，你可以便捷找到纸书、电子书、有声书和各种声音产品；
- 你可以学会怎么读，你将发现集泛读、通读、精读于一体的阅读解决方案；
- 你会与作者、译者、专家、推荐人和阅读教练相遇，他们是优质思想的发源地；
- 你会与优秀的读者和终身学习者为伍，他们对阅读和学习有着持久的热情和源源不绝的内驱力。

下载湛庐阅读 App，
坚持亲自阅读，
有声书、电子书、阅读服务，
一站获得。

Energy: A Beginner's Guide by Vaclav Smil.

First published in the United Kingdom by Oneworld Publications.

本书由 Oneworld Publications 在英国首次出版。

图书在版编目（CIP）数据

人人都该懂的能源新趋势 /（加）瓦茨拉夫 · 斯米尔（Vaclav Smil）著；吴攀译 . -- 杭州：浙江教育出版社，2021.8（2023.12重印）

ISBN 978-7-5722-2102-6

Ⅰ . ①人… Ⅱ . ①瓦… ②吴… Ⅲ . ①能源－普及读物 Ⅳ . ① TK01-49

中国版本图书馆 CIP 数据核字（2021）第 139051 号

浙江省版权局
著作权合同登记号
图字 :11-2021-097号

上架指导：能源 / 通俗读物

人人都该懂的能源新趋势

RENREN DOU GAI DONG DE NENGYUAN XINQUSHI

[加] 瓦茨拉夫 · 斯米尔（Vaclav Smil） 著

吴　攀　译

责任编辑： 高露露

美术编辑： 韩　波

封面设计： ablackcover.com

责任校对： 余理阳

责任印务： 曹雨辰

出版发行： 浙江教育出版社（杭州市天目山路 40 号）

印　　刷： 天津中印联印务有限公司

开　　本： 880mm ×1230mm 1/32

印　　张： 8.375　　**字　　数：** 188 千字

版　　次： 2021 年 8 月第 1 版　　**印　　次：** 2023 年 12 月第 3 次印刷

书　　号： ISBN 978-7-5722-2102-6　　**定　　价：** 79.90 元

如发现印装质量问题，影响阅读，请致电 010-56676359 联系调换。